▲フィールドワークの最初は萱野茂（かやの
しげる）二風谷アイヌ資料館から（1日目）

▲狩猟、調理、彫刻など様々な生活の場面で用いられた
マキリ（小刀、萱野茂二風谷アイヌ資料館）

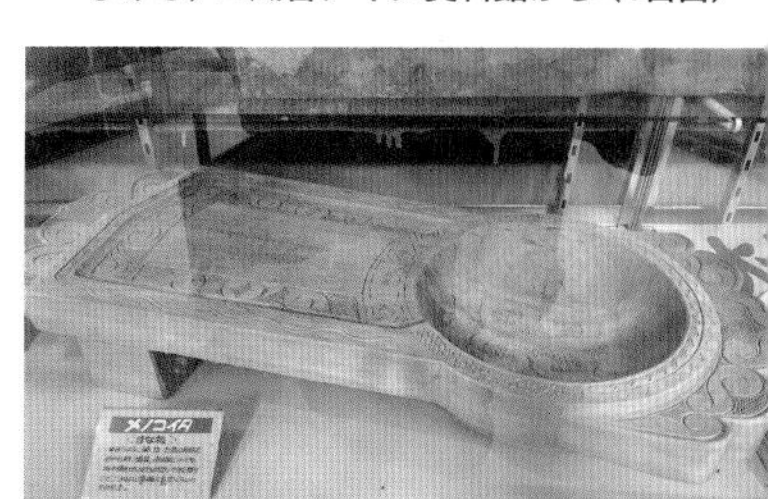

▲まな板、鉢、お皿、お盆などを兼ねたメノコイタ（萱野茂二風谷アイヌ資料館）

◀萱野茂が収集したたくさんの
生活用具が展示されている（萱
野茂二風谷アイヌ資料館）

憲政史上、初めて国会に響いたアイヌ語

環境特別委員会での社会党の質問の持ち時間は56分、茂はその時間のすべてをまかされました。質問にはいる前の冒頭の挨拶だけはアイヌ語でおこないました。

それは憲政史上、初めて国会に響いたアイヌ語でした。そのアイヌ語は片仮名で議事録に記録されています。

質問が終わると、周囲の議員が、感動した面持ちで握手を求めてきました。

平成6年（1994）11月

妻れい子著　萱野茂の生涯より

茂は「内閣委員会」と「環境特別委員会」に所属しました。
内閣委員会では「アイヌ新法」を扱い「環境特別委員会」では、「富士山を世界文化遺産」として申請するための、現地調査などを行いました。

平成7年（1995）本会議では政府をただす意味から、特定住宅金融専門会社の不良債権について質問をしました。

▲アイヌ初の国会議員となった萱野茂は「アイヌ文化振興法」の制定に尽力した（萱野茂二風谷アイヌ資料館）

◀資料館の敷地内にある「コロポックルの家」。コロポックルは「蕗の下の人」という意味でアイヌの伝承に登場する背丈の低い人のこと（萱野茂二風谷アイヌ資料館）

▶資料館の敷地内にある日本初の本格的なアイヌ語研究者である金田一京助の歌碑（萱野茂二風谷アイヌ資料館）

▶二風谷コタンにはいくつものチセ（家）が並んでいる

◀カムイや先祖の霊とアイヌ（人）のあいだを取り持つ供物であるイナウ

▶二風谷コタンの「北の工房つとむ」の一角にあった『ゴールデンカムイ』のコーナー

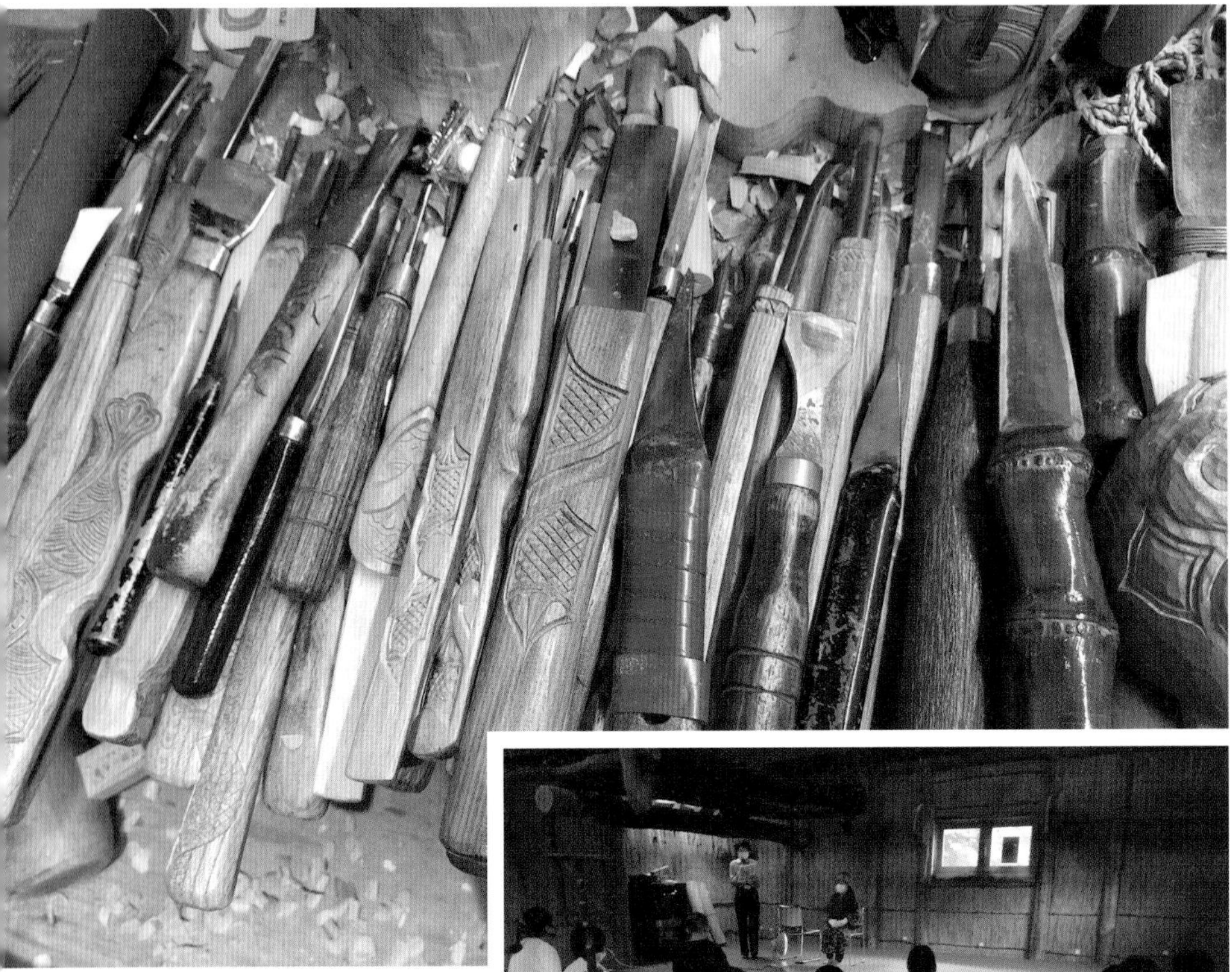

▲「北の工房つとむ」で貝澤徹さんが使用していた木彫りの道具。貝澤さんの作品は大英博物館にも展示されている

▲二風谷コタンの一番大きなチセで木幡サチ子さんのカムイユカㇻを聴かせていただく（2日目）

◀平取町立二風谷アイヌ文化博物館でたくさんの展示の説明を受ける

▲カムイや先祖の霊への祈りに際してお酒を捧げる用具のトゥキパスイ（捧酒箸、平取町立二風谷アイヌ文化博物館）

▲1本の木から掘り出されたチㇷ゚（丸木舟）。漁労にも運搬にも使われた（平取町立二風谷アイヌ文化博物館）

▶お昼の弁当はアイヌ料理

◀二風谷観光振興組合舞踊部会のみなさんによる踊り。ウポポ（輪唱）の体験もさせていただいた

▲貝澤耕一さんのお話しを真剣に聴く学生たち

◀樺太アイヌの霊送り儀礼でクマをつなぐ杭は、クマを守るカムイとして、先端にイナウが結ばれている

▶ウポポイ（民族共生象徴空間）の国立アイヌ民族博物館には、わかりやすい映像の展示もあった（3日目）

◀広いウポポイの敷地には、博物館の他、コタン、体験交流ホール、工房などたくさんの施設がある

▼弓矢体験「アㇰシノッ」に挑
戦する学生（ウポポイ）

◀知里幸恵 銀のしずく記念館が最後の訪問先となった（4日目）

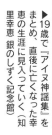

▶19歳で『アイヌ神謡集』をまとめ、直後に亡くなった幸恵の生涯に見入っていく（知里幸恵 銀のしずく記念館）

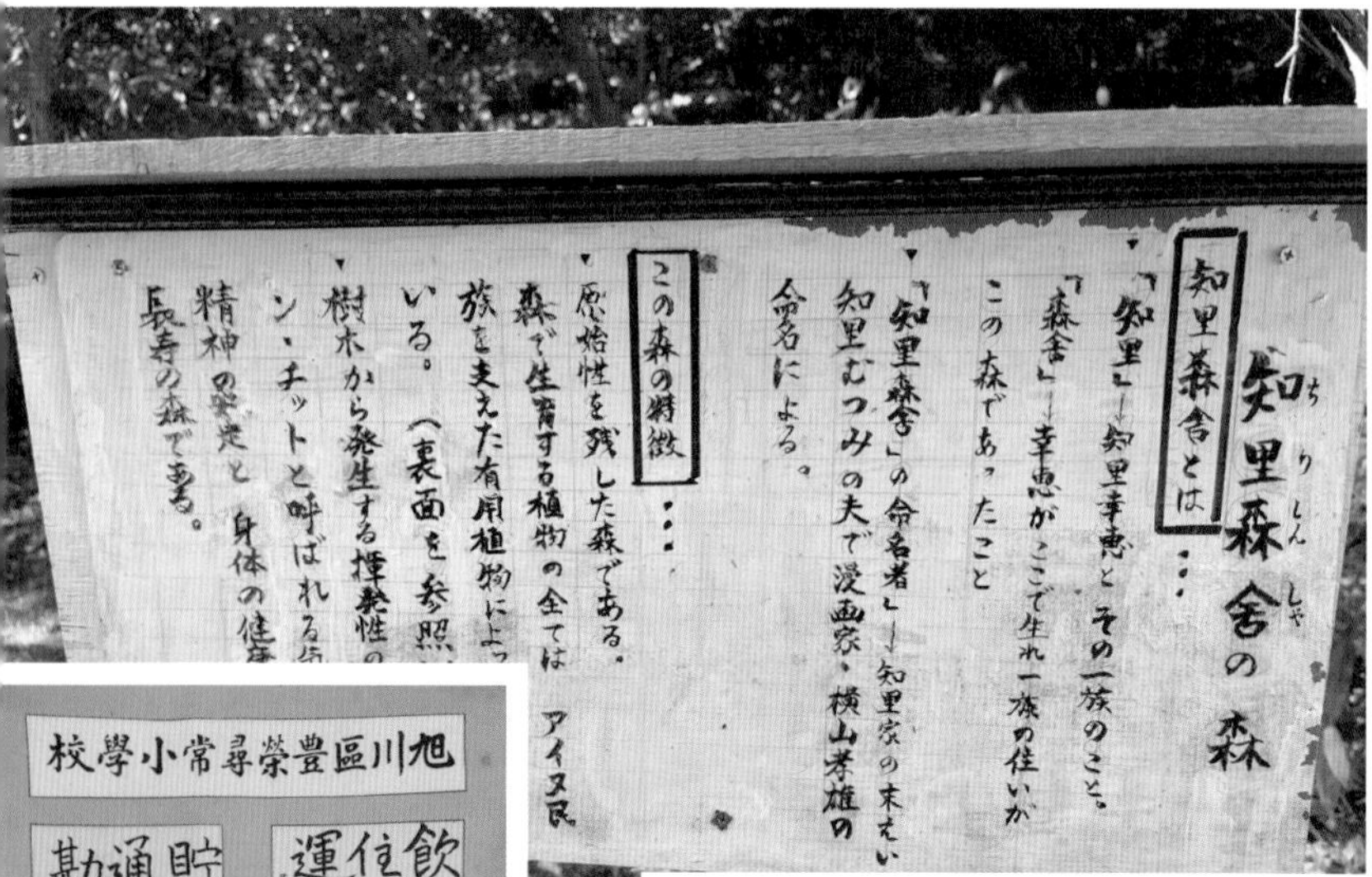

◀記念館は豊かな森に囲まれている

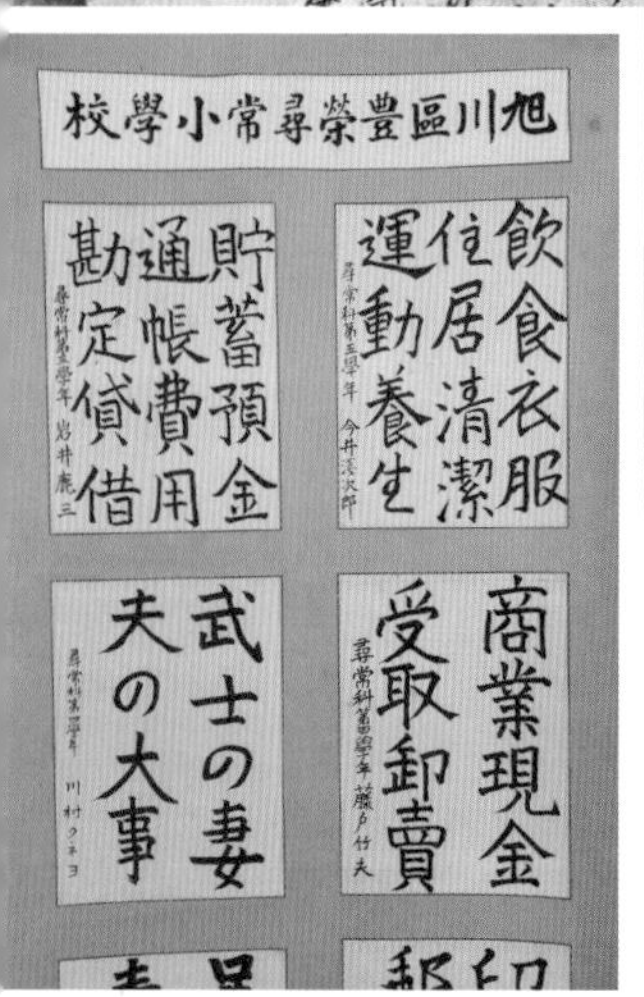

▲幸恵が通った旭川の小学校の生徒たちの書も（知里幸恵 銀のしずく記念館）

▶ヤムニ（くりの木）は樹齢100年以上

▼4日間のフィールドワークで唯一の全体写真を最後にここで

先住民族アイヌを学ぶⅡ

北海道に行ってみた

神戸女学院大学の学生たちがアイヌを学びに北海道へ。萱野茂二風谷アイヌ資料館、平取町立二風谷アイヌ文化博物館、国立アイヌ民族博物館、知里幸恵 銀のしずく記念館とアイヌの口承文芸、歴史と文化、遺骨問題、そしてアイヌの言葉など様々な姿に触れてきた!

中川 裕（言語学者、『ゴールデンカムイ』アイヌ語監修）
【特別講演録】アイヌの世界観とアイヌ文化の現在

共編
石川 康宏
建石 始
大澤 香

日本機関紙出版センター

はじめに

神戸女学院大学教授　**建石　始**

『先住民族アイヌを学ぶ』の続編が刊行されることとなりました。前作は2021年度に行った「プロジェクト（先住民族アイヌを学ぶ）」という科目の内容をまとめたもので、アイヌである藤戸ひろ子さんにお話を聞くことを中心とした内容でした。本作はようやく実現できたフィールドワークの内容とその振り返りの座談会、ならびに中川裕先生の講演会の内容が中心となっています。

前作の「はじめに」にも詳しく書かれていることや重複する部分もありますが、この本が刊行されるいきさつを簡単に書かせていただきます。

最初のきっかけはまだコロナ禍が始まる前、2019年6月の石川康宏先生（現・神戸女学院大学名誉教授）の「アイヌのことをやりたいんだけど、一緒にどう？　僕が歴史、大澤（香）先生が文化、宗教、建石先生が言語」という一言でした。

そこからとんとん拍子に話が進み、藤戸ひろ子さんをお招きして、2019年12月17日に神戸女学院大学文学部総合文化学科主催講演会「今を生きるアイヌ民族の学びと伝え合い」を開催しました。本学科には座学とフィールドワークを組み合わせた「プロジェクト科目」という授業があります。そこで、2020年度にはプロジェクト科目「先住民族アイヌを学ぶ」を実施し、大学では座学でアイヌ民族のことを学び、夏休みにフィールドワークでさらに内容を深める！という活動を行いたかったのですが、新型コロナウイルスの感染拡大により、断念（科目中止）せざるを得ませんでした。

仕切り直しで、2021年度にプロジェクト科目「先住民族アイヌを学ぶ」を計画し、ようやく実現することができました。その当時も新型コロナウイルスの感染拡大が続いていたため、フィールドワークには行けなかったものの、Zoomを利用したオンライン授業で学びを深めることができました（その際の授業計画や授業内容などは前作をご覧ください）。

2022年度は満を持して、4月21日の1回目授業（座学）、8月24日の2回目授業（座学）を踏まえて、9月4日から7日までという日程でフィールドワークに出かけることができました。多くの関係者の方々のお力をお借りしながら、フィールドワーク期間中に以下のことを行いました（担当者の肩書は、フィールドワーク当時のものです）。

9月4日：萱野茂二風谷アイヌ資料館見学、二風谷コタン散策、周辺民芸店訪問

9月5日：平取町立二風谷アイヌ文化博物館見学

木幡サチ子さん（アイヌ口承文芸講師）講話

貝澤耕一さん（平取アイヌ文化保存会事務局長）講話

体験学習（舞踊とウポポ［輪唱］）

木村二三夫さん（平取アイヌ遺骨を考える会共同代表）講話

関根健司さん（平取町教育委員会、アイヌ語講師）講話

周辺民芸店訪問

9月6日：ウポポイ（民族共生象徴空間）にて国立アイヌ民族博物館など見学
9月7日：知里幸恵 銀のしずく記念館見学

学生たちはこのフィールドワークを通して、たくさんのことを学んでくれました。その成果をもって、2023年2月9日に千葉大学名誉教授の中川裕先生をお招きして、神戸女学院大学文学部総合文化学科主催特別講演会「先住民族アイヌを学ぶ」を開催しました。コロナ禍以降に開催した初めての講演会でしたが、130名以上の参加者があり、大盛況のうちに終えることができました。

本書は上記の内容をまとめたものです。第1部はフィールドワークの内容、第2部はその振り返りの二つの座談会、第3部には中川裕先生の講演の内容と学生たちとの座談会、という構成になっています。

本書は4年以上前から始まった企画の一つの集大成とも言える内容です。中川裕先生、藤戸ひろ子さんをはじめとする、多くの専門家の方々のご厚意、ご協力のおかげで、本書を上梓できたことをとてもうれしく思います。中川裕先生のご講演内容、ならびに学生たちの学びの成果をお楽しみいただければ幸いです。

〈北海道のフィールドワーク訪問地〉

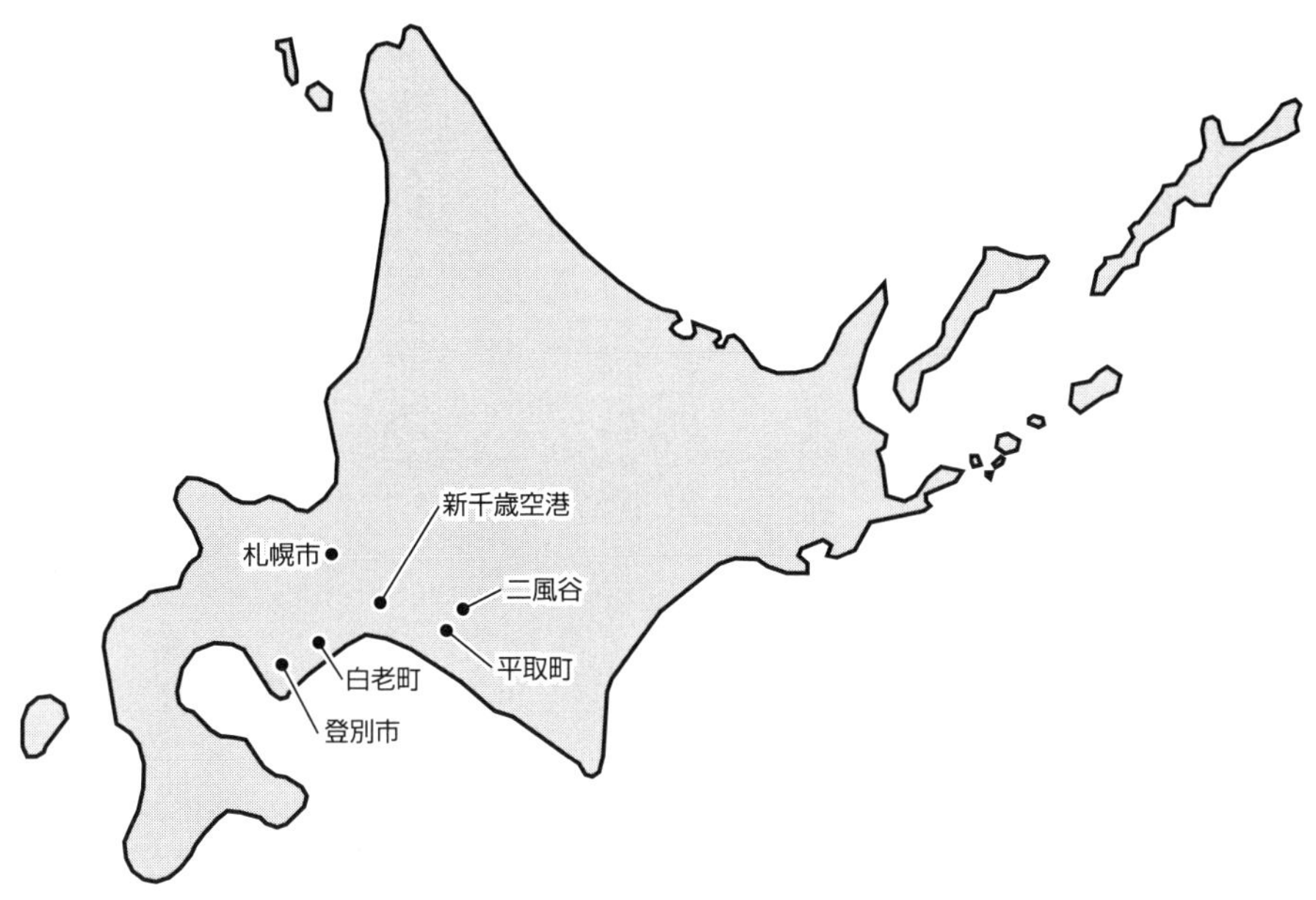

[「和人」という言葉について]

日本の国籍法は日本国籍をもつ人を「日本人」、もたない人を「外国人」としています。これに従えばアイヌ民族も、現代ではほとんどが日本国籍をもつ「日本人」です。沖縄の琉球民族や日本以外の国や地域にルーツをもつ人々も同じです。つまり「日本人」は様々な民族からなっており、日本は世界のほとんどと同じく多民族国家となっています。

ところが「日本人」の中で一番の多数派である人々に、アイヌ民族、琉球民族のような明快な民族名が定まっていません。そこで少なくない人々がこれを補うために用いているのが「和人」です。「和人」というのは昔アイヌと交流をもつようになった「本州系」の人々が、自分たちをアイヌ民族と区別するために使った言葉です。この本でも何カ所かにこの言葉が登場しています。より詳しくは前作の『先住民族アイヌを学ぶ―藤戸ひろ子さんに聞いてみた』をご覧ください。

〈もくじ〉　先住民族アイヌを学ぶⅡ　北海道に行ってみた

巻頭グラビア　1

はじめに　建石　始　神戸女学院大学教授　10

第1部　北海道に行ってみた　19

よく学び、楽しくすごした4日間　石川　康宏　神戸女学院大学名誉教授　20

第1章　アイヌ語と口承物語の継承者　木幡サチ子　アイヌ語口承文芸講師　24

イランカラプテ～こんにちは　24
小鳥と水の物語　25
カミナリが落ち、村は全滅に　30
祖父の子守唄を勉強し　34
〈質問に答えて〉　35

第2章　違いを認めて理解し合えば、戦いは起きない　貝澤　耕一　平取アイヌ文化保存会事務局長　40

世界で一番アイヌ民族の密度が高い村　40
歴史を明らかにしない国立博物館　41

アイヌ民族と二風谷ダム裁判 43
ロシア、ウクライナ、そしてアイヌ 47
先住民族と認めたが権利は認めない日本政府 48
日本は単一民族国家ではない 50
1人ひとりが違う存在として生きている 51
もっと相手を理解し自分を表現する 53
〈質問に答えて〉 55

第3章 過去に目を閉じる者に未来はない
木村二三夫 平取アイヌ遺骨を考える会共同代表 60

アイヌが辿らされてきた屈辱的な歴史 60
日本政府は加害者という認識を学校教育で 63
「一通の嘆願書」をきっかけに 64
過酷な強制移住、強制労働と私の祖先 65
遺骨盗掘と返還問題 68
アイヌ政策推進法の周知徹底を 70
アイヌ遺跡を隠す北大 71
多民族多文化国家に歩みを 72
〈質問に答えて〉 73

第4章　アイヌ語を北海道の公用語にしたい　関根健司　平取町教育委員会　アイヌ語講師　78
二風谷で妻と出会いアイヌ語に魅了　78
アイヌ語が話せないのは自然なこと　80
二風谷小学校でアイヌ語授業　82
マオリ族の言語学習メソッドに学んで　84
〈質問に答えて〉　85

第2部　北海道から帰ってきて　95

第1章　《学生座談会》フィールドワークを終えて　96
岡野眞生子　森谷野乃花　立花若葉　前田奈奈葉　濱野笑里　中川稚菜
野崎舞　久保田梨紗　末富琴子　飯田好花　松本佳子　新海沙和　石川康宏
1．平取町でみっちりお話をうかがって　96
2．それぞれの資料館を見て考えたこと　105
3．北海道を訪れる前と後で　114

第2章　《教員座談会》フィールドワークを終えて　石川康宏　建石　始　大澤　香　120
1．訪れたからこそ学べたこと　120
2．萱野茂二風谷アイヌ資料館で　122

3. 60歳からアイヌ語を学んだ木幡サチ子さん 128
4. 平取町立二風谷アイヌ文化博物館と貝澤耕一さん 129
5. アイヌ料理、舞踊、ムックリ、輪唱も 134
6. 遺骨問題と木村二三夫さん 135
7. アイヌ語普及と関根健司さん 137
8. ウポポイ展示の明と暗 140
9. 自分を重ねて観た知里幸恵 銀のしずく記念館 144
10. 大学にもどって 146
11. 学生たちの学びをふりかえって 150

第3部 アイヌの世界観とアイヌ文化の現在

153
中川裕先生をお招きして 石川康宏 154

第1章 アイヌの世界観とアイヌ文化の現在 中川裕 千葉大学名誉教授

156
伝統的な音楽を現代化して歌うアイヌの人たち 156
アイヌ民族文化財団のアイヌ語ポータルサイト 161
日常生活をアイヌ語で 162
アイヌ文化は過去のものではない 164
キーワードはカムイ 165

カムイを日本語に訳せば　165
アイヌのカムイ観　167
あらゆるものと共生　168
ヤブマメの唱え事　170
アイヌと交易　172
『ゴールデンカムイ』を読み解く　174
人間とカムイの関係という思想　178
アイヌの世界観の中心にあるもの　179

第2章　中川裕先生と学生たちのQ&A　182

学校の教科書に書かれていない歴史の学び　182
アイヌ語習得はどうやって　185
ルーツに当たる方言の言葉を覚える　190
アイヌ文化は人に注目して　193
アイヌ語が氾濫する状況を　199
アイヌを知る交流の場を　200

おわりに　大澤　香　神戸女学院大学准教授　202

第 1 部

北海道に行ってみた

よく学び、楽しくすごした4日間

石川　康宏　神戸女学院大学名誉教授

兵庫県西宮市にある神戸女学院大学に一番近い空港は大阪（伊丹）空港で、2022年9月4日朝9時の同空港集合が、今回の旅の始まりとなりました。10時前には空に飛び、お昼を北海道の新千歳空港で食べ、午後には貸し切りバス「セタプクサ号」で平取町に向かいます。バスの中ではアイヌ民族をテーマにした「ラジオ深夜便」（NHK「ラジオ深夜便」、2022年7月30日「アイヌ文化との出会い～深夜便からイランカラプテ～」）の音声を流し、沙流川沿いを北上する途中の川にかかる橋の名前には「シケレベ橋」「オサツ橋」などのアイヌ語も見えて、いよいよ来たぞというムードが盛り上がります。

3時前には「萱野茂二風谷アイヌ資料館」に到着し、各自メモ帳とペンとスマホ（カメラ）を手に、ただちに学びに入ります。アイヌ文化を必ず引き継ぐという萱野さんの執念を感じさせるたくさんの展示に見入った後、学生たちは外にある「縁結び石」にもちょっと興味を示していました。4時半には、たくさんのチセ（家）がならぶ「二風谷コタン」に移動し、広い公園をそれぞれ自由に歩きました。それからみんなが自然に集まったのは「北の工房つとむ」というアイヌの民芸品のお店でした。マンガ『ゴールデンカムイ』の作画に必要とされたマキリ（小刀）を彫った貝澤徹さんのお店で、貝澤さんご夫妻には「鯉登少尉のファンです」といった学生の声にも楽しく接していただきました。宿泊は「びらとり温泉ゆから」で、8時には夕食終了となったのでした。

2日目の9月5日は、朝食の後、9時には「平取町立二風谷アイヌ文化博物館」に到着です。博物館は昨日の「二風谷コタン」の一角にあり、さっそく研修室としても使われているシネチセ（シネはアイヌ語で「一つ、第一の」など。ここは1号棟といった意味）の中で、まずは木幡サチ子さんからカムイユカラを聞かせていただきました。自分たちの目の前にいる人の口から出るカムイユカラにみんな感激です。木幡さんとお別れして、10時すぎには博物館に移動し、短い映像を見て、学芸員の廣岡さんのご案内で、たくさんの展示を見ていきます。11時にはシネチセにもどり、今度は、貝澤耕一さんのお話をうかがいました。二風谷の紹介から、東京オリンピックの決定と大慌てでのウポポイ建設の関係、二風谷ダム裁判の内容など、アイヌに対する政府と社会の姿勢の問題点をズバリ、ズバリと突くお話で、学生からも次々質問が出されました。

お昼は、シネチセの中でアイヌ料理のお弁当です。最初はおそるおそるの人もいましたが、結局は「おいしい」とみんな器を空にしていました。午後1時には、二風谷観光振興組合舞踊部会のみなさんによる優雅な、また迫力のある踊りの時間です。ムックリ（口にあてた竹を糸ではじき、音を口の中で響かせる楽器。口琴です）の演奏も聞かせていただき、最後には、教えていただいたウポポという輪唱をみんなで体験させてもらいました。2時からは、木村二三夫さんのお話です。アイヌの歴史は「屈辱の歴史」だから「恨み節」になることをゆるしてほしいと話し始め、明治政府による強制移住から今日の遺骨盗掘問題への各地の大学の「非倫理的」な姿勢まで、いくつかの話題をとりあげながら多文化・多民族共生の国づくりの必要を話されました。3時40分からは関根健司さんのお話です。関根さんは神戸女学院大学がある西宮でも仕事をされたことがある関西出身の方ですが、関根さんが平取町に暮らすようになった事情から、子どもたちや大人たちとのアイヌ語教室、ニュージーランドの先住民族マオリとの交流といったお話がつづきます。学生の質問に対して、アイヌ語を北海道の公用語にしたいと答えた希望の言葉が印象的でした。5時ちょうどの終了でしたが、ギュウギュウの過密スケジュールに学生たちもさすがに疲れていたようです。

3日目の9月6日は、朝9時の出発で白老町の「ウポポイ（民族共生象徴空間）」に移動します。ここで平取町とはお別れです。10時半には「セタプクサ号」で到着し、グループごと自由に見学する時間としていきました。敷地内にある「国立アイヌ民族博物館」で動画や展示を見て、「国立民族共生公園」ではアイヌ文化と深くかかわる植物の解説を聞いたり、木彫り、ムックリの演奏などいくつかの体験もして、フードコートではギョウジャニンニクを使った料理やハスカップのソーダなども楽しみました。教員3人は、実はここでこの本を出版するための相談会もしていました。5

時には「ウポポイ」を出て、30分ほどで登別市のホテルに到着です。台風の接近で目の前の海は荒れていましたが、雨は少ししか降っていません。結局3日間とも星空が見れなかったのがちょっと残念でした。

最終日の9月7日は、9時すぎにホテルを出て、すぐに「知里幸恵 銀のしずく記念館」に入りました。知里幸恵は代々口伝えで引き継がれてきた「カムイユカㇻ」を『アイヌ神謡集』として、ローマ字を用いて表記し、日本語訳とともに出版した初めてのアイヌです。わずか19歳での仕事であり、これを書き上げた直後に幸恵は残念ながら亡くなりました。『アイヌ神謡集』には彼女の見事な文才とともに「その昔この広い北海道は、私たちの先祖の自由の天地でありました」と「序」に書いたアイヌとしての強い誇りが見て取れます。自分と同世代の幸恵の仕事とアイヌがおかれた境遇に、学生たちも多くを感じていたようです。記念館の横には、アイヌ文化とゆかりの深い木々が育てられており、それらの「知里森舎の森」も解説していただきました。11時には記念館を出て、12時には新千歳空港に到着。それぞれにゴハンを食べて、2時半には飛行機に乗り込みました。5時前には大阪（伊丹）空港のロビーでの、物事が無事に終わったことに感謝する「一本締め」（こんな文化が学生たちに残っていることにビックリでしたが）で全日程の無事終了となったのでした。

以下は、日程の2日目にみなさんがしてくださったお話の内容です。

第1章　アイヌ語と口承物語の継承者

アイヌ語口承文芸講師　**木幡 サチ子**

1930年7月23日、平取町貫気別生まれ。1990年から萱野茂氏の指導を受けアイヌ語を学ぶ。1998年から平取町二風谷アイヌ語教室でアイヌ語講師。二風谷アイヌ文化博物館や各地に出向きアイヌ語やアイヌ口承文芸の披露、アイヌ文化の普及啓発に貢献。2012年アイヌ文化奨励賞、アイヌ文化賞、2018年に北海道文化賞、2019年文化庁長官表彰。

イランカラㇷ゚テ～こんにちは

イランカラㇷ゚テ。みなさまにご挨拶をしますので、私が「イランカラㇷ゚テ」と言いましたら、みなさまも大きい声でご挨拶してください。「イランカラㇷ゚テ」「イランカラㇷ゚テ」。はい、ありがとうございます。私の年齢は数えで93歳です。

まず私が生まれた所を最初に紹介します。

カニ アナㇰネ シンリッ ミンタㇽ ホントモ ノカピラ ホントモ ヌキベツ コタン セコロ アイェ ウシケタ エカシ クヌ ワ レコロ カトゥ エトンピア、フチ クヌ ワ レコロ カトゥ オイネ ワ オナ クヌ ワ レコロ カトゥ テヨ ネ ワ クレコロ カトゥ キバタ サチコ。オチッネ ルㇷ゚ネ マッ クネ コロカ クニネ ネワ

タナントオッタ ピリカ メノコ ウタラ ピリカ オッカヨ タン ポロ チセ チュプテノ エクアン。エアラキンネ ケヤイコプンテク ペ ネ クス アイヌ イタカニ エチエランカラプ テナ。

拍手、拍手。イヤイライケレ。これはありがとうという意味で、本当にありがとうございました。

私の家の目の前の川は沙流川といい、その川の支流、ヌカビラ川の中ほど、ヌキベツ村で生まれました。おじいちゃんの名前がエトンピア、おばあちゃんの名前がオイでした。父親はタケジロウ、母親はテヨです。私の名前は木幡サチ子。いたらない老婆の私ですけれど、今日はかわいいお姉さん、かわいいお兄さんがこの大きい家いっぱいにおいでくださいまして、誠に嬉しく思い、嬉しくご挨拶を申し上げています。拍手。すみませんが、私のお話にはその都度拍手をよろしくお願いいたします（笑）。

講話中の木幡サチ子さん

小鳥と水の物語

アイヌ語は私もこの二風谷に何年も通って習いました。それをみなさまにお聞かせしています。ワオという小鳥の物語を歌いたいと思います。

サケへ（繰り返し言葉）：「ワーウォリー」以後：w
wワオ セコロ
wレ カ サㇰ クス
wアイヌ ヘカッタㇻ
wチウェンハウェヘ
wウンコエカㇷ゚
wチルㇱカクス
wペッ ネヤッカ
wナイネ パイェ
wナイネヤッカ
wサッ ワ パイェ
wカムイネヤッカ
wアイヌ ネヤッカ
wワッカ エシㇼキラㇷ゚
wネアントタ
wオキクㇽ ミ
wノㇱキケ パㇰノ
wプヤㇽ オッタ

　ワオと言う
名前もなかったので
人間の子どもたち
悪い言葉で
私に挨拶をする（私を罵る？）
私はそれに腹が立って
川であっても
沢となった
沢であっても
乾いてしまった
神であっても
人間であっても
水で苦労した
ある日
オキクㇽミが
真ん中ほどまで
窓から

ｗヘトゥㇰ ヒネ
ｗエネ イタキ
ｗ「トアン ウェン ワオ
ｗシㇽウェン ワオ
ｗエモト オロケ
ｗクイェ クス ネナ
ｗピㇼカノ エヌ
ｗテエタ カネ
ｗイワン ヤマンコ
ｗウ エキタ
ｗシネ ヤマンコ
ｗニチョロポㇰオㇱマ
ｗウ ライ ㇽウェ ネ
ｗモトウントリヒ
ｗイヌヌカㇱクス
ｗエアン ㇽウェ ネナ
ｗエウェン プリ コロ
ｗネ ワ ネ ヤㇰネ

頭を突き出し
このように言った
「この悪いワオめ
腐ったワオめ
お前の素性を
言ってやるぞ
よく聞け
昔
6人の山子が
来た時に
1人の山子が
木の下敷きになり
死んでしまった
もとどり（髪の束）で
可哀そうに思ったので
お前がいるのだ（もとどりでお前を作ったのだ）
お前が悪い行いをするならば
そうであるならば

wウェン カムイ モシㇼ
wエアㇻパレ クㇱ ネナ
wピㇼカノ エヌ」
wオキクㇽミ
wイルㇱカ トゥラ
wエネ ハウェアン
wアイヌ モトホ
wウ ネ クㇱネ アㇷ゚
wオリパㇰ セコロ
wヤイヌ ヒネ
wオリパㇰ ペ ネクス ネ… スイ…
アイヌ ネヤッカ カムイ ネヤッカ オリパㇰ サㇰノ
ワッカカク エヤㇱカイ ノイネ
ペッ ネヤッカ ペッネ パイェ ナイ ネヤッカ ナイネ パイェ ペ ネクス
カムイ ネヤッカ アイヌ ネヤッカ ワッカ エシㇼキラㇷ゚ サㇰノ オカ ルウェ ネ

悪い神の国へ
行かせるぞ
よく聞け」
とオキクㇽミが
怒りと共に
このように言った
アイヌの起源
であったのだ
遠慮しなければ
と思って
遠慮したので
人間も神も遠慮なしに
水も飲めるように
川は川として、沢は沢として流れるようになったので
神も人間も水で苦労することなく暮らせるのだ

アイヌ語の謡に聞き入る学生たち

セコロ シネ ポン チカプ イソイタㇰ。セコロ ネ。と、一羽の小さな鳥が語りました。ということです。

………………………（拍手）。

ありがとうございます。私、夕べは、明日あなたたちに会えるということでビール飲み過ぎたの。すみません、水飲ませてください。ウソなんだ、ビールは飲まないの（笑）。

それでは解説をしますね。

私は山でいつも鳴いている。ワオ、ワオと鳴いている小鳥です。すると村の子どもたちが、ワオ、ワオと言うと自分たちの真似をするので、悔しくなっちゃって川も小さくなって沢になって、沢も乾いてしまった。すると神さんもアイヌも水を飲むことができない。そうして暮らしているとある日、窓にオキクㇽミという神さんが覗いていう言葉は、お前に聞かせてあげるからと凄い怒られて、昔6人の山子さんが北海道に働きに来た。その時に1人の山子さんが木の下になって亡くなった。その人の髪の毛が勿体ないと思い、今のワオという鳥にしてあげた。それなのに意地悪をして、神様やアイヌに水の不自由をさせるのなら、お前を恐ろしい、化け物がたくさんいる国に送ってやるから、そのつもりでいなさい。とオキクㇽミがお話をしたので、おれの先祖が人間ならば、それは申し訳ないことをしてしまったと思い、川は元通りになり、沢も元通りになって、神さんも人間もみんな不自由なく水を飲むことができました。というお話でございます（拍手）。

カミナリが落ち、村は全滅に

もう一つ短いお話をします。私、10日ほど病院にいましたので今は非常に元気です。次のお話はみなさん、手でも膝でもいいので拍子をとってお手伝いしてください。カミナリさんのお話です。

サケヘ（繰り返し言葉）「リッㇳゥンナ」以後：r

rアイヌ モシㇼ　人間の国を
rチヌカン ルスイ　私は見たくて
rシネアントタ　ある日
rシシㇼムカ　沙流川の
rペッ トゥラシ　川に沿って
rパイェアサイケ　上って行くと

rスス ニタイ
rホサオチウエ
rケネ ニタイ
rホマコチウエ
rペッ トゥラシ
rパイェアサイケ
rポロ コタン アン
rコタン ノㇱキタ
rモシㇼ コラチ
rポロ チセ アン
rコタン コロ クㇽ
rチセ ネ ルウェ ネ
rコタン コロ クㇽ
rポホ アナㇰネ
rイルイケ コラン
rマッネポホ
rイテセ コラン
rコタン コロ クㇽ

ヤナギの林は
前にたなびき
ハンノキの林は
後ろにたなびいている
川に沿って
上って行くと
大きな村があった
村の真ん中に
山のような
大きな家があった
村長の
家であった
村長の
息子は
刃物を研いでいた
娘は
ゴザ編みをしていた
村長は

rエネ イタキ
rカムイ アㇷ゚カㇱナ
rオリパㇰ セコㇿ
rハワナ コㇿカ
rネ ポホ
rエネ イタキ
rカムイ アナㇰネ
rソモ イルケ？
rソモ アリキキ？
rエネ ハウェアン コㇿ
rトゥルㇲ ワッカ
rコㇿ ワ ソイネ
rシシㇼムカ
rエサッサリ
rカンナ カムイ
rイルㇱカ コㇿカ
rネ マッネポ
rキナ テイネレ

このように言った
「神さまが通るぞ
遠慮しなさい」と
言ったのだが
その息子は
このように言った
「神さまは
研ぎものをしないのか？
一生懸命働かないのか？」
そう言いながら
汚れた水を
持って外にでて
沙流川（の上空に向かって）
ぶちまけた
雷の神さまは
怒ったけれども
その娘のほうは
ゴザ編み用のガマの茎を濡らしていて

rシシㇼムカ　沙流川（の上空に向かって）
rエシスイェ　振り回した
rカンナ カムイ　雷の神さまの
rシキヒ ネ ヤッカ　目にも
rパロホ ネ ヤッカ　口にも
rトゥルㇱ ワッカ　汚れた水が
rオマ ルウェ ネ　入ってしまった
rイルㇱカ ペ ネクス ネ コタン…　怒ったので、その村を…

カンナ カムイ イルㇱカ ペ ネクス ネ コタン オルン トゥルㇱ ワッカ…

雷の神さまは怒ったので、その村に汚れた水…

アペラヨチ スマラヨチ アラランケワ
火の玉や石の玉を落として
ネ コタン アララ ウェンテ ルウェ ネ。

その村を全滅させてしまいました。

セコㇿ カンナカムイ イルㇱカ ハウェ ネ ヤカイェ。

と雷の神さまが怒ったということです。

カミナリさんがアイヌの村を見たいと思い行くと、川のふもとに柳の木がすごく茂っていて、その横にはハンノキが生えて、カミナリさまが川を上って行くと、その村は大きな村でした。村の中ほどに山のように大きな家があり、そこはその村を司る人の家で、その息子さんが研ぎ、編み物をしている。その妹はガマ草でゴザを編んでいる。

「カミナリの神さまが今通っているので、あんたたちは遠慮をしなさい」とお父さんに言われ、するとその息子さんは、「神さんは編み物をしないのか、仕事もしないのか」。そう言いながら汚れた水を表に持って出て、空に吹きかけた。するとカミナリさんの口や目に汚れた水が入ってすごく気分が悪い。するとまたその妹が、ガマ草を川に持って降りて、水に付けてまた空に吹きかけた。するとカミナリさんの目や口に汚れた水が入ったので、カミナリさんは本当に気分が悪くなってしまった。そして火の玉や石の玉をこの村に落として全滅にしてしまいました。というお話でございます（拍手）。

祖父の子守唄を勉強し

次は数の数え方についてお話しします。

アイヌ語で10までを数えます。シネㇷ゚（1）、トゥㇷ゚（2）、レㇷ゚（3）、イネㇷ゚（4）、アシㇰネㇷ゚（5）、イワンペ（6）、アㇻワンペ（7）、トゥペサンペ（8）、シネペサンペ（9）、ワンペ（10）と言います。ではみなさんも私に続いて一緒に声を出してください。はい、シネㇷ゚、トゥㇷ゚、レㇷ゚、イネㇷ゚、アシㇰネㇷ゚、イワンペ、アㇻワンペ、トゥペサンペ、シネペサンペ、ワンペ。はい、よくできました（笑）。みなさん、ではバスの中でも練習してください。ぜひ覚えてほしいです。

私がアイヌ語をこの二風谷に習いに来たのは60歳の時でした。その歳に仕事を離れたので、平成

2年2月18日に北海道でアイヌの踊りや唄の発表の舞台ができたのです。私はアイヌ語も何も習っていなかったのですが、保存会の理事でしたので、何かを披露してくれないかということになり、でも私の父母もアイヌ語を話したことがないので、困ったことになったなあと思っていたところ、祖母が子守唄を歌っていたのを思い出しそれを一生懸命勉強してその舞台に出たのです。すると萱野茂先生に「この人のアイヌの唄は下手だ」と言われました。その舞台の表彰式の時に賞状をいただき、それからアイヌ語の教室に行くようになりました。

〈質問に答えて〉

Q　先ほどの唄ですが「リットゥンナ」とずっと繰り返しですが、これは合いの手なのですか。

A　ソーラン節の「ソーラン、ソーラン」と同じような飾り物の言葉です。カミナリさんが鳴っている音を意味しています。

Q　初めのワオの唄で川が乾いて無くなった話がありましたが、そういう力、操れる力を元から持っていたということですか。

A　ワオリという小鳥だから、その小鳥が鳴く声をアイヌの子どもたちが真似たので、その悔しさを表したものです。

Q　元からそういう自然を操る力をもっているのですか。

A　本当に川が止まったんだろうかね（笑）。私も分からないね。

Q　同じような自然を止めたりするお話があるのですか。

A　それはないですね。

Q　ワオリの神様の名前は何ですか。

A　神様のことは知らないけど、ワオリとは一般に山にいる小鳥のことで、ただその鳥が悔しい思いをしたというのは、他所から働きにきたその方が木の下になって髪の毛をワオリという鳥にしたということです。

Q　ワオリのお話にでてきたオキクルミとはどういう存在なのですか。

A　オキクルミはアイヌの言葉の中に必ず出てきます。アイヌの文化を教えた神様として出てきます。

Q　伺った二つのお話がとてもおもしろかったです。一つ目が、子どもたちが真似をして神様の方が機嫌を悪くして川を涸らしてしまったけど、それがオキクルミによって今度は神様が叱られるというお話でした。二つ目はカミナリの神様に対して人間が失礼なことをして神様を怒らせてしまったというお話で、人間が良くないことをして火が降ってきて滅ぼされてしまったということでした。一つ目の子どもたちが真似をしたというのはそんなに悪いことではなく、川を涸らしてしまった神様の方がオキクルミから叱られているということで、お話の中には人間が叱られるだけじゃなくて、神様が叱られる話というものもたくさんあるのですか。

A　そういう話はたくさんありますね。

Q　数の数え方を教えてもらいましたが、11や12はどう数えるのですか。11は「ワンシネ」で11ですか。

A　いいえ、11はシネㇷ゚・イカシマ・ワンペと数えます。

Q　先ほどのカムイユカㇻはどういう時に歌うのですか。

A　人が集まるときなどに歌います。私はこれしかわからないので、みんなが勉強に来るときに教えて大会に出てもらい、今も11月の千歳の大会に向けてそれぞれが好きな歌を習って出ようとしています。今年は鹿児島や東京などから大学を卒業した人たちがやってきて、私は本当に嬉しく思っています。

Q　若者たちがここまで勉強しに来ているのですね。

A　大学を卒業したお姉さんやお兄さんたちですから。私は貫気別小学校6年生しか出ていません。高校に行くには自転車で行かないといけなかったけど、家が貧乏だったので自転車は買ってもらえなかった。それでも青年学校に行っていたので、どうにか好きな人にラブレターを書くことはできました（笑）。悔しいけど一生懸命勉強しましたよ。

Q　萱野茂さんに唄を披露して以降、ずっとアイヌ語を教えてもらうようになったのですか。

A　はい、私は車に乗れたからアイヌ語を学びに二風谷まで来ることができたのです。私の住むところは貫気別という山の中でここから車で20分ばかりかかります。64年間車に乗りましたが、92歳になった今はもう乗れません。

Q　萱野茂さんからは1対1でアイヌ語を教えてもらったのですか。

A　今92歳ですが、もう今は私の代わりにアイヌ語を教えてくれる人がいます。でもみなさんがこうしてお越しくださって嬉しいです。明日以降もアイヌ語教室があります。忙しいのですよ。みなさんもぜひ勉強してください。

第2章　違いを認めて理解し合えば、戦いは起きない

平取アイヌ文化保存会事務局長　**貝澤　耕一**

北海道平取町在住。平取アイヌ文化保存会の事務局長として、舞踊、食文化、儀礼・儀式、工芸（木彫・織物・刺繍等）など民族の誇りであるアイヌ文化を将来に渡って保存伝承することが極めて重要であるとの使命感を抱き、責任者として力を注いでいる。平成20年から事業が開始された沙流川流域イオル構想平取町推進協議会（現平取町アイヌ文化振興推進協議会）同イオルの森部会委員として、アイヌ集落の自然の再生、再現に関する事業の推進に寄与しており、今後もその活躍が強く期待されている（公益財団法人アイヌ民族文化財団「アイヌ文化ポータルサイト」より）。

世界で一番アイヌ民族の密度が高い村

みなさん、こんにちは。ここは二風谷という小さな村です。戸数が約１４０戸、人口が５００人にも満たない村です。この小さな村が世界の村々と違うところ、それは7割の人たちがアイヌ民族の血をひいていることです。言い換えれば世界で一番アイヌ民族が密度濃く生活している村、それがこの二風谷です。それだけにアイヌ文化が今でも残っていて、この小さな村には町立博物館があり、そ

の裏には歴史館があります。そして国道の反対側にはアイヌでただ一人国会議員になった萱野茂さんが作ったアイヌ資料館があります。つまりそれだけアイヌ文化が残っているということで、その意味も含めてこの村は政府のアイヌ文化を残そうという方針で、交付金などを使ってお金がバラまかれています。これは正直言って国の言い訳です。

講話中の貝澤耕一さん

歴史を明らかにしない国立博物館

なぜそういう言い訳をするのでしょうか。みなさん、白老のウポポイ（国立アイヌ民族博物館）は行かれましたか。ウポポイでよく見ていただきたいのは、アイヌの文化は地方によって違い、言葉も違います。ところがウポポイではすべてが一つにされています。地方色もありません。その中で一番問題なのは歴史を明らかにしていないことです。アイヌが今現在、なぜこうなっているのかという過去の歴史を明らかにしていないことです。私にとってはそれが一番問題だと考える博物館です。

ではなぜこの博物館ができたのでしょうか。その経緯を話すと呆れます。実はずっと以前からアイヌの人たちは国立の博物館を作ることを要求していましたが、国は全くの知らん顔でした。ところが東京オリンピック開催が決まった途端、国立のアイヌ文化博物館を作ると言いだしたのです。それはなぜかと言うと、それが日本政府の一番悪いところですが、表面を取り繕うということです。海外から多くの人がやって来る。海外の人たちは日本にアイヌという先住民族がいることを承知している。ところが日本にやってきた人たちがアイヌ文化を学びたい、見たいと思ってもそういう場所がないと日本政府としては恥ずかしい。そこで慌てて作ったのが白老のウポポイだったのです。

普通、国立博物館は作るとしたら10年以上かかります。調査して資料を集めて、そして展示する。展示でもいろいろ考える。ところがウポポイは東京オリンピックが決まってから開催までに完成させてしまうということになった。私はその中心になっているアイヌ文化財団の役員もやっているのですが、出来る前からお願いしていたのは、地方の文化が違うから、それははっきりしてくださいということ、そしてアイヌの人たちを職員の中心として雇ってほしいということでした。海外の先住民族の博物館では、その先住民族の展示をする場合、先住民族の中で知識の豊富な人を雇います。そしてその人たちの指導のもとで展示を考えます。

ところがウポポイでは、まず採用されたのは資格のある人、大学の教師です。今の館長は大阪の国立民族学博物館にいた佐々木史郎さんですが、本当ならばアイヌの博物館であればアイヌが館長でなければいけない。ところがそれは全然無視されている。そこが日本政府のおかしいところです。学歴資格のないものは用事がないということです。私は最初からそれを知っていましたので、アイヌ民族として歴史的、文化的知識のある人を採用してくださいと言っていましたが、それは実現しませんでした。ですから、あのような展示になってしまいました。

みなさん、海外に行った時、先住民族のいる国へ行った時、ぜひそこの博物館を見学してください。日本とは全く違います。私が最近行ったのは、カナダ北部の国立博物館です。そこで先住民族の展示を担当したのは、私の知り合いで知識の豊富な先住民族の方でした。でも日本ではそうならない。ですからもし行ってゆっくり見たいと思ったら、地方色がはっきり分かれているか、あるいは展示が地方ごとに分かれているか、あるいはアイヌの歴史を明らかにしているか。そういうことを考えてみていただきたいと思います。

日本の国のやっていることですから、自分たちの過去の歴史を隠そうとするのはわかりますけど、あの博物館の中にアイヌの国を侵略したという、奪い取ったという言葉、記述は一つもありません。というのは、この北海道は元々日本の土地ではありません。私たちアイヌ民族の土地だったのです。そのアイヌ民族の土地に日本は土足で勝手に入り込んで、勝手に住みついて、勝手に自然の幸を持ち出した。これは言い換えると、略奪と侵略です。それ以外の何でもありません。それを日本政府はやってのけた。だから今、それをいかに隠そうとするか、いかに無きものにするか。それが明らかな政策です。

アイヌ民族と二風谷ダム裁判

ですからアイヌ民族を正式に先住民族と認めたのは2～3年前のことです。それまで日本政府は、日本には先住民族という定義がない。だからアイヌ民族が存在するか否かもわからないと、そうい

ダムで堰き止められた沙流川

う発言を首相はじめ政府は繰り返していました。ところが1993年、アイヌ民族が先住民族と認められます。それが二風谷ダム裁判のときの判決です。この二風谷ダムに反対を表明したのは私の父、貝澤正と萱野茂さんでした。でも父は1992年に亡くなりましたので、私がその後を引き継いでダム裁判を起こしました。

なぜ起こしたか。先ほども言ったように、この二風谷というところは世界で一番アイヌが多く、密度濃く生活している村です。よってこの二風谷には多くのアイヌ文化が今でも微かながら残っている。そのアイヌ文化を守らないといけない。またアイヌというのは、自然から生活に必要な幸をいただいて生きてきた民族です。つまり環境を変えられると、自分たちの生活が成り立たなくなる。自分たちの文化も伝えることができなくなる。ということでダム建設に反対しました。自然を変えることはまかりならぬということです。そして萱野茂さんはアイヌの主食に近いもの、それを獲ることを禁じているのはおかしいと、つまり、アイヌが鮭を獲るのを禁じるのはおかしいと訴えました。

昨日も私は千歳のアイヌの団体が行ったアシㇼチェㇷ゚ノミ、その年最初に採れた鮭をカムイに捧げる儀式に参加してきました。アイヌにとって鮭はものすごい大事なものなので、今でも各地でアシㇼチェㇷ゚ノミの行事は行われています。この二風谷でも、これから2回ぐらい行われます。そういう儀式に参加してきたのですが、つまり萱野さんはそのアイヌの主食に近い鮭ぐらい自由に取らせてくれよと訴えました。

鮭というのはだいたい今頃から1月頃まで産卵のために川に入ってきます。川に入ってきて産卵すると彼らの一生はそこで終わりになります。産卵を終えるとオスもメスも死にたえていきます。ですから今の時期は、川に入っても大量には獲りません。食べる分しか獲りませんから、私のじいちゃんなどは昔、囲炉裏に火を起こして鍋に水を入れて火にかけて、それからテクテクと川へ歩いていき、鮭を一本獲ってくるとようやく鍋の水が煮立っている。それほど簡単に獲れ、それがアイヌにとって大事なタンパク源だったのです。よく熊や鹿を獲って食べていたと言われますけれど、あの足の速い鹿なんて取れるはずありません。落とし穴か何かでない限り取ることができません。あるいはみんなで囲って崖から追い落として殺す。そういう方法しかなかったのです。

熊は怖いです。今でも熊に襲われる人がいます。ですから熊を獲るとしても狩りは冬にしか行いません。夏は、博物館に展示してますが、仕掛けや弓で獲ることはありますけれど、それも稀れで、本格的に獲るとしたら冬です。冬眠してる穴熊を追い出して何人かで槍で突いて獲る。そしてその穴熊が雌であれば、穴の中に小熊がいますので、殺すのは忍びないとその子熊を連れて帰ります。その時にまずは猟師の中で、その子熊を持って帰って養おうという人の唾を熊の鼻に吐きかけます。それは、これから俺が親だよっていう証です。連れて帰って、近くにおっぱいが出る女の人がいれば、その人のおっぱいを飲ませて育てる。そうしてゆっくりと育てながら、2年ぐらい経つと熊は大きくなります。木で組んだ檻の中に入れますが、大きな熊になると危険です。ですから育てて2年ぐらい経つとその熊を神の国に送るという、これも勝手な理由ですが、要するに怖いから神の国に送ってやる儀式を行います。それがイオマンテです。つまり危険になった熊を、神の国に送るという理由付けで殺すのです。

でも熊の毛皮は衣装になります。胆嚢は薬になります。アイヌにとっては重要な食料であり薬だったのです。

熊の胆嚢は今でも中国へ送ると、1頭分の胆嚢が20万~30万円もするそうです。それだけ貴重な薬だったわけです。ですから、あの熊送りを見てると、ちょっと野蛮なことをするなと思いますが、熊を苦しめることによって胆嚢が大きくなるのです。それは後の利を考えてやってたことだろうと思います。人間の勝手な言い分です。

このように熊もそう簡単に獲れたものではなかった。熊送りも簡単にやれたものではなかった。つまり、アイヌにとっての一番の食料は川です。川魚です。二風谷を流れる沙流川にはもうそういう場所がなくなりました。

昔は川を見張り、また交易の場であったと言われているチャシという場所が川の高台にありました。今はダムによって壊されましたが、船で上り下りする川という交通の要衝であった場所です。たんぱく源であった川魚の様子を知るためにも重要な場所でした。

このチャシが二風谷ダムで2カ所壊されました。なぜ壊したかというとアイヌ文化を大して重要に考えていなかったからです。もし重要だと考えていたら壊しません。よく私は言うのです。伊勢神宮に綺麗な川が流れてますが、あの川を堰き止めてダムを作って沈めることをみなさんは許すだろうかと。絶対に許しませんね。伊勢神宮では許さないがアイヌの地では許す。おかしいことです。つまり日本政府にとってアイヌは邪魔な存在であって蔑ろにしたいということです。先ほど言ったオリンピックと博物館のことと同じです。海外に対して表面を取り繕おうとする日本政府が、アイヌの北海道を略奪したということを表現したくない。だからそのことがウポポイでは一切表現されていない。私はそこを非常に不満に思っています。

本当の歴史をなぜ表現できないのか。非を非として認めないのか。みなさんが一番よく知っているのは、戦争地の慰安婦問題です。未だに日本政府は謝罪もしてません。民間に任せてしまって日本政府は関係ないという姿勢です。でも戦争を始めたのは日本政府でしょう。なぜ関係ないと言い切れるのでしょうか。そういうことが、今この北海道で明らかになってきているのです。

ロシア、ウクライナ、そしてアイヌ

ちょっと外れますけど、今のウクライナ問題、私は非常に怖く思っています。日本はロシアと隣接しています。根室から何キロも離れてない所がロシア領土です。ロシアは軍事演習をその北方領土付近でやっています。みなさん、ウクライナのことは関係ないと思っているでしょうけれど、私たち日本にとってものすごい重大なことなのです。今ロシアの北方領土にはたくさんの設備が作られています。おそらくミサイルもすぐに日本、北海道に届く用意はしているでしょう。だけど日本の人たちは、ウクライナのことは心配するけど、自分たちの国のことは心配しない。おそらく気づいてもいないいんじゃないですか。

昔、こういうことがありました。1972年に札幌オリンピックがありました。ロシアはそのころはまだソビエト連邦でした。そのオリンピックの時に、ソビエトの選手団と交流会を持ちました。その時、選手団の団長がこういう挨拶をしました。「日本は北方領土を返せ返せと私たちに言いますけれど、私たちは返す気持ちは毛頭ありません。それは日本の土地ではないからです。アイヌの人たちの土地だから日本政府に返す必要ありません」とはっきり言ってました。つまりこの言い方からすると、今のロシアでは、アイヌは私たちロシアの国民だと言いかねない。よって、アイヌを助けるために日本に攻撃すると。そういうことはあり得ることです。今のプーチンの考え方からすると、日本のみなさんは他国のことだと思ってのんびり考えてますけれど、そんな他国のことじゃないのです。自分たちの国のことです。もうちょっと考えた方がいいのかなと思います。

先住民族と認めたが権利は認めない日本政府

話が逸れましたが、このように私たちアイヌ民族の置かれている立場というのは非常に複雑です。

日本政府は確かに私たちアイヌ民族が先住民族だということは認めてくれました。でも認めた途端、首相がどういう発言をしたかと言えば、「先住民族として認めるが権利は一切認めない」と言ったのです。権利を認めないで、なぜアイヌ民族を先住民族として認めるのか。2007年、国連で先住民族に関する権利宣言が採択された時、日本政府は賛成票を投じています。そのすぐあと首相がコメントを出しました。それが先ほど言った、日本には先住民族という言葉の定義もなければ、先住民族が存在しているか否かもわからない、という発言です。つまりここでも日本政府は過去の歴史を隠そうとしている、その努力がはっきり見えるのです、ですから今、世界からの目が厳しくなって、なんとか表を取り繕おうとしている日本政府、それはいろいろなことがあると思います。ですから私は、本当に日本政府にはもうちょっと考えてほしいなと思います。

さらに政府の考えでは、日本は単一民族国家だという考えです。日本は一つの民族で成り立っているというのです。おかしいですね。私たちアイヌ民族も日本国民です。あるいは在日コリアンの方々、あるいは華僑の方々、そして今では、多くの国々から日本に移り住んでいる在日の外国人の方々がいます。「それぞれ独自の文化、独自の言語を持つ集団が少数民族だ」という定義があります。つまりその在日の外国人の方々は全て日本の少数民族なのです。つまり、日本は多民族国家です。それを日本政府は一つの民族で成り立っている国だと、あくまでも押し通そうとしている。今回の安倍さんの問題（安倍元首相銃撃事件）を考えてみても、本当にどうなのかなと思います。

日本は単一民族国家ではない

日本はおそらく、朝鮮半島から渡ってきた人たちに二分されて北と南に分かれたのだと思います。南に分かれた人たちは沖縄まで行きました。北に分かれた人たちは北海道まで来ました。つまり元々住んでいたのは、私たちアイヌ民族と同じ人間ではないかと。これは私の勝手な考えですが。というのは、私たちと沖縄の人たちをDNA鑑定して比べると一つしか違わないのです。それは沖縄の人たちはアイヌの兄弟だということです。ですから私などが沖縄へ行くと宮古人（みやこんちゅう）、宮古島の人だと言われます。それだけ似ているのです。また言葉も非常に似たところがある。そのように日本はいろいろな民族で成り立っている。その上に大陸、朝鮮半島から渡ってきた人たちに二分されて、その人たちの方の勢力が強かったから日本を支配し始めた。おそらくアイヌだって、瀬戸内地方に住んでいたのではないかと思います。人間にとって、温暖で食べるものが豊富なところが一番いいですから。これは私の勝手な考えですが、日本はそのような形の中で、今の状態になってしまった。ですから、そのような状態の中で果たしてどうやったらいいのかなと考えます。

日本は単一民族国家ではありません。でも日本政府は支配しやすいからそう言っています。でも多民族国家です。そういう中で、どうやって仲良く生きていくか。それは歴史を明らかにしてきちっと認めてもらわないと困る。悪かったことはちゃんと謝罪しなきゃいけないと先ほど言いましたけど、日本政府は慰安婦問題、未だに謝罪していません。補償は民間に任せて政府は関係ないという態度を取っています。それもおかしい。戦争を始めたのは日本政府なのに、戦争のためにああいうことになった女性たちを平気で見捨てている。日本政府のそういうところは非常に狡いです。

今の国会を見ていたら面白いです。統一協会の問題で国会議員はみんな逃げていますね。絶対に自分が悪いなんて思っていません。いかに逃げるかしか考えてない。今後どうなるかはわかりませんけど、国会議員というのはどうしようもないなと思ってます。

1人ひとりが違う存在として生きている

この国の批判をしてもしょうがないのですが、そういう中でどうすればいいのかという話です。私の友達にスウェーデンのカメラマンがいます。その友達の息子が札幌へ留学に来ていた時、土日祝祭日になると遊びに来ていました。ある時、彼に聞きました。スウェーデンにもいじめはあるのかと。彼はあると言ってました。私は日本では一般的に違った人、変わった人がいじめの対象となっていると思ってたので、スウェーデンでもそうなのかって聞きました。すると彼は「えっ」て驚いたのです。聞き返すと彼は、「それはおかしいよ、間違ってるよ」と言うのです。「違ってる人、変わってるという人は、自分にないものを持ってる人でしょ。自分にないものを持ってる人をどうしていじめるのか、自分にないものを持ってる人とは、その人は自分にとって先生でしょ、その人から教わらなきゃいけないでしょ、どうしていじめるの、おかしいよ、間違っているよ」という言葉が返ってきました。

そうなんですね。子どもたちがなぜ学校へ行くのかというと、自分にないものを先生に教えてもらう、そして友達との交流を学ぶ、そのために学校に行っているのです。つまり、自分にないものを学ぶ。それが重要なことではないかと思ったのです。彼の言葉を聞いた時に私は、ああそうなんだよな、とつくづく感じました。

私たちの日本では要するに平等という勘違いをしているのです。それは平等という名のもとに、みんな同じじゃなきゃいけないと、そういう感覚が植えつけられています。でも一人ひとり違います。生活環境によっても違うし、地方によっても違うし、いろいろな人たちがいます。その人たち一人ひとりが違うということを、私たちは十分に把握しなければいけない。違っていて当たり前だということを感じなきゃいけないということです。

この頃の日本をよく見てると、今年はこの色が流行だ、この服が流行だということになると、みんなそれに染まってしまいます。自分を生かそうというところがなくなっています。だから一人ひとりが違うんだと、そう思わなきゃいけないのかなということです。つまり私たちアイヌ民族も、あるいは在日の外国人の方々も、言葉も違えば感覚も違う。それが当たり前なのです。その当たり前のことを、私たちは一つにしようとする。でもそれは間違っているのです。一人ひとりが違うということを私たちは学ばなければいけないのだと思います。彼が言った言葉は非常に重要です。自分でないものを持ってる人は先生なのです。先生からは学ばないといけない。先生を卑下し、差別すること、それは良くないこと。それを私は彼から学びました。でもそれが日本にとっては非常に欠けているとこです。おそらくみなさんも、そういうことに気づくと思います。

しかしそうは言ってますけど私も結構、自分と違っている人や顔が変わっている人をつい白い目で見てしまうことがあります。口ではかっこいいこと言いながら、自分はそうでないなと感じることがよくあります。でもそういう意識を持っていかないといけないのだろうと、そういう考えでないと、楽しい社会にならないのではないか、一人ひとりを認めることができる社会にならないのではないかと私はつくづく思っています。

また、こういうこともありました。私はよく修学旅行生に対してお話をすることがあります。ある時、大阪の女子高生に民族としての誇りを、というお話をしたことがありました。話を終えて5～6人の女子高生に囲まれこう質問されました。

「今、民族としての誇りという話をしてくださいましたけど、どうやって誇りを持てるんですか。教えてください。私のお父さんもお母さんも常にそう言ってます。二人とも朝鮮人です。もちろん私もそうです。でも私には日本国籍も選挙権もありません。だからといって、私の国だという国へ今さら帰っても、私のいる場所はありません。どうしてそこで誇りを持てるんですか。教えてください」と泣きながら訴えていました。残念ながら私は返す言葉がなかったのです。同じ日本で同じ義務教育を受けていながら、そういう悩みを持ってる子どもたちがいる。これの一番の問題は、違いを認めない、相手を尊重しない。そこが始まりです。一緒に教室で机を並べている友達、その友達がそんな悩みを持っていることに、なぜ気づいてあげられないのか。

もっと相手を理解し自分を表現する

アイヌも同じような立場で生活しています。今はかなり良くなってますけれど、私の子どもの頃は、結構差別が激しかったです。ここ二風谷は大多数の子がアイヌです。でも中学校は平取本町の中学に通います。するとそこではアイヌは1割もいません。少数派というのはいじめの対象になります。でも子どものいじめよりひどいのは先生方でした。英語の先生が前から順々に当ててきました。私のところに来て、「お前、どこだ」「二風谷です」「あ、そんならいいわ」とポンと飛ばしていくのです。先生がそうやって子どもを見下していた。私を外したのは、お前はアイヌだからいいという意味です。二風谷と言えばほとんどアイヌですから、先生ですらそういうことをしてた。英語の先生でした。中学校辞めてどこかの大学の英語の先生になったそうですが、ああ、大学って大したことねえなと、あんな人が先生になるんだと、そんなことも感じました。

今、差別はなくなったと学校では言っています。でも今の子どもたちは狡いです。私たちの子どもたちは平気で表に出していました。今の子どもたちは、陰でこそこそやってます。変ないじめです。なぜそうなったか私にはわかりません。でも、どうせなら堂々とやってほしいなと思います。陰でこそこそやるということは、おそらく悪いとは気づいてるけど、やりたいからやっていく。これが人間にとって一番、私は悪いとこだと思います。私たち人間はどうしても上に行きたい、下のものを作りたい。だから戦いが起きる。

先ほど言ったように、違いをはっきり認めて理解し合えば、戦いは起きないと私は思います。ですからそういうことが欠けてるのかなと、話し合いが欠けてるのかなと。もっと相手を理解する、そしてもっと自分を表現して自分を理解してもらう。それをやれば少しは解消されるのかなと思います。私みたいに、こうやって勝手なことを話せる人は幸せです。でも話せない人がほとんどなのです。思っていても黙っている。それがだんだん積み重なっていくと、悲しい現実になるのではないでしょうか。今日もカナダで何人かが刺されて死んだというニュースが流れていました。この頃はみんな精神的に病んでるのかなと思います。それがなぜかはわかりませんけど、やはりお互いを理解し、そして親しくする。そういうことが欠けているような気がします。

以上、取り留めもない話を長々としました。何か質問があればお答えしていきましょう。ありがとうございました。

〈質問に答えて〉

Q　貝澤さんはウポポイには行かれましたか。

A　何回となく行っています。なぜ行くのかと言いますと、先ほど言ったように私はアイヌ財団の役員もしてて、ウポポイの建設前からいろいろ要望していました。でもその要望が全然取り上げられてないのです。一番問題なのは、元々は白老にアイヌ民族博物館というのがあり、そこで館長だった人もウポポイではヒラ職員にされている。それはおそらく国が規定する学歴がないからだと思います。私は学歴がなんだと思います。私も正直言って、農業関係の短大しか出ていません。ですから学歴はありません。でもこういう立場に立てているということは、一生懸命に自分を表現してきたからだと思います。おかげでいろいろな大学で働き、特に室蘭工大では何年間か非常勤講師をやり、客員までさせていただきました。自分勝手なことで言えば、私はうまくいった方だと思います。

Q　では、うまくいかなかった人や働けなかった人もおられるのですか。

A　今は少なくなりましたが、私が中学や高校を卒業する時代にはアイヌはほとんど公務員になれませんでした。

また店員になれても表に出るような立場としては採用されませんでした。それは見た目でしょうけど、その頃はそういう時代で同じ人間なのに酷いと思うことがしょっちゅうありました。今はかなり改善されましたが。平取の役場でもアイヌで上の立場に行った人はほとんどいません。課長や係長になるのは大概アイヌ以外の人です。

Q 見た目ではあまり分からないと聞いたことがあるのですが、差別されるときは出身地がその理由になることが多いのですか。

A はい、出身地は非常に重要です。ここ二風谷出身と言えば、ああ、アイヌかと。北海道全体ではそう思われます。先ほどもお話しましたが、二風谷は7割以上の人がアイヌ民族の血を引いています。世界で一番アイヌ民族の密度が濃い村です。見た目で判断するならば日本には他にもそういう場所があります。私が20代の頃ですが、鹿児島の南部地域でのある朝のことですが、通学のために電車に乗る小中学生を見た時に、アッと思ったんです。二風谷の子どもたちと見た目が全く同じだったのです。沖縄に行っても同じでした。私が宮古人(みやこんちゅう)と言われたのと同じようにです。

Q カナダの先住民の方やスウェーデンの方に知り合いがいると言われましたが、活動される中で世界の先住民の方と知り合うことは、よくあることなのですか。

A それは非常に多いです。なぜなら海外の先住民族の方たちは日本の先住民族に関心を持っています。つまりどういう取り扱いをされてるかということに深い関心があるからです。私は1993

年と2005年に二風谷で世界先住民族会議を開き、その両方とも事務局長をやり、世界の人々を招きました。最初の時に明治学院大学国際学部の学生と一緒にカナダの研修旅行に行きました。その時に二風谷で国際会議を開きたいと担当の先生に相談するとその場でカナダの先住民省に、こういう人が来てるけど会ってくれないかと電話してくれました。すると次の日にビクトリアからバンクーバーまでヘリコプターで飛んできてくれ、すぐにカナダの先住民族を参加させますと言ってくれました。私はこの対応の早さに驚きました。でも日本はそんな対応はしません。よくわからない人がやってきて相談してすぐに政府が動くということはまずない。つまりカナダの人たちは先住民の土地に後から入ってきた、先住民族の土地に住まわせてもらっているという感覚があるのです。日本にはその感覚はありません。

札幌市厚別町にある北海道博物館、この博物館は最初にできた時は開拓記念館でした。2階にアイヌの展示がありました。私は見学に行き驚きました。そこには大きな垂れ幕が下がっていて、「無人の大地を切り開いていく数十年」という記述があったからです。それは何を意味するかというと、ここには元々人が住んでなかった、アイヌは人間じゃないという表現に他ならないのです。それを堂々と北海道の機関がやってのけている。それはこの国そのものがアイヌの国を奪い取ったということを表現したくない、隠したいということの表れだったと思います。

Q　ダムができて自然はどのように変わったのでしょうか。

A　この裏からダムが見えます。でもこれダムには見えません。陸地です。要するに土砂が流れて堆積したのでそこに草が生えています。ダムができる前、真面目な河川工学の学者はこの川はダムに向いていないと言っていました。沙流川という名前の通り砂の流れる川です。だからすぐに堆積してしまうと言っていた。でも結局、ダムに向かない川にダムを作ってしまった。本来のダムなら水を満々と蓄えていますが、見てください。グリーンの草地になっています。さらに今年、この上流にもダムが完成しました。平取ダムですが、それも同じような状態になるだろうと私は思います。

さらにこの沙流川のダムが作られた経過を言います。田中角栄総理の時に、日本列島改造論というものが打ち上げられました。その中で、苫小牧、勇払原野に日本最大の工業基地を作ることになり、その工業用水供給のために沙流川に三つのダムを作る計画が持ち上がりました。ところがこの苫小牧東部工業基地計画は破綻しました。

今でもほとんど工場が入ってきていませんから工業基地にもなっていません。それでも強引にダムだけが作られたのです。ではなぜ作ったのか。ダムができた時に、西松建設という大手ゼネコンの人が私に話しました。われわれ大手建設業者は日本で1年に一つのダムが着工されればいいんだ。ダムを作るのは10年~20年とかかるから、日本で1年に1個のダムが着工されれば、俺たちは生きていけるんだ、だからダム建設は重要なんだと。また大型公共事業はその工事費の1割が日本建設業連合会に振られます。そして同連合会はその大型工事をやっている地区の国会議員に幾ばくかのお金を渡します。ですからその地区の国会議員は大型公共事業には反対しません。こういう仕組みが作られているようです。

第3章　過去に目を閉じる者に未来はない

平取アイヌ遺骨を考える会共同代表　**木村二三夫**

平取町上貫気別在住のアイヌ民族。1949年生まれ。1916年、新冠御料牧場内にあった姉去コタンから、上貫気別へ強制移住させられたアイヌ民族の子孫。平取アイヌ遺骨を考える会の共同代表として、アイヌ遺骨の返還と謝罪を求めて活動。また、Kimura Project 代表として、行政への文書開示請求や意見書の送付と回答請求を行っている。平取アイヌ協会副会長も務める。

アイヌが辿らされてきた屈辱的な歴史

京美人のピリカの前で話をするのは緊張するのですが、よろしくお願いいたします（笑）。

ニシパウタラ　カッケマッウタラ　イランカラプテ。　アイヌモシリ　ピラウトゥッタ　シシリムカ　ペンケタアン、ニオイホンソン　セコロ　アイェ　コタンタ　アンペネ　クネワ、ニエトイタ　ネプキクキ　キムラフミオ　セコロ　クレヘアン。

これは私の自己紹介なのですけども、紳士淑女のみなさん、そして学生のみなさん、こんにちは。私は北海道のこの沙流川の上流、ニオイホンソンというコタンで生まれ育ち、造林業他の仕事で老後の2000万円を貯めるために頑張っています。なかなか大変ですけども。

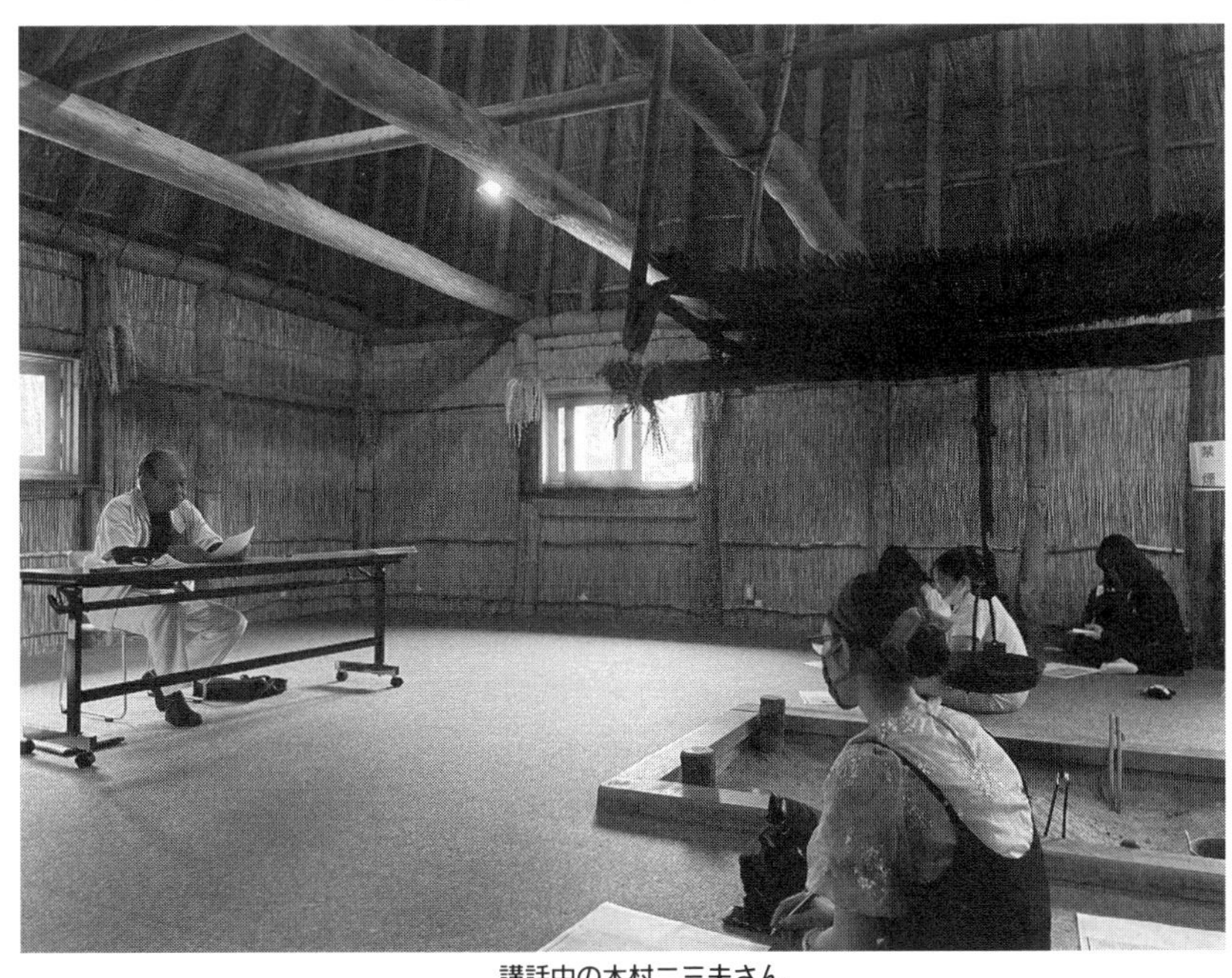

講話中の木村二三夫さん

みなさん、このコロナ禍、アイヌモシㇼ、ピラウトゥッタへようこそお出でいただきました。まずみなさんにお願いがあります。アイヌが辿らされてきた屈辱的な歴史を振り返ると、どうしてもこれは恨み節になってしまいます。そのため聞きづらいところも多々あると思いますけど、最後までよろしくお願いいたします。

まずは、アイヌが辿らされてきた歴史的事実を簡単に説明し、それから項目に分けてお話をしていきます。

1872年（明治5）、日本政府の行政官庁である開拓使はアイヌ抜きで北海道地所規則を制定し、ここからアイヌたちの屈辱的な苦難の歴史が始まりました。この勝手な地所規則によって、アイヌが生活圏で動物狩りをし、主食である鮭鱒を獲り山菜を採っていた生活の場、実質的なアイヌの領土は、持ち主のない土地、無主地と称して、泥棒の勝手な理屈で日本政府に奪われました。アイヌは住んでいる土地さえも奪われて、そこに本州からの開拓民の土地の私有権が制定された。これが歴史事実です。

1985年（昭和60）、北海道は北海道立文書館開館記念誌として『北海道の歴史と文書』を刊行しました。

その記述から、「人々の暮らし、アイヌの人々」の冒頭部分を紹介しましょう。

開拓が進むにつれてアイヌの人々の生活形態は大きく変わり、近代的な土地制度が急速に整備されるにつれて、今まで先人たちが神からの借り物として自由に利用していたアイヌモシㇼは無主地と称して官有地に編入されました。そこに和人の私有権が設定され、その上で開拓が開始されていき、アイヌたちの生活権は急速に狭められていきました。当然の結果としてアイヌのいわゆる生活権は消滅し、アイヌが利用していた豊かな自然の恵みと環境は破壊され、同時にアイヌの文化と生活も破壊されていきます。

後でも述べますが、大変なことを人間はやっています。それは生態系も壊されていったということです。その後も開拓使はアイヌの生活が成り立たなくなる政策の通達を次々と出します。鮭漁の禁止、鹿猟禁止などなどです。

狩猟採取を生業にしていたアイヌにとっては、これは死ねと言わんばかりのふざけた政策です。

こうして土地、要路を奪われ無財産となり職業を奪われたアイヌは、当然のごとく生活は困窮し、非衛生、無教養などの批判、差別を受ける状況となりました。生きる術を奪われたアイヌたちがこうなるのは当然の結果です。

日本政府は加害者という認識を学校教育で

なぜ人のいい先住民族であるアイヌが、一体何を、どんな悪いことをしてこんな仕打ちを受けなければならなかったのか。そして現在も強制同化を強いられ、アイヌ語、アイヌ文化など全てを奪われたアイヌたちと日本人とのスタートラインの差は今日現在も詰まっていません。アイヌは現在も恥ずかしく情けない話ですけれども、生活保護受給率が高く大学進学率も低いままです。しかしながら、この原因は何にあるのでしょうか。ここを日本人、そしてみなさんには真剣に考えてほしいと思います。日本人、日本政府はアイヌモシリ、北海道を略奪、加害、迫害で服属させ、そして現在北海道は日本の領土となり、アイヌは日本国民となった。それが歴史事実です。日本人、日本政府はアイヌに対して加害者となっているということです。この歴史事実を日本国民に周知徹底してもらい、日本国民の共通認識としてほしいと私は強く願っています。

そのためにもまず、学校教育の場、義務教育の段階でしっかりと教えることが大事だと思います。歴史への無知、加害への無自覚は決して許されるものではありません。子どもたちにとって、日本の歴史を認識できずに成人することは不幸なことです。それは今の世界を見れば一目瞭然にわかることだと思います。アイヌ、琉球人の歴史を確認する限り、日本人が他民族を侵略加害していないという誤った歴史認識は全く成り立ちません。みなさんには、今私が話をした歴史事実をしっかりと認識してもらい、これからの話を聞いてもらえたらと思います。

アイヌが辿らされてきた屈辱的な歴史、つまり明治以前、そして明治維新以降もアイヌ民族は日本国家によって生活文化を根こそぎに略奪され、アイヌが幾世代にも渡って語り尽くし難い苦難の歴史を歩まされてきました。みなさんは、こういう日本人にとって不都合な事実を、歴史の闇に葬り隠し続けてきた歴史的事実を学校教育の中で学んだことがあるでしょうか。恐らくないと思います。日本は今なお、アイヌにとってアイヌであることを公言しづらい、もしくは、する気にならない社会であり続けていると言えるでしょう。つまりは国家ぐるみでこの事実を葬ってきたから、未だに歴史の事実を知らない若者、日本人が圧倒的に多く存在し、アイヌ同胞の一部の人にも間違った歴史認識が横行しています。

北海道開拓とは日本人の言い訳であり、アイヌにとっては侵略そのものであり、絶対多数の日本人がアイヌ抜きの法令規則を一方的に作って罰則を課し、恫喝と強制、差別をもってアイヌを日本人としながらも社会の片隅に追いやってきたのです。

歴史に無知な政治家他も「国民皆平等である」と言いますが、それはだいぶ違います。以上が大まかなアイヌが辿らされてきた歴史の事実です。

「一通の嘆願書」をきっかけに

さて以降は何項目かに分けて話をしていきたいと思います。

一つには、私の先人先祖たちが辿らされてきた強制移住についてお話ししますが、その前に私が遺骨問題を含めてアイヌ問題に取り組むようになったきっかけを少しお話しします。先祖が強制移住の憂き目にあったことは、過去に触れたがらなかった両親からではなく、知り合いからそれとなく聞かされて育ってきました。ある日私は、知り合いと用事で出かけた襟裳岬からの帰宅途中、何かに導かれるかのようにいつもと違う帰り道を選択しました。それが強制移住のあった新冠（にいかっぷ）の地、姉去（あねさる）、今の大富地区でした。その途中、尿意を催したため道路脇に車を止めて用を足そうとした時、ふと目に止まったのが旧土人学校跡地の碑でした。碑文を読みながらしばし呆然としていると、カンナカムイ（アイヌ語で雷のこと）にでも撃たれたかのようなショックを受け帰宅したのですが、翌日にも予期せぬことが起きました。

それがここにある「一通の嘆願書」でした。差出人の名なしで郵便受けに投函されており、投函者が誰なのかは今も不明ですが、2015年の秋のことでした。私はそれまではアイヌの看板、顔も体型もみな、背負ってはいるのですけど、アイヌ問題にはほとんど踏み込んでこなかったのです。これはそういう私に対する先人たちの怒り、叱咤激励なのかと思い、遅すぎはしましたけど、私のそれ以後の活動が始まりました。

過酷な強制移住、強制労働と私の祖先

さて本題に入ります。まずは強制移住、強制労働問題から入ってみましょう。記録に残されているだけで全道21カ所以上の強制移住地があります。記録に残されていない場所を含めたら、どれほどの強制移住があったのでしょうか。その中で最も過酷を極めたのは私の先祖たちが辿らされた強制移住地、新冠姉去、現在の大富地区でした。アイヌの英傑シャクシャインの生誕の地で、シベチャ

リ川、姉去を流れる新冠川、そして私の先祖が暮らしていた厚賀川、この三つのナイ（アイヌ語で川のこと）の楽園のような流域に散在し住んで幸せに暮らしていたアイヌの地を、1872年（明治5）開拓使長官黒田清隆が開拓し、顧問ケプロンの開拓構想に基づいて御陵の軍馬育成会場のためにアイヌたちを姉去に集め、天皇の名のもと、嘘、ごまかし、脅しにて、シベチャリ、新冠、静内川にまたがる上流約7万ヘクタール、広大な琵琶湖ほどの広さの場所で牧場作りが始まりました。

牧場作りにはアイヌの労働力が不可欠でした。その地域の川辺りにはアイヌコタンが多数散在していました。当時21コタン、535人のアイヌが住んでいましたが、アイヌたちには何の協議、相談もなく、一方的に丸ごと牧場用地に取り込み、1877年（明治10）にはアイヌ民族の土地は全て官有地、国有地となり、冒頭にも話しましたように北海道地券発行条例が制定されました。また場所請負制の廃止の結果、漁業権の多くは旧場所請負人や和人漁民にわたり、1876年（明治9）には鹿猟が規制されました。主食である鹿の猟が規制されたわけです。

明治政府は開拓政策を最優先し、アイヌ民族に対する過酷な強制移住、強制労働が実行されて多くのコタンが消滅しました。何度も言います。ここからアイヌたちの苦難の歴史が始まりました。牧場作りに低賃金、あるいは無償で労働を強要され、日も射さない未開の地での開拓に励みます。真面目なアイヌたちは手弁当で作業に通います。最後には裏切りが待っているとも知らずに懸命に尽くした姿が、何度もあの場所へ行ってあの地に立つとその情景が私の脳裏に映し出されます。私たちの敬愛するシャクシャインの騙し討ちから、幾度の騙しの歴史が続いてきたことでしょうか。日本政府がアイヌ民族にとった不条理を振り返り、アイヌは宇宙人ではありません。先住民族であるということです。みなさんと共に考えてみたいと思います。

話を戻します。私の先祖たちもモトカンベから45人が牧場づくりのために姉去へ強制移住を強要されています。その後の先祖たちの行方をたどることができなくなり働き手を失った私の祖母は大正の後半、私の父6歳とおじ3歳の手を引き、姉去の地から50キロの奥地、平取の地へ知り合いを頼ってたどり着きました。それが今ある私たちの歴史です。幼い子どもを2人連れて、けもの道を奥へ50キロも歩く。どんなことだったのかと本当に想像するも、恐ろしい場面が浮かんできます。下の子は腹が減って砂を食べていたと私の父親が話したこともありました。

他にも大事なことがあります。1879年（明治12）、天皇の名の下に行った犯罪ともいえる事件がありました。それがアイヌと共存し生態系の頂点にいた三千頭のホロケウカムイ＝エゾオオカミを絶滅させたことです。エゾオオカミを牧場の馬を襲う害獣として、アメリカから招いた牧場造りの指導者、エドウィン・ダンの指導で、取り寄せた猛毒ストリキニーネを用いて毒殺、または当時としては破格の懸賞金をかけ、あっという間に駆除、絶滅させ生態系を壊したことです。

アイヌ語にこういう言葉があります。「カント オロワ ヤク サㇰ ノアランケㇷ゚ シネㇷ゚ カ イサム」。「天から役目なしに降ろされたものは何一つない」という意味です。今、地球は温暖化による異常気象という危機に直面しています。その一因に、地球の生態系を壊したことがあります。これも私たち人類が蒔いた種です。今後この危機を人類一人ひとりがどう刈り取っていくのでしょうか。みなさん、もう後がありませんよ。

遺骨盗掘と返還問題

さて次は21カ所にも上る強制移住地を含めたアイヌ墓所からの遺骨盗掘違法収集について話をします。それは、私たちの敬愛する先人たちの遺骨、そして人権と尊厳を無視してアイヌの遺骨を、「学問の自由」などとうそぶき、知も人格にも欠けるアイヌ遺骨研究主義者、この愚かな者たちの手によって盗掘、違法収集された先人たちの遺骨問題についてです。

日本での最初のアイヌ遺骨の盗掘はイギリス人の手によって行われました。それは1862年の生麦事件という薩摩藩士とイギリス商人とのトラブルから3年後の1865年、箱館のイギリス領事館のハワード・ワイス領事の指示によった箱館森村のアイヌ墓地2カ所からの盗掘でした。当時、ドイツをはじめとして行われていた優生思想という馬鹿馬鹿しい研究のためにイギリス本国へ奪われていきました。この事件では箱館奉行小出秀実が、人としての人権、尊厳または国威を見くびる所業と猛然と怒り、大国イギリス政府を相手取り、遺骨の返還と謝罪、賠償金250両を求めました。これに対してイギリス政府はそれに応えて再埋葬に応じました。アイヌも人として人権があると言った箱館奉行小出の姿に私は心より敬意を表したいと思っています。ところでこの賠償金250両の行方については記録もなく、それがアイヌに渡ったのかどうかはクエスチョンマークがつきますが、それはともかく、現在の日本政府、学者たちにはこの小出秀実を見習ってもらいたいものです。

これより23年後の1888年、ドイツで優生学を学び帰国した旧東京帝国大学の小金井良精が世界の優越思想の影響を受け、国策、国の後押しで公務としてパートナーを伴い、小樽の地へ土足で踏み込み、そのアイヌ墓地を皮切りに道南方面への盗掘の旅を始めます。おぞましい盗掘の旅です。

中には植木哲也氏の著書『学問の暴力』にもあるように、埋葬後間もない脳髄の垂れ落ちる頭骨、肉片の付いた骨もあり、アイヌたちの目を憚り夜陰に乗じ、ポンナイ（小沢）に降りて脳髄の垂れ落ちる頭骨、肉片の付いた骨を洗い流したと小金井の日誌に記されます。みなさん、小金井の顔を、その光景を想像してみてください。

尋常ではありませんよ。人の道を著しく逸脱した、恐ろしい獣にも劣る行為ではないでしょうか。みなさんも我が身に置き換えてこの場面を今一度想像してみてください。人として絶対に許せない行為ではありませんか。

みなさんは先住民族の権利に関する国連宣言12条をご存知でしょうか。先住民族は、墓所などから研究目的のために持ち去られた儀式用具や遺骨の返還を要求する権利を有すると世界で認められています。オーストラリアがアボリジニ、ニュージーランドがマオリに対しての誠意ある施策を行いました。これが世界の時流です。日本政府も採択しました。しかし日本国は今なお、研究を前提に倫理指針なるものを持ち出します。その前に己らの倫理が問題だと思いますけど、国はそんなものを持ち出す人類学者の後押しをしようとしています。何びとの遺骨でも盗んだ遺骨の人権尊厳を無視、研究することはもっての他です。みなさんもわが身に置き換えて考えてみてください。取ったものは返し、謝罪をする。こんなことは子どもでも分かる当たり前のことです。

私たち人類は、長い長い年月を経て祖先と命のバトンを繰り返してきて、今があります。敬愛する何人の人権、尊厳をも冒涜・蹂躪する行為は絶対にあってはなりません。

アイヌ政策推進法の周知徹底を

そして、最も大事なことがあります。2019年5月、欠陥だらけですが、アイヌ政策推進法（アイヌの人々の誇りが尊重される社会を実現するための施策の推進に関する法律）が成立しました。その第6条にはこうあります。「国民は、アイヌの人々が民族としての誇りを持って生活することができ、及びその誇りが尊重される社会の実現に寄与するよう努めるものとする」。この一文が全てではないでしょうか。アイヌの誇りを尊重するという大事な一文が国民に周知徹底されていません。どうか若いみなさんの発信で多くの国民、特に日本の未来を築く若者たちに伝えてくれることを願っています。

テレビ新聞等でも報じられた馬鹿げた日テレでの差別発言問題、そしてアイヌたちが辿らされてきた歴史を無視し、どこかの政党に意図的に操られ、アイヌは先住民族にあらずとヘイトスピーチを繰り返す無知な輩による歴史修正主義論がネット上で飛び交っているようです。しかし、高い見識をお持ちのみなさんには、壊れた者たちによるねじ曲げられた情報を絶対に鵜呑みにしないで事実を突き止めてもらいたいと思います。

2019年5月24日アイヌ政策推進法が成立施行（当日のNHKニュースより）

アイヌ遺跡を隠す北大

最後は学問の場においての非倫理的な行為についての話です。先ほど紹介したアイヌ施策推進法第6条にもかかわらず、今なおアイヌの誇りを蹂躙する行為が学問の場、大学という教育の場で行われていることをみなさんにはぜひ知って帰ってもらいたいと思います。東京大学、京都大学、北海道大学などは今なお盗掘の非を認めようとしませんが、最悪なのは東大です。研究用モルモットの供養祭は毎年行ってきましたが、アイヌ遺骨の慰霊祭は行なっていません。これはどういうことなのか。

繰り返しますがアイヌ施策推進法6条には、アイヌの誇りを尊重するとあります。しかしアイヌはまるでモルモット以下の扱いです。アイヌにとってこれほどの侮辱があるでしょうか。仮にも大学世界ランキング39位（2023年）にある東京大学が行う行為ではありません。人類学上研究において学知を極めようとするのは結構で私もこれは賛成です。しかしながら、アイヌ遺骨の収集のプロセスが問題です。東大の正門前に行って恥知らずと、大声を出してやりたいくらい腹が立っています。この者たちは頭でっかちの遺骨研究至上主義者で、物事の本質が理解できないでいる輩です。アイヌネノアンアイヌ（人間らしい人間）。人として言い訳のできない恥ずべき行為です。

そしてその恥ずべき行為は北海道大学にもあります。ここ数年で何度か北大へ出かけることがありました。大学内には、サクシュコトニナイ（サクシュコトニ川）、これはアイヌ語ですが、この川を中心にずいぶん多くのアイヌが生存生活していました。北大構内を散策中、ふと目に留まったのがクラーク像でした。「少年よ、大志を抱け　ボーイズ、ビー、アンビシャス」でしたか、このフレーズだけは不思議と私の頭にもインプットされていました。でもクラークさんの像と説明看板を見ているうちに、なぜかまた言いようのない怒りが沸き起こってきました。アイヌモシㇼ、アイヌの遺跡の上に作られている教育の場、北海道大学構内でアイヌが辿らされてきた痕跡を示す説明看板がないのです。コトニコタンについては琴似又市という人の記録が残っているにもかかわらず。アイヌたちが開拓使によるプレッシャーで、なぜこの楽園のような地から立ち退かざるを得なかったのか。その屈辱的な歴史事実を掘り起こそうとせずこれまで来ていますが、アイヌが辿らされた歴史を全て看板などに明記するのはアイヌ遺跡の上に立っている学問教育の場、北海道大学の責任ではないでしょうか。

ここから育っていく学生たち、そしてここを訪れる人たちは何と思うでしょうか。

多民族多文化国家に歩みを

何度も言い続けます。不都合に蓋をすることはあってはなりません。冒頭申し上げたように、今日も恨み節で終始してしまいました。遺骨問題は別ですが、私は今さらアイヌモシㇼ、北海道を返せという非現実的なことを言うつもりはありません。私は国籍を問わず人間が好きです。世界の時流から言っても、今こそ日本も多民族多文化多様性国家に歩みを進め対等に共存していかなければ立ち行かない時代が来ます。

さて最後にここで三つのアイヌ語のワンポイントレッスンをします。ぜひ覚えてください。

まずは「イランカラㇷ゚テ」。こんにちは、初めましてという意味です。二つ目が「イヤイライケレ」。

これはありがとうです。そして三つ目が「スイ　ウヌカラアン　ロ」。これはまた会いましょうです。どれも日頃使える言葉だと思いますので、あちこちで使って広めてください。

以上です。ありがとうございました。

〈質問に答えて〉

Q　遺骨は現在どこにどのような状態で保存されているのですか。何一つ返還されてないのですか。

A　今は政府の都合のいい閣議決定で、遺骨の研究をしないさせないということでウポポイの慰霊施設に預けてあります。でもそこが日本政府の嘘、誤魔化しのうまいところで、ほとんどの知識人はこれには抜け道があると言います。なぜならこれだけ多くの学者たちが研究したがっているわけだから、日本政府はそれを後押ししようとしていると。ウポポイには遺骨が今1200体余りあり、他にも土にもどされてないたくさんの遺骨がまだ彷徨っていることになります。この遺骨問題は人としての一丁目一番地の問題です。こんなに遺骨を粗末にする国や人種は見たことありません。もし日本人の遺骨をアイヌ人が掘り起こすとどうなるか。それこそ蜂の巣をつついたような大騒ぎになると思います。これは本当にシンプルな問題なのです。取ったものは繰り返すけど、返し謝罪をする。一方で戦没者の遺骨は国がお金を出して収集にみんな頑張っています。沖縄でも返還裁判闘争をやってますけど、それと同じことです。情けない学者や日本政府です。実はアイヌの中にも国に歩調を合わせてウポポイに預けた方がいいという意見もあります。でもくどいようですが私は取ったものはあるべき姿に戻す。この一点です。

2016年からこれまでアイヌ遺骨問題で一心に突っ走ってきました。そのおかげで平取アイヌ遺骨を考える会を立ち上げ、平取では34体の遺骨を取り戻しました。しかしまだ最後の詰めができていません。土に還すことが最後ですが、それができていないのです。アイヌの中にもいろんな意見があります。私は先人たちに申し訳なくて、このまま仮安置所に保管するのは裏切り行為をしたのではないかなと思っています。騙して連れてきて研究させるなんてことがあったら絶対に命がけで止めなければと思っています。また東大の件について一緒に思いを共有してください。

去年は京大にも行き、正門前で横断幕を立てながら大声を出しましたが、学生諸君がさっぱり振り向いてくれないのには困ったなあと思いました。私の得意なフレーズなんですけど「過去に目を閉じる者に未来はない」。これは世界的に言えることなのですね。

Q アイヌの若い人は減ってきているのですか。

A 北海道庁の調べでは今アイヌは1万3千人くらいとされてるけど、実際には4万~5万人はいるんじゃないかと思います。内地の東京にも5千人はいると言われてるので、日本全国ではどれくらいいるのか。その中でアイヌの文化を継承していく人たちがどれくらい出てくるのかなと思います。そのアイヌの大事な文化を広めていけるような体制づくりをしてもらいたいですね。そのためにはサイレントアイヌを少なくしていかなければと考えます。私も俺もアイヌだと言える時代が来ればいいと思います。アイヌを弁護するわけじゃないけど、アイヌって本当に優しくていい人間です。私の2人の男の子は2人とも日本人を妻として迎えています。仲が良くていい関係だなと思っているけど、私がテレビや新聞に出るのが気に入らないようで、親父、あんまりテレビや新聞に出ないでくれって言います。分からなくもないのですが。息子たちにもそれぞれの人格があり、それぞれの生活があり家族もある。会社で働いているけど、やはり周囲にはそういったものがあるのかなと思うし、もっと社会の理解も必要だけども、アイヌ自身が強くなってもいかなきゃダメだなと思います。そのためにも国がもっと力を入れて先住民族アイヌの存在を徹底して国民に周知してもらいたいということを何度も繰り返して言います。これはみなさんの責任でもありますので、よろしくお願いします。

Q　平取町に戻ってきた34体の遺骨をなぜ土に戻すことができないのですか。

A　研究させたいという意見があり、それを支持、追随する人がいるからです。

Q　仮安置所は誰が作ったのですか。

A　これは国の交付金を使って国の1200万円のうち1割を町が負担することでできました。いい制度なので仮安置所に限らずこれは活かしていきたい。平取町にはアイヌの三文字を付けた交付金や助成金が多く下りてきています。だから行政もアイヌのおかげと言いながら、私はその言い方は嫌いですが、アイヌも日本人もウインウインの関係であってほしいなと思っています。たまたまアイヌがここに多くいるから平取町はかなり潤ってはいます。

Q　平取町のアイヌ協会の中で意見が合わないということですか。

A　そうです。特に私の強硬な意見が通らない（笑）。なぜ、取られたものを返して謝罪しないのか、そしてなぜあるべき姿に戻さないいんだという、このワンフレーズだけです。それから平取町のこの二風谷ではアイヌがマジョリティで、日本人がマイノリティです。昔はもっと日本人は少なかったので、この地域ではアイヌに対する差別や偏見はほとんどありませんでした。ただこの奥地に行くと日本人が農耕民族として入ってきて力をつけた場所なのでそこでは日本人が強い。そんな環境がありま す。

Q　遺骨を取り戻すために具体的にどんな活動をしているのでしょうか。

A　遺骨も平取のアイヌの一人でもあるのですよね。アイヌの遺骨だから町民ではないということはないわけです。そこで平取アイヌ遺骨を考える会を立ち上げて日本人に共同代表になってもらい、２０１６年から返還運動を進めてきました。平取の人たち、全国の多くの人たちに後押しをしてもらって返還ということになったんだけども、政府の作った返還のガイドライン（大学の保管するアイヌ遺骨等の出土地域への返還手続に関するガイドライン　平成30年12月）が足枷の多い内容で、他の地域では手を挙げづらい人もたくさんいます。儀式ができなきゃダメだとか、いろんな注文をつけてくる。盗人が何をふざけたことを言ってるんだって思いますが、それだけ不自由な遺骨返還の体制になっています。この問題は自分の身に置き換えて考えれば何も問題ないことです。取られたものはあるべき姿に戻してやる。人は土から生まれ、そして土に還る。それを先人たちが望んでるわけだから、その望みを叶えてやらなければと。それをみんなが思ってるかどうかは分かりませんが。その先人たちの思いを、望みを近いうちに早いうちに叶えてやりたいと思っています。

第４章　アイヌ語を北海道の公用語にしたい

平取町教育委員会　アイヌ語講師　**関根健司**

１９７１年生まれ。兵庫県尼崎市出身。27歳の時、バイクで日本一周旅行に出かけ北海道二風谷が気に入り、以後二風谷に在住。アイヌ語の魅力に惹かれアイヌ語研究・復興に取り組む。平取町教育委員会アイヌ語講師。

二風谷で妻と出会いアイヌ語に魅了

私は兵庫県尼崎市出身で小学校3年生から宝塚で育ちました。みなさんの学校の近くです。西宮北口でも働いていましたので阪急電車には毎日乗っていました。それからたまたまなのですが、27歳ぐらいから日本一周したいなと思って小さいバイクで回っていたのですが、沖縄にも行きましたがその後、北海道に来たのです。基本は海岸沿いを綺麗に回る予定でしたが、内陸の方にも行き、キャンプ場などに行くとアウトローな感じのおじさんなどいろんな人に出会いました。夏は北海道で、冬は沖縄ですごすというような人もいましたが、そんな人たちから二風谷に行けばおもしろいよと言われてやって来たのです。ですから私と二風谷との出会いはたまたまのことだったのです。

そこで貝沢民芸というお店の娘さんといい仲になって、そのまま居ついてしまいました。ですから特にアイヌの文化に興味があったわけでもなかったのですが、自給自足などには興味がありました。

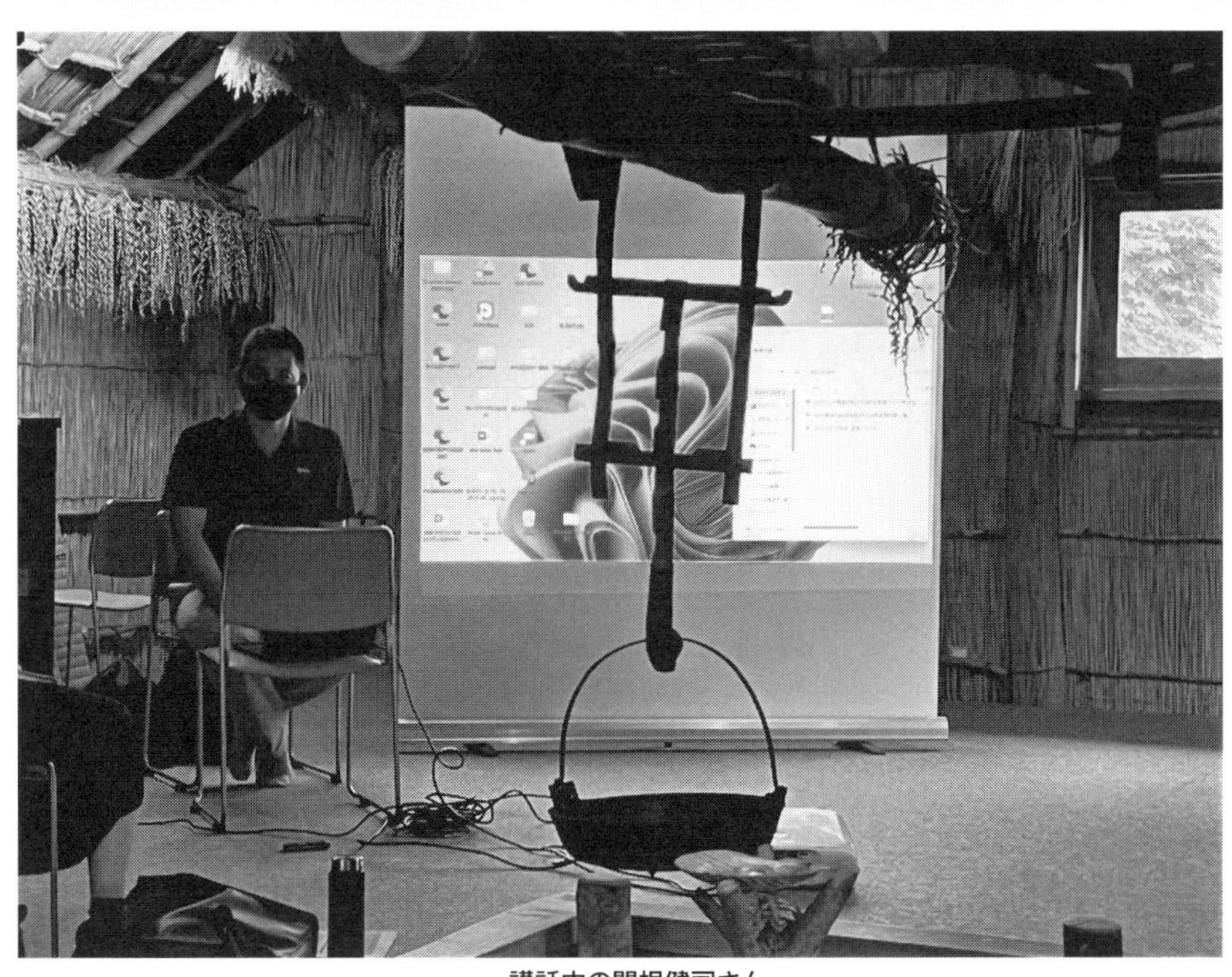

講話中の関根健司さん

というのも、私は街育ちでしたから街の暮らしに疲れていたというか、閉塞感を感じていたのでいろいろ旅したいと思っていたのでどこに住んでもいいやと思っていたのです。食べ物など買わなくても人間ってどれぐらい本当にやっていけるだろうかとか、そういうことには興味があったのです。

それまでに何冊かアイヌの本は読んでましたけど、それ以上深くは何も知りませんでした。たまたまここに来て1軒のライダーハウスに泊まったところ、そこが嫁の実家の貝沢民芸だったということです。夏に来たので同じような仲間がいて楽しく過ごしていたのですが、9月、10月になるとだんだんみんな帰っていきました。今年ももう始まってるのですが、松茸のシーズンがきたので嫁の家族などに連れて行ってもらい、それがおもしろくて、そうして過ごしているうちに気分的には帰りそびれたわけです。雪は降るし道路は凍ってしまいバイクでは帰れない状態になり、また子どももできてしまい、どうしたものかと1週間ぐらい悩みました。でもどこに行ってもやりたいことはできるかなと考え、ここで暮らすことにしました。私は長男なのですが、親の言うことを余り聞かなかったので、親に反対されることもなく勝手に帰らなかったのです。

アイヌ語が話せないのは自然なこと

この地に住むようになってアイヌのことを知るようになりました。妻が当時すでに子どものアイヌ語教室で先生をしていて、それを手伝っているうちにどんどんアイヌのことに嵌まっていき、それが中心の生活になっていきました。現在は子どものアイヌ語教室を週2回開いています。こういうアイヌ語教室は他ではやっていません。だからいろんな取材を受けたりすることもありますが、実際にはアイヌはそんなに民族意識が高いわけではありません。

例えば先ほどの木村二三夫さんはアイヌ民族のための活動を一生懸命されています。アイヌに鮭を川で獲る権利があるとか、またアイヌの土地を持つ権利があるとか、先祖の骨が盗掘されたことに対して怒るべきだとか、言われていることも凄く真っ当なことなのですが、それなら私もそういう活動をしようという人が少ないのが実際です。ここ二風谷は75%の人がアイヌで、アイヌのコミュニティがあります。では二風谷がなぜアイヌのコミュニティであり続けたのかと言えば、和人の人たちが入ってきてもそんなに美味しくないというか、広い土地があるわけでもないし、何か大規模な農業ができるかと言えば、そういう利点があまり無かったからではないかと思います。

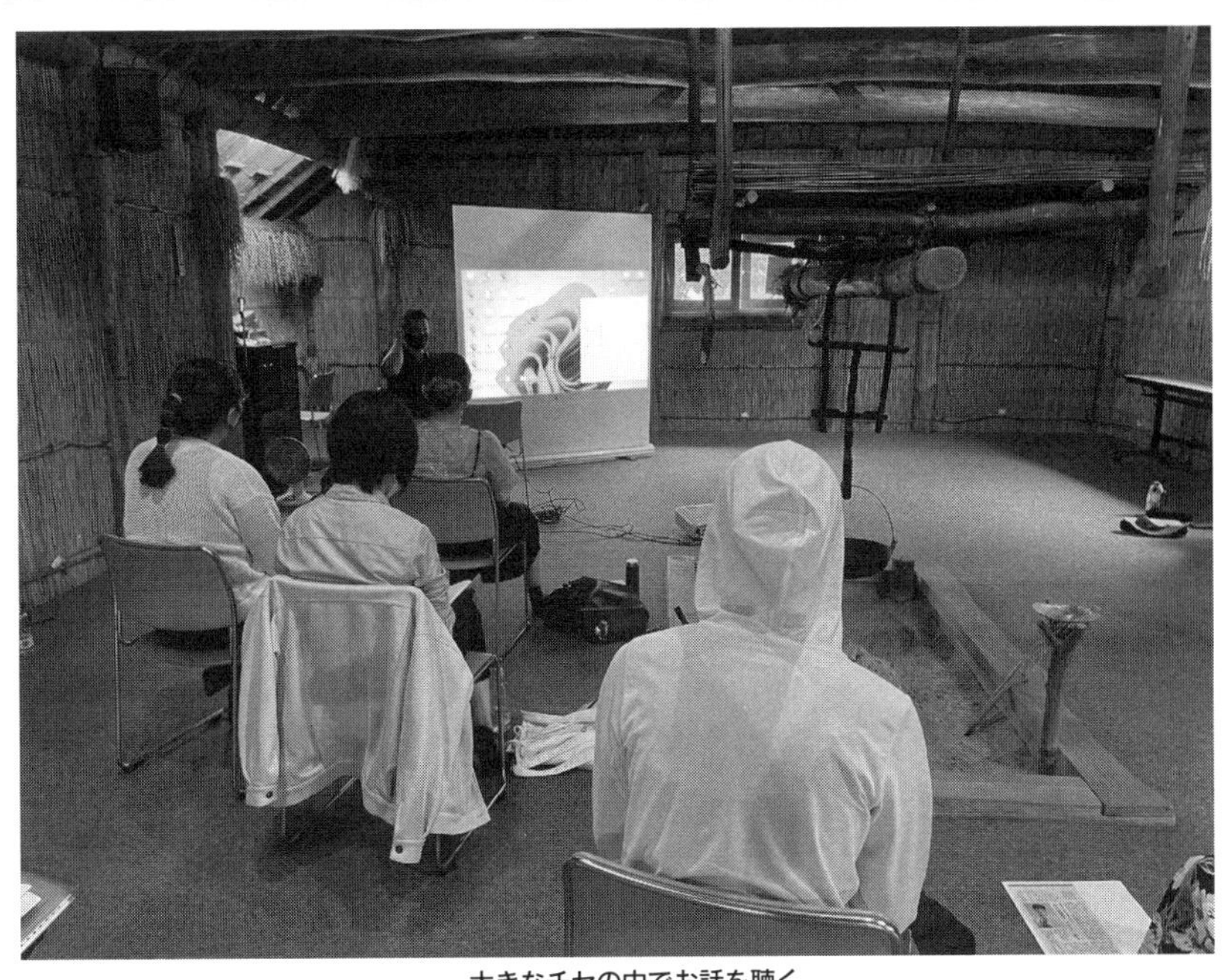

大きなチセの中でお話を聴く

でも現在の二風谷でアイヌ語が話せないということは恥ずかしいことではありません。みんなが話せないのですから。だから「イランカラプテ」や「イヤイライケレ」を会話の初めに言っていれば、それでいいという状況になっています。私は言葉は話せなくても踊りができる、木彫りができる、刺繍ができるなど、それで十分にアイヌ文化を継承していると言えるのです。この民族意識の低さについてですが、それは今のようにみんながアイヌだと言って活動するようになったのがつい最近のことだということを考えると自然の成り行きです。それまでは、アイヌということが分かれば散々差別されるのでみんなが隠そうとしてきた。だから家でも言葉が伝承されていません。先ほどの木幡さんも親は一切アイヌ語を話さなかったそうですが、アイヌ語を話せたおばあさんがいて、幼少期におばあさんと住んでいた経験があったから話せるようになったそうです。ですから親の世代はアイヌ語を子どもに教えても何もいいことがない、差別されるだけだしアドバンテージにならない。そう思っているから一切教えなかった。だから80代の人でも全く話せないのは不思議ではありません。

二風谷小学校でアイヌ語授業

ところでここ二風谷の暮らしですが、私がここに来た頃は工芸だけでは食えませんでしたので、嫁の家族などは山に山菜採りに行きそれを売っていました。半農じゃなくて半山半工芸という感じです。今はその工芸品が「伝統的工芸品」に指定され価格がとても高いのですが、価値をわかってもらって営んでいこうということになり、その中で若い人たちも育ってきています。

また2019年にできたアイヌ民族支援法（アイヌ新法）の効果もあります。これは市町村など行政単位でアイヌに関わる事業をする場合に予算が付くというもので、一般のアイヌには何の恩恵もありませんが、例えば平取では国に陳情なども行い、そういう独自の取り組みをずっと以前から行っていますので、こういうことは得意な地域です。と言っても箱モノを作ることが多いのですが、アイヌ新法の補助金もたくさん受けていて、それに付随した仕事もあります。ただその職は毎年契約というようなものですが、それでも若い人が働くようになって、そこからアイヌ語を学びたいという人も出てきています。

私の娘もアイヌ語を学んでいて、例えばバス停名をアイヌ語で表現するなどの試みを行っています。

町内だけですが、50余りのバス停をアイヌ語と日本語で車内案内できるようにしました。ただ、バスの本数が少ないので、大きな効果があるわけではありませんが、さらにこれを機に札幌からウポポイ行きのＪＲでも始まりましたし、元々は北海道に来る飛行機などでも始めたいなと思っていました。

故萱野茂さんについてはみなさんもご存じでしょうが、国会議員になる前は町会議員でもあったので、町立の博物館を作ろうと提案され平取町立二風谷アイヌ文化博物館が開館しました。私もそこで以前は働いてましたので彼の恩恵を受けていると言えます。

現在、二風谷小学校は全児童で17人しかいませんが、そのうちの半分以上が子どものためのアイヌ語教室に参加しています。カルタや踊りの練習などを月曜日と木曜日の夕方1時間半やっています。大人の教室には30人ぐらいの参加があります。アイヌの人以外も参加しています。集まってアイヌのことを勉強したり、むかし話を語りあったりすることができる貴重な場になっています。学校でのアイヌ語授業は二風谷小学校で8年前から始まりました。初めて習う新しい言葉は5個ぐらいでいいのですが、今は年間10回やっていて、こういうアイヌ語授業があるのは二風谷小学校だけです。「総合」の時間が小学校では年間70時間あり、そのうち50時間でアイヌのことを学びます。この授業は地域学習に使えますからアイヌのことも学びやすい。ですから先生にとっては二風谷に来たらアイヌの学習をするということが継続されています。また高学年の子どもたちがアイヌの食や歴史について学び発表する時間も取っています。ハララキ体験活動という時間もあります。

またアイヌ民族文化財団という今のアイヌ新法の前の法律ができた時に作られた組織があります

が、そこが主催するアイヌ語教室も二風谷で開催しています。私はこの財団事業のアイヌ語教室でも講師をしていますし、財団がまったく関わっていない独自のアイヌ語勉強会も主宰しています。「ユカㇻの語り部」という土日に行う勉強会では、発表者はアイヌの口承文芸や自分の思い出話を語るというように、大人のアイヌ語教室に来ている人たちが参加して、いい発表練習の場になっています。

マオリ族の言語学習メソッドに学んで

2013年に初めてニュージーランドに行きました。マオリ族を訪ねて行ったのですがとても内容の濃いもので、5週間にわたって北島の様々な彼らのコミュニティを訪問しました。そのうちの1カ所ではマオリ語の勉強会を見ました。「テ・アタアランギ」という方法で、これで学べば成人の人でも2~3年で話せるようになるというものです。いま私はこれを教えてもらってアイヌ語に応用してできないかとやっています。対面で週2回、Zoomで週1回しています。しかしこの方法もコミュニティベースで自分の家で始めないといけないし、自分のコミュニティで始めないといけない。それは最初私にとっては怖いことでしたが、2014年ごろからはアイヌ協会の青年部の人たちの参加もあり、ゲーム感覚で学べるなど、おもしろさも感じるようになりました。

1レッスンで7個ぐらいしか新しい言葉は教えないのですが、その積み重ねで覚えていくようになります。赤ちゃんが何も学ばないのに言語を習得していくように、日本語との間に通訳を介さないやり方です。そして一般の方にも声をかけると最初は30人ぐらいの参加者がありました。徐々に減っていきましたが、今は若い人たちがいっぱい参加しています。また担い手育成事業というものが始まっており、その参加者には週に1回、1日かけてアイヌ語の授業をしています。担い手育成事業受講生も含め、対面形式のテ・アタアランギ参加者たちのアイヌ語のレベルが上がってきているので、最近では、あるテーマを決めてそれをラインで送り、それについて一人ずつアイヌ語で話してもらうというような授業で、1時間半ほどのセッションがアイヌ語だけで成り立つようになりました。これとは別に、ズームでテ・アタアランギを週1回やっています。固定メンバーでの実施ですが、毎週約20名ぐらいが参加します。ただこのズームでのテ・アタアランギセッションだけではアイヌ語を話せるようになるのは難しいので、別に週1回ズームで、アイヌ語トークセッションを開いています。ここに参加する人は早く話せるようになります。

私は職場に20代のアシスタントがいますが、彼とはアイヌ語でしか会話をしないというルールを作っています。それはとてもいいトレーニングになっているようで、割と苦なくアイヌ語が話せるようになっています。しかし、他ではアイヌ語で会話するということが無いので、まずはこのような取り組みが言語の復興の第一歩と考えています。マオリの人たちも同じことを言っていました。30〜40年前は誰も話せるようになるとは言っていなかった。でもそれがこうして多くの人が話せるようになってきています。

はい、以上です。ありがとうございました。ではこれから質疑応答の時間にしましょう。

〈質問に答えて〉

Q　当初、関西から来られた時にはアイヌ語は話せなかったのに、どうやって学ばれたのですか。

A　アイヌ語の録音された音声データがたくさんありました。特に物語がたくさんありました。アイヌの物語の世界はとても豊かで、様々なタイプがあります。それこそ英雄叙事詩という何日もかかるような語りについては、研究者は熱意をもって録音していました。私もこういう言語の復興活動をしていますが大変なのは、実際の会話を録音したものが少ないことです。おばあさん同士がアイヌ語で会話しているときに、「じゃあここで何か物語を語ってくれますか」と言い、そこで初めて録音できるという状況でした。今は辞書もありますし、アイヌ語アーカイブのサイトもありそこでいろいろな音声が聴けます。またいくつかテキストもありましたので、独学で学んできました。また子どもたちに対しては先生という立場でしたので、教えながら覚えていきました。元々英語が話せましたので、言語は得意でした。英語はコツコツとNHKラジオの英会話を聴いたりして覚えたのですが、ここには外国のお客さんが来られるので、そういう時に話しているとそれが通じるようになっていました。また外国の先住民がゲストで来られたりする時には通訳を頼まれたりすることもあり、そういう経験を通じて博物館の仕事に就くことになりました。ですから初めは英語でアイヌ文化を説明することをしていました。また3年前からは教育委員会に所属し、今の主な仕事は学校でアイヌ学習をすることです。町もアイヌ文化の推進を掲げていますが、それほど真剣に取り組んでいるわけではなくて、また二風谷と他の地域の温度差もあります。アイヌ語で何でも表現しよう、と試みていますが、アイヌ語はネイティブチェックができないので、誰もそれが正解とも不正解とも言えない。ですから先ほどのサイトなどで用例を一生懸命探すようにしています。

日本国内では七つぐらい危機言語があります。アイヌのほかに八丈島、沖縄、奄美などですが、その地域の人が集まってサミットを開き、イベント的に桃太郎や浦島太郎をその地域の言葉で語ることなどを行っていますが、アイヌ以外の人たちは話せる人が今もたくさんいますが、私たちはこれら物語をアイヌ語訳するだけでも苦労することがあります。

Q　アイヌ語で文章を作った時に、それが正しいのかどうかをどうやって判断するのか、その基準になるものは人工的なものでもいいのですが何かあるのですか。

A　基本的には私がチェックすることが多いです。ドラマや映画などもチェックすることもありますが、その私のアイヌ語のチェックをお願いできる人も何人かいます。二風谷ではみんながアイヌ語で話している、というような状況になればいいなと思いますが、私は他所からやって来た人間なので偉そうなことは言えません。みんながアイヌ語を話すことがカッコいいと思ってくれることを待つしかありません。周りの生徒で話せる20代の人たちが何人かいるので、それは素晴らしいと思います。でもそれが思ったように広がるかはわかりません。例えば博物館に来てそこでアイヌ語が通じるとなればそれは素晴らしいじゃないですか。そして最終的にはニュージーランドのように公用語になることが大事かと思います。少なくとも北海道の公用語にはしたい。ニュージーランドのマオリ語は公用語になった時、役所などにその言語に対応する部署ができ、人も配置されましたし、新聞もその言語のものが発行され、NHKのような番組がその言語で放送するようになります。また保育所から小学校、中学校、高校、大学までの教育の場でもマオリ語をメインで教えてもいます。公用語になることで新しく職を得ることもできます。アイヌ語をそういう状態まで高めていくことが目標と言えます。ただ今は、アイヌ語の普及に役立つものなら何でも取り組んでいく、そういう状態にあります。

Q 言語を早く覚える方法は何だと思いますか。

A それは人によると思いますが、やはりどれだけそのことに集中するかが大事かと思います。マオリ族の先生は週に20時間の勉強をすれば2～3年で習得できると言ってました。先ほど紹介したテ・アタアランギ メソッドは大人向けのもので、子どもには相応しいものではありませんが、小さい時から習うことが大事です。保育所や小学校で先生たちがアイヌ語しか話さないという環境になれば、子どもはすぐに話せるようになると言ってました。でも働いている成人にとって週20時間というのはなかなか難しい。時間が取れないでしょう。マオリの場合は社会全体がマオリ語で暮らす環境になりつつあるので、話せないことがカッコ悪いということにまでなっています。それと比較してアイヌは、踊りを習っているから私はアイヌ文化を継承していると胸を張って言えるというようなレベルですから、アイヌ語を学ぶために毎週20時間、1日3時間をそこに優先的に使うことはなかなか難しいでしょう。マオリの人たちはコミュニティセンターに集まって金曜日から日曜日の午前中まで合宿をしてそこでセッションを何回も行うというように、集中的に学んでいました。マオリ語を話している人に聞くと、例えば毎日早朝に起きて勉強したという人もいました。そうして学びながらそこで習得した人が今度は自分の教室を持ってそこでまた教えていくというように、ねずみ講のようにどんどん広がっていったそうです。

Q　小学校にはアイヌの子もいれば、そうでない子もいますが、アイヌの子どもたちの中に、自分がアイヌであることについての受け入れ方に違いはありますか。

A　受け入れるということは無いです。そういう教育もされていません。例えば被差別地域の人たちと話していると、ここは被差別部落だからとしっかりと子どもたちに教育する場合があるそうですが、私はそういうことを前面に出すとやりにくいというか、まだまだ避けています。というのも私に与えられている時間が少ないから、アイヌ語がおもしろいということを知ってもらうぐらいしかできません。例えばギターを弾いて有名な歌の替え歌を歌う、踊りを踊る、カルタをするというように、おもしろいと思ってもらえるようなことばかりやっていて、アイヌの歴史のことなどを真面に扱ったことはありません。

またそれは、各家庭によって違います。民芸店の家でもアイヌという言葉が家庭内で出ない家もあれば、オープンな家庭もあります。ここ二風谷の小学校ではほとんどがアイヌなのですが、中学になれば平取に行きますので、そこではいろんな子どもが来ます。そこでは自分がアイヌだと言えない子もいれば、自分の苗字で気が付いて自分はアイヌなのかと思う子もいます。平取町の人口は5千人ぐらいですが、そのうち2割がアイヌです。二風谷では7割5分なので、圧倒的にアイヌが多い。だからアイヌをそんなに蔑ろにはできません。だから差別もほとんどありません。でも北海道内の大きな町ではアイヌ人口が少ないので差別も激しいものがあります。二風谷では大らかですが、それが中学に行くとアイヌであることを抑えた方がいいのではという難しさもあるようです。高校に教えに行くこともありますが、平取高校と札幌の高校では温度差が出てきます。札幌の高校ではアイヌのことをほとんど知らないので、真っ新な状態でアイヌのことを話すことができ素直に吸収してくれますが、平取の高校ではあまりアイヌについて触れない方がいいのではないかというような雰囲気があります。私が空気を読めていないのかもしれませんが。私にとってはどの子も地域の子どもなので、アイヌであるとかアイヌでないとかは関係ありません。でもそれは何かがあるたびにいつも尋ねられることなのですが…。

Q アイヌの苗字はいろいろあるのですか。

A それは地域によって様々にあります。

Q アイヌの方に同じ苗字が付くのはどういう経緯からですか。

A 基本的には明治の初めにアイヌにも日本人風の名前を付けようと役人が勝手に決めていきました。例えばここは何という場所か。ピパウシです。どういう意味だ。貝のある沢です。じゃあ、ここのアイヌはみんな貝澤だ、というように付けていきました。元々、苗字はありませんが、そうやって付けられていきました。

Q 子どものアイヌ語教室にくる子で、アイヌでない子どもは友だち繋がりで来るのですか。

A 二風谷の小学生は半数以上が来ています。それは宣伝をしなくても来てくれてます。私が博物館で働き始めたころは30人ぐらいいましたが、今は子どもの人口減少のため半減しています。

Q　大人のアイヌ語教室の参加者はどういう人が多いのですか。

A　平均年齢70代の年輩の方が多いです。月2回のこの教室は萱野茂さんが始められて今日まで続いているのですが、参加者はアイヌばかりでなく様々な人たちで、和気あいあいという雰囲気の教室になっています。バス遠足や泊りの旅行を楽しみにしている方もいます。毎年同じことをしていますが、今では存在自体に意義があるという状態になっていて、私はそれをお手伝いしているという程度で、これがアイヌ語復興につながるということでもありません。私がここ二風谷でアイヌ語を教えているのは自分のためなのですが、それがアイヌにとってもいいし、和人にとってもいいことで、さらに世界の人にとってもいいことだと思っているので自信をもってやることができているということです。

この二風谷ではアイヌがマジョリティですから何でもやり易いと言えばやり易いですが、他の地域のアイヌの方が来られると羨ましいとよく言われます。なぜならここは政府＝権力と癒着してのアイヌ文化振興事業、ダムありきで存在してますから。平取町はダムを推進していて、誰もがダムはいらないと思っていても、やはりこういうものができると原発と一緒で、住民の意見を一つにまとめるのは難しいです。そこに依存して職を得ている人もいますから。そういう状態ありきの中で私たちは泳いでいる。ダムがあるゆえに近隣の市町村よりも潤っている中でのアイヌ文化復興です。ですから他の地域のアイヌ文化復興活動にはここよりももっとコアな活動があります。昔からこの平取はどちらかと言えば和人よりの地域でした。

Q　路線バスで使われている文字ですが、カタカナ表記とアルファベット表記の違いは何ですか。

A　それは人によります。私はローマ字で勉強することが多いのでアルファベットが読みやすいです。でもアイヌ民族はほぼ日本に住んでいてカタカナ、ひらがなが読めます。高齢のアイヌたちにはアルファベットが読めない人もいますので、メインはカタカナで表記されています。アイヌ語は音節末の子音があります。日本語は何も気にせず話していて基本的に全ての音が最後は母音になっています。でもアイヌ語には最後を口を閉じて終わるような音があり、それをカタカナで表記すると「イランカラプテ」の「プ」のように小文字で書くことで、正しいアイヌ語で発音してもらうことになるのです。これは北海道新聞でもそうしています。どちらかと言えば、アルファベットの方が本来のアイヌ語の単語のままの形を表現しやすく、カタカナは実際に発音される音を表現しやすいです。

Q　カタカナの「ト」に小さい「゜」がついていた文字がありましたが、何て読むのでしょうか。

A　音としては「トゥ」と発音します。日本語にはない発音ですが、文字自体は江戸時代から使われています。英語の「ｔｏｄａｙ」に近い発音ですが、「トゥ」と書くと「トウ」と発音されがちになるので、その点この表記では、トが一つの音だということが分かりやすいという利点があります。

Q　アイヌ語の習得はアイヌでない人とアイヌの人とで差がありますか。

A　アイヌだから習得が早いということはありません。私が考えているアイヌ語が北海道の公用語になるという時は、圧倒的に和人が話す言葉になりますので、それを気にしていては進めません。

Q　テ・アタアランギ法とは、一度日本語にして考えるのではなく認識をそのままアイヌ語で表現するものですか。

A　それはすごくおもしろいものです。絶対に話せるようになるグループを作れるかどうか、そのためのものです。言語の習得はやはり自分から積極的に進んでやらないと話せるようにはならないと感じます。特に会話を経験することがないと話せません。

Q　高齢の方にはこの方法は難しいのですか。

A　いえ、そんなことはありません。どれだけ真剣に向き合えるか、それにかかっているように思います。教え方も先生によって違いますから、習い方は様々です。

第 2 部

北海道から帰ってきて

第1章　《学生座談会》フィールドワークを終えて

出席者
第1グループ　岡野眞生子　森谷野乃花　立花若葉　前田奈奈葉
第2グループ　濱野笑里　中川稚菜　野崎舞　久保田梨紗　末富琴子
第3グループ　飯田好花　松本佳子　新海沙和
司会　石川康宏

（2022年10月6日実施）

石川康宏　ではじめましょうか。4日間のフィールドワークに参加しての感想や意見の交流です。今年の授業は事前の座学がほとんどありませんでしたから、みなさんには、旅行の中ではじめて知ったこと、驚かされたこともたくさんあったと思います。ものごとの受け取り方、感じ方はそれぞれ違ってあたりまえですから、まわりの人の視線を気にせず、自分の思いをそのまま話してください。むしろ、そうして自分と違う感じ方、意見に出会うことが、お互いにとっての新たな気づき、より進んだ勉強へのきっかけになっていきますから。では、あらかじめ別れてもらっていたグループごとに話をすすめていきましょう。

1．平取町でみっちりお話をうかがって

石川　最初は、日程の2日目に平取町のシネチセでうかがったいろいろなお話についてです。朝の9時すぎから、木幡サチ子さん、貝澤耕一さんのお話をうかがい、お昼にはつくっていただいたアイヌ料理のお弁当もいただき、午後はウポポという輪唱の体験などの後、2時から木村二三夫さん、関根健司さんのお話と、夕方までみっちりの学びでした。最後は、疲れて眠くなった人もいたようでしたが（笑）。

座談会はグループごとに

岡野眞生子　私は木村二三夫さんのお話がすごく印象に残っています。木村さんはアイヌの遺骨が大学の研究のために勝手に持っていかれたという問題に憤って遺骨返還を目指しており、日本政府にアイヌの人たちは生活を奪われたと言われていました。日本政府がアイヌの研究のためだとして墓から骨を勝手に掘り起こし、研究のために長年にわたって北海道大学や東京大学などに持ち帰りました。遺骨をアイヌの人たちの同意なしに勝手に奪ったのだから大学は返すべきだと思うし、アイヌの人たちには骨を返せという権利があると思いました。

森谷野乃花　私も思ったのは、謝罪してほしいっていう気

第1グループのメンバー

持ちが強いということ。それはほんとに聞いていて思いました。研究することはかまわない。それはいいけど、遺骨を持ち出したそのプロセスが問題だとおっしゃってましたが、私も同じように感じました。ただ謝ってほしい、返してほしいというだけなのに、誠実な謝罪の言葉がないのは、同じ日本人として悲しくなってしまいました。ごめんなさいと言うことは小学生だってできて当たり前のことなのにそれができない。北海道から帰って調べてみると、文部科学省の資料にはアイヌの遺骨の返還について、34体を返還したと書いてあったので、返還が進んでいることは分かりました。でもそれは箇条書きで記されているだけで、申し訳ございませんといった謝罪の言葉はありませんでした。違和感をもちます。またこの話がニュースにならないのも不思議なことです。

立花若葉　戦争のため海外でなくなった人の遺骨収集は政府が積極的に行っていて、遺骨の大切さは分かっているはずです。でもアイヌの遺骨は勝手に盗掘し研究して、返しもせず謝罪もしない。これはアイヌの人たちを同化政策で勝手に日本人として扱っているにもかかわらず、同じ人としての権利を認めていないことの表れで、とても問題だと思いました。アイヌ新法でも先住民族としては認めるけど、先住権は認めてないということで、時代は進んでいるけど、結局アイヌの人たちへの姿勢は変わっていないじゃないかと思いました。

木村二三夫さんと

前田奈奈葉　関連して、私は事前学習で学ぶまで、北海道の侵略された側の歴史というものを全然知りませんでした。木村さんや貝澤さんが、それを日本人の共通認識にすべきだ、義務教育に組み込んで国民に周知するべきだとおっしゃっていたのはすごく印象的でした。義務教育に組み込むことはすごく大事だと思うんですけど、すでに義務教育を終えている人々にはどうやって周知していけばいいのかと思います。もちろんそれも国が主導してやってくれたらいいのは言うまでもありませんが、それをどのような方法で行うかは考えるべき課題なのかなと思いました。

森谷　私も大人に対しても過去にこういうことがありました、悲しいこと、あってはならないことがありましたと伝えるべきだと思います。でもそれだけじゃなく、虐げられた悲しい人たちというだけじゃなく、もっと長いアイヌの人たちの誇れる歴史もあるわけです。そこまで伝えることで、自分はアイヌだと言いづらい人たちも、胸を張って明るくアイヌだといえるようになるんじゃないかと思いました。

石川 そこは大切な論点だよね。歴史的な事実として和人や明治政府による侵略あるいは一方的な「開拓」があって、アイヌの生活基盤を奪い、文化や言葉まで奪い取ったという歴史がある。だからそれをいま取り戻そうとしてる人たちに日本の政府や和人たちは誠実に対応する必要がある。そのことはいま目の前にある、ちゃんと解決していかなければならない大問題。でも、歴史のその点だけが強調されると、アイヌの人たちには自分たちの歴史に誇りが持ちにくくなる面もある。だから豊かな文化、豊かな世界観、長い歴史も知ってほしい。実は、授業でお世話になった藤戸ひろ子さんも「人権問題」という角度からだけでなく、それもふくめてアイヌ民族の歴史の豊かさを見てほしいということを強調されていた。

森谷 私も全体を伝えるべきだと思います。その上で、さらに今のアイヌにはこういう活動をしている人もいますということも教えるべきだと思います。私はアイヌの文様はもう過去のもので、マキリなどの工芸品にしか今は生かされていないのかと思っていたのですが、今回のフィールドワークを通して、それが現代アートに取り入れられていることを知りました。昔のことじゃなくて、今も発展しているわけですね。純粋に文様はすごいなと思いましたし、そういう生き生きとした現代の姿も、広く伝えるべきだと思います。

岡野　平取の高校と札幌の高校ではアイヌ「問題」の受け止め方に温度差があるという話もありました。アイヌの人がたくさんいる平取では、和人とアイヌが隣り合ってくらしているので、むしろ接し方に気をつかいあっているところがある。でも、そういう実感をあまりもっていない札幌の高校生などは、アイヌに素朴な関心をもっているといったことでした。それなら、そういう人たちにアイヌの文化をどんどん伝えていって、正しい理解を広めていくのもいいと思います。国もアイヌ民族の工芸品や文化を、重要文化財のように守ってくれたらいいなと思います。

石川　今のような話は、木幡さんに最初にカムイユカラを聞かせてもらったことや、関根さんがアイヌ語をできれば北海道の公用語にしたいと言われていたことにも、どこかで繋がっているのかな？

前田　侵略や「開拓」の歴史はあるわけですが、木幡さんのお話やカムイユカラを聞いて、アイヌ文化の豊かさにはじめてふれることができました。実は私はアイヌにあまりポジティブなイメージは持っていませんでしたが、木幡さんや関根さんのお話を聞いて、そういう面を知ることができたのは大事なことだったと思います。歴史を学ぶことも必要ですが、そういったアイヌ文化のポジティブなところから入って、そこから民族の全体に関心を持つという接し方もいいと思います。

森谷　私も木幡さんのカムイユカラを聴いた時に、すごい素敵な話だな、きれいな話だなって思いました。日本の童話や日本昔話などで取り上げられてもおかしくないんじゃないかと思うぐらいでした。そういうところから子どもたちに知ってもらうのもいいと思いました。私は『ゴールデンカムイ』が好きでこの科目を履修したんですけど、たとえばアイヌは耳たぶが厚いとか、見た目でも私たちとの違いがすぐにわかるものかと思っていたら、全然そんなことなかった。話し方の雰囲気も大阪のおばちゃんとも同じで。そんなことも感じました。

木幡サチ子さんと

立花　貝澤さんは、ウポポイがアイヌ民族の文化を紹介する場としてはちょっと情報が足りないという話をされていました。そこでカナダの先住民の例をあげられましたが、実は私、そのカナダの先住民の博物館に行ったことがあるんです。そこはトーテムポールが有名なんですけど、民族ごとに種類が違って、私が覚えている限りだと三つぐらいの民族がいて、それぞれちゃんとコーナーが分かれて紹介されていました。フィールドワークで訪れたウポポイ以外の博物館は、地方によってアイヌ民族の衣装がそれぞれ違うことや、その場所がここだとしっかり紹介されているものが多かったですが、ウポポイでも、地域ごとの文化や言葉の違いがあるわけですから、実際にその土地で過ごしているアイヌの方や、アイヌの文化をよく理解している人たちの知識をもっと活かしてほしいと思いました。それが、大人も子どもも最初にアイヌについて学ぶ博物館として重要なことではないかと思いました。

貝澤耕一さんと

岡野　ウポポイの国立アイヌ民族博物館が作られる時に、職員としてアイヌの人たちがもっとたくさん採用されるかと思っていたらそれほどでもなく、学歴とか学芸員の資格とかが優先されて和人が多くなってしまったと言われていました。館長も和人だと。「アイヌ民族」の博物館なんだから、展示の内容もふくめてアイヌの人自身が中心になるべきじゃないかと、私もすごく疑問に思いました。

森谷　木村さんの話でも、アイヌへの差別が今も続いているというのが印象に残っています。生活保護受給者や大学に行けない子どもたちの比率が高いという話を聞いて驚きました。そんなことは許されないことです。

立花　貝澤さんの話では、二風谷ダムのことも印象的でした。前日に何人かでダムの方に行って、これは川なのか、陸なのか、砂しかない場所になっていて、なんなんだろうねって話をしていたのですが、貝澤さんがそのダムの話をしてくれました。ダムがつくられたことで多くのアイヌ文化が水に沈んでしまったこと、産卵のためにやってくる鮭がもうこれ以上あがれなくなったこと、その上、泥などがたくさんたまってダムとしてもあまり役に立っていないということでした。一目見てダムとさえわからないところでしたから、そんなもののためにアイヌの文化や生活の場所が犠牲にされたというのは自分としては衝撃でした。

前田　私も一緒にダムを見ましたが、実際に自分の目で見ることは大事だなと思いました。何事もそうかもしれませんが、ダムがある場所で話を聞いていなかったら、実感が湧きづらかったかもしれません。

久保田梨紗　ダムがつくられた沙流川ですが、イギリスの女性旅行家のイザベラ・バードという人が明治時代にここを訪れたという記念碑がありました。イザベラ・バードは東京から新潟に抜けて、日本海側を上がって北海道まで行ったのですが、平取でアイヌコタンを訪れて、沙流川をアイヌの少年と一緒に船で上ったとか、渡ったとかの話を残しています。そういう歴史的な旅行の記録も残っている場所なのに、そこがダムになってしまっているということはとても残念でした。

2．それぞれの資料館を見て考えたこと

石川　次に、訪れたいくつかの資料館についてはどうでした？　北海道での初日は新千歳空港から平取町の「萱野茂二風谷アイヌ資料館」に直行しました。2日目は「平取町立二風谷アイヌ文化博物館」で学芸員の廣岡絵美さんに解説をしていただきました。それから3日目は白老町に移動してウポポイ（民族共生象徴空間）にある「国立アイヌ民族博物館」も見て、そして最終日の4日目は短時間でしたけれど「知里幸恵 銀のしずく記念館」にも行きましたよね。

濱野笑里　私は北海道に行くまで、アイヌとカムイの関係性がよくわからないままでしたが、最初の萱野茂さんの二風谷アイヌ資料館に行った時に、アイヌとカムイは対等であるということを知って、神が上にいるんじゃないことにびっくりしました。また生活の道具などをいっぱい見ましたが、全て状態がきれいでした。それはアイヌの方は道具にもカムイが宿っているから、物も大切に扱っているからじゃないかと思いました。私は物を適当に扱っちゃったりすることがあるので、ちゃんと感謝を持って接していなかったなと感じさせられました。

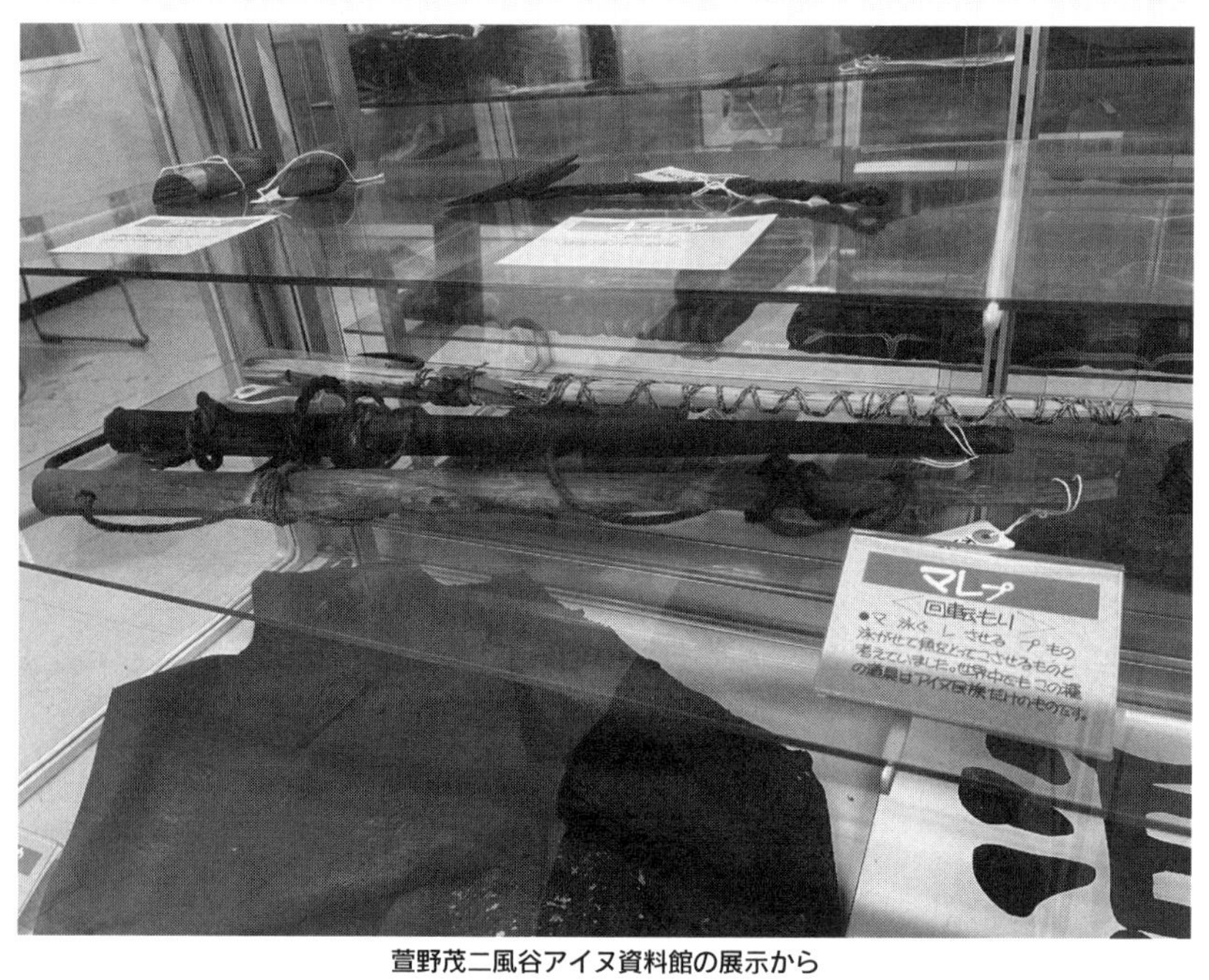

萱野茂二風谷アイヌ資料館の展示から

中川稚菜　萱野茂さんの二風谷アイヌ資料館ですが、展示物の横に萱野さんの手書きの説明がありました。そこにはその物の名前と、名前に込められた意味が全部一つひとつ書かれています。例えば私たちは、ペンについて説明はペンと書くだけで、その意味を説明してくださいと言われてもできないと思うのですが、萱野さんの説明には必ず名前と意味があって、どんな小さいものでも、服でもなんでもちゃんと名前と意味が絶対セットで書かれていました。例えば「マレㇷ゚」という名前の回転もりがあります。マ（泳ぐ）レ（させる）ㇷ゚（もの）という意味があり、泳がせて魚をとってこさせるものという意味です。このように、意味のないもの、思いの込められてないものがなくて、アイヌの人たちが物を大切にしていたというお話もあって、それを実感しました。そして

第2グループのメンバー

アイヌの人たちはすべてのものを大切にするということが感じられ、良い心を持った人たちだなあと思いました。

野崎舞　ウポポイはアイヌ文化についての展示が詳しかったことが印象的です。アイヌはいろんな所に住んでいて、いろんな違いもあると思うんですけど、全体的なアイヌに対しての情報を得ることに関しては、ウポポイはすごく良い資料館だったと思います。見学者に修学旅行生が多いのも、それが理由なんじゃないかと感じました。1日目、2日目に行った資料館では、例えば先ほどもあったように展示物の下に名前が書いてありますが、アイヌの言葉はパピプペポのようにトの字に「°」がついてたり、小さな文字がいっぱいあったりして、読み方がわからないものも多いですけど、ウポポイでは説明動画があって職員さんが説明してくださるので、イントネーションも知ることができました。

石川　職員さんからは、どんな話を聞きました?

野崎　チセの中に入っている体験コーナーで、アイヌと木の関係についてでした。植物の体験コーナー、チセの名前など全体的な説明をしてもらいました。

久保田 私も職員さんから話を聞きました。工房にチェプケレという鮭の皮で作った靴が置いてあったのですが、それは鮭とイトウの4匹で一足が作られていて、冬の初めの雪が降り始めた頃に履く靴で保温性に優れ、水も通しにくく、靴の裏に背びれがついて滑りにくいということでした。鮭の皮と聞いてちょっとびっくりしたんですが、機能性に優れているのだとわかりました。

末富琴子 ウポポイはイラストやキャラクターなどが多く使われ、規模も大きく集客能力がある博物館でした。そこにアイヌについての全ての情報があるように感じてしまう気がして、先ほど情報が足りないという話がありましたが、そういうことを知らない人ならここでの情報で全てを知った気になるかも知れないと思いました。古いものだけでなく、最近作ったものも積極的に取り入れているようで、そこはいいなと思いました。

石川 貝澤さんがウポポイの展示を批判していたけれど、ポイントの一つは北海道だけでもいろんな地域に独自の文化があるのに、その区別がつかなくなっているということ。もう一つは一方的な「開拓」によって大変な目にあったという歴史がちゃんとわかるようになっていないということでした。そのあたりはどうだったかな?

濱野　ウポポイに実際に行ってみるとたくさんの情報があって、どこが足りないのかがあまりよくわかりませんでした。いろんな歴史のパネルや資料がすごく多いという印象で、なるほどと思ったこともあって、どこが足りないのだろうというのが正直な感想です。

石川　なるほど。

野崎　展示の中に、毒矢で動物を獲ることが禁じられたという説明がありました。明治になると毒矢の仕掛け弓が禁じられましたと書いてあり、その後に各地で抗議の請願書が出されました、その結果、猟銃が使われるようになり狩猟は大きく変化しましたと。これでは修学旅行などでアイヌをはじめて学ぶ人たちは、そうなんだと思って終わってしまう気がしました。なぜそれが禁じられたのか、誰に禁じられたのかという歴史的な背景の説明が必要だと感じました。

中川　萱野茂二風谷アイヌ資料館には萱野さんの身近な着物が多く展示されていましたが、平取町立二風谷アイヌ文化博物館では、アイヌの着物の種類が二風谷周辺だけじゃなくて、他の地域のものもたくさんあって、そこでアイヌ民族は一つという括りではなくて、各々の地域や家に伝わる文化や伝統があることが分かりやすかったです。ここに行くまでは、大きくアイヌという一つの括りでしか考えられなかったのですが、実際にはアイヌを一つで語ることはできない、地域でも、家でも違うということがわかり、勝手にこちら側が一方的に一つにまとめて、アイヌはこうだと言ってしまうの

平取町立二風谷アイヌ文化博物館で展示の説明を受ける

は失礼だし、事実と違うなと思いました。

濱野　チシポという針を収納する道具があるんですけど、あれがすごく可愛いくて。コンパクトで、持ち運びもできるし、私も使いたいなと思いました。文様も可愛いので日本全国で売ったら売れるのにと思いました。

久保田　萱野茂二風谷アイヌ資料館にあった熊革の火打用具入れが印象的でした。熊の手の爪の形を残したままのバッグで上部のかけるところがカチューシャになってい て、見た目にもすごいインパクトがありました。説明文には、アイヌは熊の爪を一種の装飾と考えていたとあり、アイヌとは全然関係ない他の民族にも強い動物の体の一部を装飾として使っている人々がいると聞いた

記念館横の「知里森舎の森」を歩く

ことがあったので、アイヌの場合にもそういう意味があったのかなと考えました。

石川　ぼくは平取町立の博物館にあったおしゃぶりのあまりの大きさにビックリしたんだけど。最後の知里幸恵の銀のしずく記念館はどうでした？

中川　知里幸恵さんは『アイヌ神謡集』を金田一京助さんのすすめで書いたわけですが、その記憶力がすごいと思いました。アイヌ語には文字がありませんから、幸恵さんは全部を記憶していたわけですよね。私たちは紙に書き残してあとで見て、思い出すといったことができますが、アイヌの方たちは耳で覚えて口で話す。そういう文化だからこそ記憶力が研ぎ澄まされ、形に残らないからこそ一つひとつの言葉の雰囲気も全て覚えていたんだという話に、とても素晴らしいことだなと思いました。

濱野　知里幸恵さんの記念館の外で木をたくさん見ている時に聞いた話で、アイヌの方は生活に必要なものだけに名前を付けて使うというのがすごく印象に残っています。だから花などにはあまり名前を付けていなくて、使う物には生活にどう役立つかということをもとに名前をつけている。そこにもアイヌの方たちの考え方がよく表れていると思いました。

久保田　フィールドワークから帰ってきて、録画しておいたNHKの「100分de名著　知里幸恵〝アイヌ神謡集〟」を見たんですが、幸恵さんはアイヌ語も日本語も達者で、それを見事に翻訳する、アイヌ語を耳で聞いてきれいな日本語にするという作業はすごくセンスが必要だと思います。有名な詩をちょっと読んでも、言葉の響きがすごくきれいだなと思います。アイヌのことを知らなくても、そんなふうに感じられます。すごいセンスを持ってらっしゃったわけで、若くして亡くなってしまったのが残念だなと思いました。

石川　あの番組を見て、記念館の印象は何か変わった？

久保田　「100分de名著」を見た後では、幸恵さんが大事にされているという印象がさらに強くなりました。すごく丁寧に幸恵さんの書かれたものが展示されているし、案内をしてくださるボランティ

ア の方にも幸恵さんの存在そのものを伝えていこうという意思が強くあったと思えました。

末富　萱野さんの資料館の2階に「日本」と書かれた展示のコーナーがあったんですけど、そこにはわかるものもあれば、よくわからないものもあって、展示を通じて違う文化や伝統を伝えていくのは難しいことなんだなと思いました。

ウポポイの展示から

久保田　同じ萱野さんの資料館の外に「コロポックルの家」という名前のついた小さいスペースがありました。聞き覚えのある言葉だと思ったら、むかし読んだ佐藤さとるさんの『だれも知らない小さな国』という児童書にありました。コロポックルはフキの葉の下に住む人という意味ですが、アイヌの伝承の中の存在と、子どもの頃に知らずにふれあっていたわけで、なんだかとても嬉しく思いました。

立花　ウポポイの展示の話ですが、萱野さんの資料館は、日常的に使っていたものなど生活に根差した展示が多かったのですが、ウポポイは文書類の展示が多いと感じました。ウポポイは政府主導でつくられたので文書系の資料が多いのかなと思いました。政府がもう少し本当にアイヌの人たちに歩み寄って、アイヌの人たちと一緒に博物館をつくるという姿勢が必要じゃないか、そうすればもっとより良くアイヌ文化を知らせることのできる博物館ができるんじゃないかなと思いました。

中川　ウポポイに文書系が多いというのは私も感じました。アイヌの方は文字がなくて紙に書かないのに、なぜ文書類ばかり集めるのかと少し疑問に思いました。それでわかることもあるのでしょうが、それはアイヌの人が自分で残したものではないわけで。貝澤さんが展示はこれからも変えることができるとおっしゃっていたので、変わっていってほしいと思います。私たちが平取町で聞いたように、アイヌのみなさんの話がじっくり聞けるコーナーなどもありなんじゃないかなと思います。

3. 北海道を訪れる前と後で

石川　最後に4日間のフィールドワークの全体を振り返ってどうでしょう。特にまだ話題になっていないことなどがあれば。

飯田好花　フィールドワークの参加前と参加後では、アイヌ民族に対する意識が大きく変わったと思っています。どう変わったのかと言うと、率直にいって、私はアイヌについてほぼ無関心でした。

第3グループのメンバー

でもフィールドワークに参加して、現代日本には無いアイヌの温かみのある文化がとても好きになりました。『ゴールデンカムイ』は好きなんですけど、漫画の中のアイヌ文化やキャラクターを見ても、そういえばアイヌ民族は北海道の先住民族だということを高校で習ったとか、どうしてか知らないけれど差別されていた、という程度の曖昧な知識しかありませんでした。実際にアイヌの人には会ったことなかったし、そもそもアイヌ民族って現在の日本に本当に存在しているの？という認識でした。一種のファンタジーのように捉えているところがあったんです。

でもフィールドワークに参加し、4日間たっぷりアイヌ文化に触れて、アイヌ民族についての実感がはじめて持てました。アイヌの方たちが住んでいたチセの中に入ったり、アイヌ料理のお弁当を食べたり、その鹿の肉も食べてみたら美味しかったし。実際に使われていた道具やアイヌ文様のきれいな刺繍などアイヌ文化を実際に目で見て、触れて思ったことは、アイヌは伝統や自然を大切にするとてもあったかい文化を持った人たちなんだということでした。それは現代の日本社会には無いものに思えました。今の日本は自然との共生というのとは真逆にあるじゃないですか。街中はコンクリートの建物だらけ、家の中も電化製品だらけで、とても無機質な感じがします。でもアイヌは自然をほんとうに大切にしてるのが伝わり、今の時代だからこそすごく貴重な文化だと思いました。

松本佳子 私も同じ印象でした。中学や高校の歴史の授業でも少ししか習わなくて、事前学習でアイヌが迫害されてきたということを知りましたが、そのことすらあまり知りませんでした。えっ、日本人はそんなことしてたんやという驚きからの始まりでした。今回実際に北海道に行き、ようやくアイヌの人が本当にいたことを実感したという感じです。また物には全て意味があり、命があるというのはとても印象的な考え方でした。物に感謝するというところは、アイヌとカムイのつながりという考え方にも繋がっているんだなと思いました。初日に民芸店の工房に行って、貝澤徹さんにいろいろ教えていただきましたが、そういう直接のふれあいも温かいものでした。

事前学習の時に藤戸さんが、自分のものと違った文化に出会った時にどういう態度をとるかという話をされていましたが、最初から拒否するのでなく、たとえば鹿の肉を食べて自分で試してみるなど、相手を知ろうとする姿勢が大事だと思いました。

石川 そのあたりは貝澤耕一さんが、海外の人と話をした時に、自分と違うものを持ってる人は、自分の知らないことを教えてもらえる人なんだから先生じゃないか、どうしてそれを差別するんだと言われた話をされてましたね。松本さんの話はそこに繋がっていくのかな。飯田さんは行く前は無関心だったという話だけど、なぜこの授業をとったのですか？

飯田　『ゴールデンカムイ』の中身をもっと知りたいと思ったことがありました。それに、これまで大学生らしいことをまったくしてこなかったので、実際に北海道に行って学ぶというのはいい思い出づくりになるかなとも思ったんです。この授業のメンバーはみんなやさしいし、学科や学年も超えて仲良くなれたので、そこもすごく私には意味があったと思っています。

石川　そのまま大学のホームページやパンフレットで使えそうな話だね（笑）。松本さんは中高の歴史で少しだけ習ったとのことでしたが、厚い教科書にもアイヌのことはほんとに少ししか出てこない。そのことをどう思ってますか？

松本　その時は、違和感はなかったんですよ。ですけど、もともと「日本」のものではなかった北海道が、いまは日本になってるじゃないですか。そこをカットされると本当は日本の歴史もよくわかりませんよね。歴史や社会、人権や道徳でも取り上げられるんじゃないかなと思います。

飯田　アイヌの歴史は縄文時代までさかのぼりますよね。それも日本列島の歴史ですが、ほとんど教科書に載ってません。政府にとって都合の悪いことは隠したいのかなと思いました。アイヌの人たちを日本国籍に一方的に入れたのは明治政府ですから、本当に日本人として位置づける気があるなら、歴史もちゃんと取り上げて、遺骨問題なども教科書に書いたりする方がいいんじゃないかと思います。

久保田　私は去年の座学の授業を受けてたんですが、フィールドワークの中で何回か藤戸さんの言葉を思い出しました。藤戸さんはアイヌやアイヌ文化を身近で当たり前の存在にしたいとおっしゃってましたが、先ほど2人も言ったように、鹿肉やオオウバユリのお団子などを食べたり、2日目にはウポポという輪唱をさせてもらったり、そういう体験を初めてしまました。こういうことが珍しいことではなくなることが、藤戸さんが言ってたことなのかなと思ったのです。

松本　私はアイヌのことをあまり知らなかったから、他の人もそうなんだろうと思ってたんですけど、ウポポイはすごくたくさん人がいて、子どもや高校生でいっぱいでした。これからもっとウポポイの中身も改善していければ、アイヌは多くの人にかなり早く知られていくんじゃないかなと思いました。

飯田　私がアイヌ文化の中でも、特に気に入ったのはアイヌ文様の刺繍です。アイヌの文様はそれぞれの家庭で違い、それが先祖代々受け継がれてきており、女性がひと針ひと針、丁寧に手作業で作っているそうで、その技術がまず素晴らしいと思いました。それぞれ先祖代々大切に受け継がれるものがあるということ自体が素晴らしいと思いました。それがなくなっていくのはとてももったいないし、アイヌ文化の良さをもっと多くの人に知ってもらいたいです。

石川　では、そろそろ終わりにしましょうか。みなさんこれからもアイヌ民族について、また現在の日本の政治や社会がアイヌのみなさんとどのような関係をつくっていくべきかについて、ぜひ学び考えることをつづけていってください。おつかれさまでした。

第2章　《教員座談会》フィールドワークを終えて

石川　康宏　神戸女学院大学名誉教授
建石　始　神戸女学院大学教授
大澤　香　神戸女学院大学准教授

（2023年3月2日実施）

1．訪れたからこそ学べたこと

石川康宏　北海道に実際に行ってみての感想はいかがでした？

建石始　3泊4日で北海道に行けたということがうれしかったですね。コロナ禍で何度も延期になり、ようやく2022年度に全員で行くことができました。実際に北海道に着いたとき、本当にフィールドワークが始まるんだという期待や実感を持ちました。バスの中で大澤先生がNHKのラジオ番組（NHK「ラジオ深夜便」、2022年7月30日「アイヌ文化との出会い〜深夜便からイランカラプテ〜」）を流してくださったので、さらに雰囲気が盛り上がったことを記憶しています。今回のフィールドワークの最初の目的地は萱野茂二風谷アイヌ資料館だったのですが、そこに行くまでに「北海道って本当に広くて大きい！関西とは違う！」と改めて思いました。

大澤香　北海道に行って初めて実感できることがあると感じました。先ほどのラジオ番組は、大学の職員さんが教えてくださいました。いろいろな方に助けていただいて、授業がどんどん豊かな内容になっていると思います。講話をいただいた方々は、たくさん準備をしてくださり、体調を整えながら長時間お話しくださいました。私たちへの「伝えたい」という真剣な思いを感じ、ありがたいことであると同時に、そのお話を聞いた私たちが、これからどうしていくかという責任についても考えました。

石川　僕は北海道の出身なんですが、住んでいたのは半世紀近くも前までで、もう家があるわけでもないんですけど、それでも何か帰ってきたというようななつかしさがありました。「慰安婦」問題、原発・エネルギー、戦争と平和など、これまでに経験した学生とのフィールドワークでは、自分が学生に何かを伝えなければいけないという気負いや緊張感がありましたが、今回は学生と一緒に同じ目線で学ぼうという気持ちでした。新千歳の空港についた時には、さあこれから4日間ミッチリ勉強できるという期待の気持ちが大きかったです。萱野茂さんの資料館に向かう途中、外に見えた川の名前の看板にカタカナでアイヌ語名の表記があって、そんなところにもアイヌ文化を身近に感じられる嬉しさがありました。期待にたがわぬ大切な学びの4日間になりましたが、少し先まわりをしていうと、それだけにこういう大事な問題を十分学ぶ機会が与えられない今の学校教育はどうなっているのかと、そこへの疑問をあらためて深める機会にもなりましたね。

2. 萱野茂二風谷アイヌ資料館で

石川　では時間の流れにそって話をすすめていきましょう。フィールドワークの初日は平取町の「萱野茂二風谷アイヌ資料館」を訪れて、その後はたくさんのチセがならんだ「二風谷コタン」に行きました。

萱野茂二風谷アイヌ資料館

建石　萱野茂さんの資料館にはいろんなものが展示されていました。特に、興味を惹かれたのが萱野さんの書斎コーナーで、萱野さんの生き様や生活そのものに触れることができました。アイヌ語で話をするコーナーもありましたが、たくさんの展示写真を通して萱野さんがされてきたことを後世に伝えていく場所という印象を強く持ちました。資料館で撮った写真を見返してもその印象が強いですね。やはり実際に行って見て触れて感じ取れることがたくさんあると思いました。

大澤　手作りの資料館という印象でしたが、翌日訪れた二風谷アイヌ文化博物館も、萱野さんが集められた資料がもとになっていると聞き、また木幡さんもアイヌ語を萱野さんのところで学ばれたと伺いました。萱野さんがなされたことが、現在も多くの方に継承されていて素晴らしいと思いました。

資料館の展示の一部

石川　アイヌの日々の生活をリアルに想像させる民具がたくさんありましたが、あれだけの数を集めたというところに、これを後世に残すんだという萱野さんの思いの強さを感じました。また萱野さんが国会議員だった時に「北海道旧土人保護法（1899年制定）」がようやく廃止され、同時にアイヌ文化振興法（「アイヌ文化の振興並びにアイヌの伝統等に関する知識の普及及び啓発に関する法律」1997年）が制定されています。その点でもとても大きな役割をはたされた方でした。スペースの都合で十分解説がそえられていない展示もありましたが、そこは行政がしっかり支援してほしいと思いました。ちょっともったいないです。たくさんの展示の中では、ベタですけど『ゴールデンカムイ』で話題になったメノコイタ（まな板）の大きさを自分の目で確認できたのも嬉しかったです（笑）。

大澤　地域ごとの着物も多くの展示がありましたね。学生たちからは、『ゴールデンカムイ』に登場した民具を見つけて、「これ知ってる！」という声も上がっていました。

建石　アイヌだけじゃなく、世界の少数民族も紹介されていて、いろんなコンセプトのものが展示されていましたね。

石川　外にはチセもありましたね。だいぶくたびれてるようには見えましたが。ちょっと横道にそれますけど、新千歳から乗ってきたバスには「セタプクサ号」という名前がつけられていました。スズランという意味だといわれて、きれいな名前だと思っていたんですが、後に中川裕先生に「それは犬のギョウジャニンニク号っていう意味」と教えられて、なんだかちょっとガッカリしました(笑)。でも、日本語のスズランの語源は鈴のような花をつけるランに似た植物ということだそうですから、これは食べられないよと、人にとっての役立ちを重視してものの名前をつけるアイヌ語の面白さも感じさせられました。セタプクサ号には4日間お世話になりました。

石川　その後は「二風谷コタン」に移りました。夕方4時半頃でしたね。そこにはよく整備されたチセがいくつも並び、その先には沙流川が流れていました。二風谷は花の多い町でしたね。

ダム（中央奥）に堰き止められて土砂のたまった沙流川

二風谷コタンにはこのようなチセがたくさんある

大澤　私はその間、貝澤徹さんのお店「北の工房つとむ」に行ってました。貝澤徹さんはテレビで拝見したことがあったのですが、貝澤さんのお店だとは全然知らずに入ったんです。工房に案内していただいて、「あ、この方は！」と驚きました。

貝澤徹さんのお店「北の工房つとむ」

石川　ぼくも同じお店に少し遅れて入りましたが、彫刻の道具が見事に細工されていて、その道具自体が民芸品そのものじゃないかと、ちょっとびっくりさせられました。道具を大事にはするにせよ、あくまで仕事の手段だとするのと、それ自体に魂があると考えるのでは扱い方にも違いがあるのかも知れません。お店の一角にはマンガ『ゴールデンカムイ』のコーナーもありましたよね。

建石　川を見たときにここがダムだと知り、事前に勉強していたこととつながりました。その時に撮った写真を見ると、ちょうど日が暮れるタイミングだったので、幻想的な感じがしましたね。

大澤　学生たちも、水が少なくて川じゃないみたいだと言っていましたね。それがまさに次の日の貝澤耕一さんのダムのお話に繋がりました。

4日間お世話になったセタプクサ号

石川　貝澤さんのお店に入る前、外を歩いている時に、静内町でアイヌの権利回復に取り組んでいる葛野次雄さんから電話をいただきました。葛野さんには事前に私たちの前の本をお届けし、あわせてフィールドワークの話も少し手紙でお伝えしていたので、電話はそのお礼と、この日は千歳でアシㇼチェㇷ゚ノミの儀式があったから二風谷へは行けないんだ、北海道は広いしねと、気をつかっていただいてのお電話でした。嬉しいことでした。

3．60歳からアイヌ語を学んだ木幡サチ子さん

石川　2日目は「平取町立二風谷アイヌ文化博物館」を見学し、また「二風谷コタン」にならんだチセの中でも一番大きなチセを使わせていただいて、4人の方からお話をうかがいました。お昼にはアイヌ料理のお弁当をいただき、午後のはじめは踊りも見せていただいて、一緒に歌も歌ったりと盛りだくさんでした。最初は木幡サチ子さんのお話でした。

「シネ　チセ」(1番チセ)に入り講話を聞く

建石　木幡さんは他の3人の方のお話とは違い、歌も歌っていただいたので、まさにアイヌに触れたという感じがしました。また、数の数え方も教えていただき、チセも含めて、アイヌを体感した空間・時間だったという印象です。60歳からアイヌ語を学ばれたそうですね。

石川　この日の夕方、一番最後に話をしてくださった関根健司さんが、80歳くらいのアイヌの人は話せないんですよ、差別されないようにと親が子どもにアイヌ語を教えようとしませんでしたからと話され

ていました。木幡さんも、そうして小さい時にはアイヌ語を学ぶ機会をもたなかった世代だったんでしょうね。でも思うところがあって60歳からアイヌ語を学ばれた。60歳からって、それは本当に大変だったと思います。ぼくはいま65歳ですから、それくらいの年代で新しい言語を学ぶことについては、本当に実感をもって大変だと思えますね。木幡さんには、それでも萱野さんのところに通って学び続けようという強い情熱があったのですね。

大澤　木幡さんは、アイヌ語でカムイユカラを語ってくださいました。ＣＤや録音の音声ではなく、目の前でカムイユカラを聴くのは、私は初めての経験でした。木幡さんの語りと皆の手拍子とが一体となって、アイヌ語の調べやリズムを体験しながら、アイヌの語りの豊かな世界を感じることができました。

4. 平取町立二風谷アイヌ文化博物館と貝澤耕一さん

石川　木村さんと貝澤さんのお話の間には、学芸員の廣岡絵美さんにご案内いただいて「平取町立二風谷アイヌ文化博物館」を見学しました。廣岡さんは、前年度の大学の授業でもお話ししていただき、その内容を私たちの本に書いていただいた方でした。

建石　石川先生が萱野茂さんの資料館の展示の仕方がもったいないと言われていましたが、平取町

平取町立二風谷アイヌ文化博物館へ入館する

立二風谷アイヌ文化博物館は一つひとつ丁寧に示されていると思いました。実際の展示品も一つひとつに説明があり、アイヌのことをきっちり整えて見せてくれているという印象を持ちました。一方で、萱野さんの資料館はそこにあるものをありのままに見せてくれているという違いがありました。

石川　ここは展示品の数も多くて、解説を全部見ていくだけでもかなり時間がかかりそうでした。

大澤　廣岡さんが15分で完璧に解説してくださいましたね。

石川　ぼくには赤ん坊のおしゃぶりがとても大きいのと、もうひとつコミカルなタヌキの彫刻にアイヌ文化の現代的なあり方の一

大きなおしゃぶりが展示されていた

コミカルなタヌキの彫刻

つが見えるような気がして印象的でした。気がつけば、タヌキはあの民芸店の貝澤徹さんの作品でした。

石川　つづいて貝澤耕一さんのお話をうかがいました。貝澤さんのお話はいかがでしたか。

大澤　貝澤さんのお話はとても理路整然としていて、何が問題なのかということをわかりやすく教えていただきました。歴史の展示について、侵略と差別の歴史をしっかりと自覚するべきなのは、きっと和人の側なのだろうと思いました。それと同時に、アイヌの人々が誇りを持つことのできる歴史の展示ということについて、問題提起をいただいたと感じました。

石川　現在のアイヌ民族を取り巻く政治や社会の問題を非常に鋭く指摘されて、いろいろと心に刺さるお話がありましたよね。日本人は平等を勘違いしている、平等はみんな同じじゃないといけないというふうに思っている人が多

平取町立二風谷アイヌ文化博物館で動画を見る

いが、それは勘違いで、人はみんな違う、違っていて当たり前だ、それを認め合う力を持たないといけないと言われていました。そこは民族の違いだけじゃなく、それ以外のいろんな人の違い、身体の大きさとか、障害のあるなしとか、年代の違いとか、性的な指向とか、よく見れば人にはそれぞれいろいろな違いがある。それらの違いをちゃんと認め合える社会にならないとダメなんだということでしょうね。ご自身が子どもの頃、差別がひどかったという話もされていましたし、そんな差別を逃れるために北海道を離れた人もいるという話もされてました。普段の生活でぼくたちが直接目にすることは多くないかも知れないけれど、同じ社会に大人として一緒に生きている者として、こうした問題から目をそむけず、正面から向き合う必要があると強く感じさせられるお話でした。

建石　私も貝澤さんのお話はグッとくるというか、ズッシリ重いという印象がありました。この授業のタイトルは「先住民族アイヌを学ぶ」ですが、そのうちの「アイヌを学ぶ」は木幡さんの講話で体験できたように思います。一方、貝澤さんのお話は文字通り「先住民族を学ぶ」というイメージで、カナダやスウェーデンといった海外の先住民族のお話、ロシアやウクライナのことにもつながるお話も、グッと突き刺さるような感じがしました。また、ウポポイの批判もされてましたが、次の日にウポポイに行ったときに貝澤さんが言われていたことが理解できた気がします。

大澤　萱野さんの資料館の2階の展示でも感じましたが、貝澤さんのお話を伺い、日本の内だけを見ている視点とは違うと感じました。現在のロシアとウクライナの情勢についても、とても広い視点で捉えておられると感じました。

石川　かつて北海道開拓記念館という名前で、いまは北海道博物館になっている建物だそうですが、その中にはアイヌ関係の展示があるにもかかわらず、垂れ幕には「無人の大地を切り開いて」と書かれていた。そんなことも紹介されていました。アイヌの人たちが暮らした事実を展示で示しているにもかかわらず、その北海道を「無人の大地」と呼んでしまう。アイヌの存在そのものを軽視し、あるいは無視する気分や意識があるということですね。2018年には「開道150年」と銘打った行事があり、その表現自体がアウトだろうという強い指摘もありました。思い返せばぼくが北海道ですごした子ども時代には、開拓とか開道とかの言葉は当たり前のようにまわりにあって、学校の先生や大人からそういう言葉についてどう思うかといった問題提起をされたことは一度もありませんでしたね。

大澤　「開拓」という言葉が持つ問題については、藤戸ひろ子さんからも何度も伺っていましたが、フィールドワークでアイヌの方たちの歴史や豊かな文化にたくさん触れた上でこの文字を見た時、リアルに何が問題なのかがよくわかりました。「開拓」という言葉がつかわれた時、アイヌの歴史や文化は、一体どこに認識されていたのか、と。そのような言葉を問題意識なくつかってしまうことの問題性を改めて感じました。

5. アイヌ料理、舞踊、ムックリ、輪唱も

石川　お昼はアイヌ料理のお弁当をいただいて、午後の最初は二風谷観光振興組合舞踊部会のみなさんの踊り、ムックリの演奏にふれ、楽しい輪唱（ウポポ）体験もさせてもらいました。

建石　この体験は木幡さんの歌と同じような感じで、アイヌ料理のお弁当もおいしくて、アイヌを体験させてもらっているという実感を持ちました。

囲炉裏を囲んでアイヌ料理の弁当をいただく

大澤　輪唱もやってみると、何とかできましたね！

石川　アイヌ語を少しまとまって口にした最初の機会になりました。これまでは単語を一つだけといった具合でしたから。

大澤　アイヌ語をみんなで一緒に、という一体感を感じました。

6．遺骨問題と木村二三夫さん

石川　つづいて木村二三夫さんのお話はいかがでしたか。

建石　木村さんは遺骨問題のお話が強く印象に残っています。「過去に目を閉じる者に未来はない」「人は土から生まれて土に還る」

舞踊も披露してもらう

など印象に残る言葉をおっしゃっていました。

石川　貝澤さんが現代社会の様々な問題を指摘されましたが、木村さんは、それを歴史を通じて話されたというふうにも聞こえました。あえて「強制同化」という言葉も使われていましたが、自分で選んだのではなくて、強いられた同化だということの強調ですね。そして、そうした歴史に無自覚な和人たちの歴史観はおかしいと率直に語られていました。「開拓」という言葉は和人による言い訳だ。そんなふうに一つひとつの言葉の使い方の問題の指摘にも大きな怒りがこもっていました。他方で、学生に、みなさんの発信で若い世代に伝えてほしいといわれていたことも印象的でした。遺骨返還の問題については「アイヌの中にも国に歩調を合わせる者がいて情けない。盗ったものは返すのが当たり前じゃないか」と話されていましたね。ぼくは木村さんとお会いしたのは二度目だったんですが、最初にやあ久しぶりといった言葉があって、お別れする時もじゃあまたといった感じでグータッチをしてと、そういう人としての交流にはとても温かいものを感じました。その分、お話を聞いたことに対する責任の重さも感じさせられましたね。

大澤　木村さんのお話でエゾオオカミが毒殺され絶滅した時のことを伺いました。生態系を人間が壊したことや今の異常気象も人類が蒔いた種で、どう刈り取っていくんだって言われましたよね。アイヌ民族のことだけにとどまらず、人としてどうなのかというところに全部つながり、さらに人類の未来のことまで、おっしゃる通りの状況だと思いました。

建石　大学に対する批判も強かったですね。東大、京大、北大は盗掘の非を認めないとか、北大にはアイヌについての説明板がないとか。

大澤　木村さんからの、大学という教育の場で学ばれているみなさんへ、という問いかけ、語りかけは、とても深く重いものだと思いました。

7. アイヌ語普及と関根健司さん

石川　では4人目の関根健司さんのお話についてはいかがでしたか。学生たちはもうかなり疲れていた時間でしたが。

建石　関根さんが将来的にはアイヌ語を北海道の公用語にしたいと言われていたことが印象に残っています。アイヌ語の保存に真剣に取り組んでいる人は少ないそうなので、関根さんがアイヌ語を保存していく中心的な存在になっていかれるんでしょうね。

石川　80歳くらいの人はしゃべれない人が多いんだという歴史の話につながりますが、自分がアイヌであることを隠さざるを得なかった人たちの中に、あらためて自分はアイヌだと言う人が現われてきたのはずいぶん最近のことなんですね。公用語になるということは、もともとアイヌの人たちが住んでいたこの土地で、それぞれがルーツを隠す必要なく生きることができるようになるということでもある。誰にとってもそれがあたりまえだと思える社会にしていきたいものですよね。ニュージーランドのマオリ族がそれをアイヌよりも先にやってきたというお話も新鮮でした。

大澤　関根さんは兵庫のご出身で、アイヌ語の普及を牽引する活動をされていました。ここでアイヌ語を教えているのは自分のためという言葉が印象的でした。アイヌの人たちのために何かしているということではなくて、まず自分がしたくてしているのだということなのかなと感じました。

石川　創氏改名の話もありました。アイヌの名前を和人風の名前にしろというのは当時の大日本帝国の一員になれ、和人の一員になれということですね。貝がいっぱいとれる沢に住んでいるから貝澤にした、濁った川が近くにあったから黒川にしたなど、役人がそうやって名前をどんどん決めていったという話も同化政策の実態をリアルに教えてくれるものでした。またアイヌの権利を回復する取り組みでは、紋別や旭川の運動の方がコアであって、二風谷の人も頑張ってるけど、力がうまく合わさっているわけではないということも率直に語られていました。

建石　私自身は言葉に興味があるので、アイヌ語をどうやって習得していくのか、実際に使う機会がないとなかなか定着しないだろうし、本当の意味での習得は難しいのかなと考えていたのですが、若い人を育て、子どもにも教えているのは、とてもいい活動だと思いました。こういった活動に加えて、何をすれば本当の意味でアイヌ語が習得できて、忘れずに残っていくのだろうかと関根さんの話を聞きながら思いました。

大澤　お話では助手の方がいらして、その方と2人の時はアイヌ語だけで話しているということでしたね。現在でも既に、一部のバスや電車の車内放送でアイヌ語が使われていて、公用語に向けての1歩、2歩になってるんじゃないかと思いました。いつか北海道のテレビチャンネルの一つがアイヌ語チャンネルになっているかもしれませんね。

関根健司さんの講話を聴く

8. ウポポイ展示の明と暗

石川　3日目は白老町までセタプクサ号で移動して、ウポポイ（民族共生象徴空間）で長い時間をすごしました。

大澤　修学旅行生がすごく多かったです。最初に15分くらいの動画のコーナーに入ったんですが、その動画には、このフィールドワークで出会った方々が何人も登場されていました。

石川　ウポポイにはいろんな施設がありましたが、「国立アイヌ民族博物館」に入って最初に見た短い映像には「和人」という言葉も登場し、侵略や同化の話も簡単にではあれふれられていましたので、ああウポポイにもある程度はそうした歴史を伝える姿勢があるんだと思いました。でも、メインの展示に進んでいくと、その種の指摘がまるで見当たらなくなってしまう。道具や文化や世界観の話はそれなりにあって、特に、アニメで紹介されている世界観はわかりやすく思えましたが、そういう豊かな文化をもった人たちに、かつての日本政府と和人が何をし、それを今どうふりかえるべきなのかと、そこを考えさせるものがまったくなくて、前の日に貝澤耕一さんがとても腹を立てていた理由が、よくわかる気がしました。ぼくたちの場合は「萱野茂二風谷アイヌ資料館」や「平取町立二風谷アイヌ文化博物館」でいろんな展示を先に見ていましたから、初めてここでこうした展示にふれる人とは受け止めが違うところもあったかもしれませんが、しかし、たとえば修学旅行などでやってきた生徒たちがあそこをザーッと眺めても、それは昔そんな文化がありましたというふうにしかとらえられないように思いました。未来にむけてこの文化をどう引き継ぎ、そのために和人とアイヌの関係をどう考えて、どう変えていくべきか、そのあたりについての問題提起が見えないことがとても残念で、前の日までの学びの重さに比べると、なんだか肩すかしを食らった気分になりました。

建石　私も同じような印象を受けました。ウポポイだけを見ていろんなことを分かった気になってほしくなく、やはり二風谷に行き、多くの方の話を聞き、いろんなものに接してほしいですね。ウポポイが3日目ということもあったので、なおさらそういう印象を受けました。ウポポイは今回のようなフィールドワークではなく、一人で行ってもいいかもしれませんが、フィールドワークをするなら、二風谷に行かないとダメだと感じました。

大澤　歴史に関してですが、アイヌの方たちが誇りを持てる歴史とはどんな歴史なのか、それはどういうふうに語っていけばいいのか、その答えはまだ出ていないという意見も以前に聞きました。侵略と差別の歴史は和人の側が特に知らなければならない歴史だと思いますが、そういう展示は和人が見るべきもので、一方で、アイヌの誇り、かっこいいアイヌを伝えていきたいと願うアイヌの方たちの中には、侵略と差別の歴史について、それを自分たちがまだ見なきゃいけないのかという気持ちもあったりするのかなと思うんです。いろんな立場の意見や思いがあり、どういう展示がより良い展示なのか、ということも考えました。

石川　貝澤さんは非常に厳しくストレートに指摘されましたが、他方には、そういう弱点もあるけれど、あそこの展示はこれから良くしていったらいいんだという意見もありますよね。もちろん最初から、たくさんのアイヌの人たちにとって納得できるものであれば、よりよかったのは間違いないわけですが、しかし、いまあるものが不十分だからとそこで諦めるんじゃなく、まだまだいろいろな働きかけができるじゃないか、展示をめぐる議論もしていけるじゃないかというのは大事な視点ですね。二枚腰、三枚腰での粘り強い対応が必要だというような。貝澤さんのお話は、それを今後積み重ねていくための指針になるものとも言えました。

大澤　ウポポイだけで全部の地域色を示すことは難しいかもしれないですよね。だから、そこから二風谷やいろいろな場所に足が向かうように、さらに学ぶために、次はあそこに行こう、その次はここを訪れようと、それぞれの場所に繋がっていくと良いですね。

ウポポイのキャラクター「トゥレッポん」と。トゥレプはオオウバユリ。でんぷんが多く保存食になった

建石　いろいろな体験コーナーもありました。アイヌ文様の彫刻体験など、さまざまなことを体験してくださいということでしょう。もちろん、学べるところもあるんですが、何時間もいる場所ではない気もしました。観光やツアーのコースとして来てアイヌを体験する、そして学ぶこともできるというような施設ですね。

石川　お土産のコーナーにはいろんなものがありましたが、本がとても少なかったのは残念でした。せっかくここに来たのだから、これをきっかけにアイヌについてこんな本で勉強してほしいというウポポイ側の思いがあまり見えず、その他のいろいろな物品を売りたい、買ってほしいという思いの方が前に出てしまっているように感じました。そ

ウポポイの展示を見る学生たち

うやって運営に必要な費用を得ることも大事なんでしょうが、ここも改善の余地ありというふうに思えました。

大澤　ライブラリのコーナーはありました。資料室などがもっと充実すれば、学生たちと一緒に、一日腰を落ち着けてそこで学んだり、調べ物をしたり、ということもできれば良いなと思いました。

9. 自分を重ねて観た知里幸恵 銀のしずく記念館

石川　最後の4日目は午前中だけの学びでしたが、登別市の「知里幸恵 銀のしずく記念館」にうかがいましたね。

大澤　ボランティアの方たちが本当に知里

幸恵さんのことを大切に思って守ってらっしゃるんだということがよく伝わってきました。

建石　手紙など当時の資料がそのまま展示してあるのが印象的でした。19歳で亡くなっているのですが、もったいないというか。長く生きていらしたら、どんな人になっていったのかなと、思いを馳せることができました。

大澤　学生たちも歳が近いから、自身と重ねながら見ている学生の姿もありましたね。

石川　知里幸恵の短い人生に、当時のアイヌがおかれた状況が集中的に表れているというふうにも見えました。旭川の学校ではいろんな差別を受けて、自分というものになかなか誇りが持てずにいた。そこへ金田一京助がやって来て、アイヌの文化や言語をぜひ残したいと言う。それに幸恵がアイヌのものにそんな価値があるんですかとびっくりして聞き返すというやりとりの中で、幸恵自身が励まされていった。しかし、そんな役割をはたした金田一も、アイヌは和人と同化した方が幸せなんだという考え方の持ち主だった。その後、東京の金田一宅で『アイヌ神謡集』のタイプ原稿を校正し終えた幸恵は——『神謡集』は1923年の出版でしたね——、自分たちの素晴らしい文化、歴史、そして言葉や物語など、それらを独自に残すべきもの、今後に受け継いでいくべきものとして書き残しました。金田一のようにアイヌは和人に同化すべきという態度はとらなかったわけですね。あの若さで『アイヌ神謡集』を残した才能に驚かされる同時に、あの時代にアイヌとして生きることの難しさ、迷いや葛藤の深さをあらためて感じさせられもしました。そういう葛藤を強いたのは和人だったわけです。わずか100年くらい前のことですよね。

建石　ちょうど100年前ですね。

大澤　「カムイのうた」という映画もこの秋に完成予定ですね。知里幸恵さんはアイヌとしての葛藤もあったと思いますが、受けられた教育は当時の他のアイヌの方々とは違っていたのでしょうか。

石川　何歳まで教育を受けたんでしたっけ。

建石　職業学校が17歳ですね。

石川　17歳の後半に、今でいえば高校生の年代で、もう金田一に渡されたノートに書き込みを始めていたんですね。それまでは北海道の地名などアイヌ語の単語はたとえば松浦武四郎が日本語で残したものがあったりもしましたが、アイヌ自身が物語や長い文章をローマ字を用いて文字として残したのは知里幸恵が最初の人でしたから、歴史的にとても大きな役割を果たしたわけですね。

10．大学にもどって

石川　北海道から兵庫県にもどって、学生たちはこの本に収めるための座談会を行い、またこのフィールドワークの内容を他の学生に伝える学内報告会も行いました。そのあたりふりかえってみていかがでしょう。

大澤　学生たちの言葉から、フィールドワークでの体験を通していろいろなことを考え、本当に貴重な学びをしたことが分かりました。

建石　学内報告会の資料を作るにあたり、最初に出てきた資料がちょっとイマイチ…という印象でしたが、その後にやり取りを行う中で変わってきて、その成果が中川裕先生との座談会に繋がったと思います。現地で学んだことを資料としてまとめるのは難しかったようですが、報告会の練習を行う中でしっかりまとめられ、それが2月の講演会でも生きてきたという印象です。

石川　前年度の座学（90分×15回）を受講した上で参加した学生は1人だけでしたよね。今年度は座学が学期初めの1日と旅行直前の1日だけしか行われませんでしたから、ほとんどの学生は本当に知識が希薄な状態でフィールドワークに出かけたわけです。それにもかかわらず、あるいはそれだからこそという面もあったかも知れませんが、学生たちはずいぶん学んでくれたと思います。やはり若い世代の吸収力はすごいですね。いろんなことに気づき、考え、たとえば遺骨返還をめぐる問題では、政府の姿勢がおかしいということもはっきり言葉にして、私には関係ないとか、面倒なことには関わりたくないといった態度はとらないんですよね。そのあたりには若い人らしい正義感も感じられました。学んだことが生きる姿勢に結びついているという感じですね。

建石　学内報告会の資料ですが、私自身もフィールドワークの記憶を呼び起こす時に役立ちましたし、ああ、こんな話をしていたなと、当時のことが思い出せる資料になっていて、学んだことがしっかり反映されている、いろんな方の話を漏らさずに聞いていたことがよく伝わってきました。

大澤　学生たちの感想の中に、『ゴールデンカムイ』は好きだったけど、実際のアイヌの方に出会ったことがなく、どこか自分たちの日常とはかけ離れていた。けれど、今回フィールドワークの事前学習で藤戸ひろ子さんのお話を聴いたことや、北海道でアイヌの方たちに出会ったこと、それがとても印象的だったという感想がありました。それが多くの日本人の率直な現実なのかなと考えると、若い正義感がある間に出会うことの大切さを思いますね。ウポポイでも、〃私たちはいつもこの民族衣装を着ているわけではありません、普段の私たちは皆さんと同じような生活をしています〃、さらに伝統的チセの写真の横には、〃現在の私たちは、伝統的なチセではなく、皆さんと同じようなチセに住み、同じような生活をおくっています〃、というような説明がありました。なぜそういった説明が必要なのかというと、アイヌは今もこういう生活をしていると思う人が多いからでしょう。そこにいかに隔たりがあるかということです。

建石　異文化だと思ってるんじゃないでしょうか。外国の人が日本人はまだ着物を着ていると思っているような感じで、自分が知らない文化だと切り離して遠い存在だと考えてしまうのかと。

石川　フィールドワークで学んだことを学びっぱなしにせず、報告会のためにまとめるとか、本にまとめるためにふりかえるとか、そうやって繰り返し考えることを学生に求めていくこの授業のスタイルはとてもいいと思います。ハードすぎると感じる人もいるかも知れませんが、学生にはそれに応えて伸びる力がある。そのことが実感できる結果になっていると思います。

他方で、同化の歴史、和人が北海道に大量に入り込んで力ずくで「開拓」をすすめ、アイヌを「支配」していった、その歴史を知らない学生がたくさんいたことには、高校までの学校教育の不十分さをあらためて考えさせられましたね。明治以降の日本政府は東アジアを侵略する前に、日本列島内部でアイヌと琉球を組み伏せました。両者はひとつの流れとしてつながっており、アイヌへの支配の経験が、東アジアへの侵略や支配の中に活かされるということもあったわけです。そのあたりは現代の日本社会にとって正面から向き合わねばならない大問題なのに、現在と未来をになう若い世代に基礎的な知識やいっしょに考えようという問題提起を届けることができていない。これは現代の学校教育の大きな欠陥だと思います。

少し大きな話になりますけど、教育基本法は、第1条で教育の目的を「教育は、人格の完成を目指し、平和で民主的な国家及び社会の形成者として必要な資質を備えた心身ともに健康な国民の育成を期して行われなければならない」としています。そうした「資質を備え（る）」のに相応しい教育の内容になっているかということは、大学のカリキュラムもふくめて、よく考えねばならないところだと思いますね。

11．学生たちの学びをふりかえって

石川　なんだか勝手にまとめに入ってしまいましたが、最後にフィールドワーク全体を振り返って、また今後やってみたいことなどなど、語り残したことがあればしめくくりの発言としてお願いします。

大澤　はじめての北海道フィールドワークは、とても充実したものでした。学生たちの姿から、実際に、出会って、触れて、体験して学ぶことの大切さを再認識しました。ウポポイのサイト（https://ainu-upopoy.jp/hokkaido/）に、「北海道内のアイヌ文化に触れられる施設」の案内があります。私たちが訪れるべき場所は、まだまだたくさんありますね！　もちろん施設を訪れるだけでなく、そこで人々や事柄に出会い、学びをつづけていきたいです。

建石　「はじめに」にも書きましたが、フィールドワークに行けて本当によかったですし、学生たちはたくさんのことを学んでくれたように思います。私は以前に別のプロジェクト科目「中国で体験す

る異文化」でも引率をしたことがあるのですが、フィールドワークを経験すると、学生たちは一回り大きく成長してくれます。その意味でも、改めてフィールドワークの良さを感じましたし、これからも機会があれば、ぜひ行ってみたいですね。

石川　ぼくはもう先に話をしてしまいました。つけ加えるとすれば、4日間をいっしょにすごした学生たちが日々集中してよく学んでいる姿を見ることや、その中で彼ら同士がどんどん仲良くなっていくのを見るのがとても楽しかったです。またぼく自身にとっても、とてもたくさんのことを教えてもらい、考えさせてもらういい機会になりました。ありがたかったですね。本当に充実した4日間でした。

第3部

アイヌの世界観と
アイヌ文化の現在

中川裕先生をお招きして　石川 康宏

「中川裕先生に来ていただこう」。私たち教員3人とこの本を出してくれた出版社の丸尾忠義さんと4人で、そんな話をしたのは2022年9月末のことでした。それから4カ月ほどの時をへて、この願いは現実のものとなります。

中川先生を神戸女学院大学にはじめてお招きしたのは2023年2月9日です。1時前には、ご挨拶の後、中川先生と教員3人でお昼の弁当をいただいて、企画の進行の相談をさせてもらいました。その間に、大学の職員や学生たちが、会場の準備をすすめていきます。

1時半には、文学部1号館の21教室に移動です。この教室は本学では「講堂」に次ぐ大きな空間です。まだ慎重にソーシャルディスタンスを取りながらの時期でしたが、それでも周辺市民のみなさんを中心に、およそ130人が集まりました。

2時には大澤先生の司会で、神戸女学院大学文学部総合文化学科主催特別講演会「先住民族アイヌを学ぶ」という長いタイトルの企画がスタートします。学科長の建石先生から、本学でアイヌについての学びが始められた経緯の紹介などがあり、つづいてサブタイトルが「知ってくださいアイヌのこと」となっている映像「ヌカラヤン　ヌヤン」（NNNドキュメント'20「ヌカラヤン　ヌヤン　知ってくださいアイヌのこと」日本テレビ、2020年3月1日放送）を30分ほど見ていきました。さらにアイヌ関連の授業をたちあげる上で、大きな役割を果たしてくれたアイヌの藤戸ひろ子さんとのオンラインでのおしゃべり動画も20分ほど。「この数日はあたたかいんですよ」「16度とか15度とかです」「マイナスですけどね」。北海道東部の陸別町から、各地で精力的に行なっているアイヌ文化普及の取り組みなどを紹介していただきました。

さて短い休憩の後、いよいよ中川裕先生のご登壇です。お話のタイトルは「アイヌの世界観とアイヌ文化の現在」。その豊かな内容については、次ページからの講演録でお楽しみください。1時間ほどお話しいただきましたが、つづけて中川先生には、北海道フィールドワークに参加した学生たちとの座談に加わっていただきました。学生たちは、かなりはりきって質問を事前に準備していたようです。さらに中川先生には、フロアのみなさんからの質問にも答えていただき、企画の終了は予定をこえての5時30分となったのでした。この座談や質疑の内容も、簡潔にですが本書に収録してあります。企画にご参加いただいたみなさん、長時間ありがとうございました。

その後の懇親会でも、中川先生と学生とのおしゃべりはつづき、お酒がすすむほどに時間はますます楽しいものとなりました。お話の中では、神戸女学院大学でのアイヌの学びについて、さらに具体的なヒントもいただきましたが、その紹介は次の機会としていきましょう。では、中川先生のお話にお進みください。

第1章　アイヌの世界観とアイヌ文化の現在

千葉大学名誉教授　中川 裕

１９５５年神奈川県生まれ。東京大学文学部を卒業、東京大学人文科学研究科言語学博士課程中退。専門は言語学、アイヌ語学、アイヌ口承文芸学。１９９９年より千葉大学文学部教授。２０２１年より千葉大学名誉教授。日本口承文芸学会会長。１９９５年第23回金田一京助博士記念賞受賞。２０１８年、アイヌ語復興への寄与などにより文化庁50周年記念表彰。漫画『ゴールデンカムイ』のアイヌ語監修。ＮＨＫ「１００分de名著」の講師。主著に『アイヌ語千歳方言辞典』（１９９５年、草風館）、『アイヌ文化で読み解く「ゴールデンカムイ」』（２０１９年、集英社新書）他。

伝統的な音楽を現代化して歌うアイヌの人たち

みなさん、こんにちは。中川裕です。私は2年前に千葉大学を定年退職しました。研究室から引き揚げてきたものを整理していたら、たまたま本日の進行役の大澤香先生の卒業論文が出てきまして、今日ここに持ってこようかと思ってたのですが、いろいろあって置いてきちゃいました（笑）。

さて今日は「アイヌの世界観とアイヌ文化の現在」という内容ですが、まず先にアイヌ文化の現

中川裕先生

在から話をします。先ほどのこの神戸女学院大学の授業のご説明などにもありましたように、最近はアイヌに対する人々の知識、常識というのが昔とはだいぶ変わってきました。ほんのちょっと前までは、アイヌというと北海道の山の中のどこかで熊を捕って暮らしている人というイメージ、あるいはもうそんなものは存在しないというイメージ、そのどちらかでした。ほとんどの人がアイヌという存在を現代と結びつけて考えるということはなかったわけです。それが少しずついろいろ変わってきたのですけど、まずそのアイヌ文化について、今のアイヌの人たちが現在どんな活動をしているかという話から始めます。

まずＯＫＩさん（次頁左）とマレウレウ（同右）を紹介します。ＯＫＩさんは随分昔からアイヌの伝統弦楽器「トンコリ」を演奏して、アイヌ音楽を現代のワールドミュージックと結びつけようと国際的な活動をしています。そして、もともとＯＫＩさんのバンドのヴォーカルユニットだったのがアイヌの伝統的な歌の再生と伝承をテーマに活動する４人組の女性ヴォーカルグループ、ＭＡＲＥＷＲＥＷ（マレウレウ）です。現在はＯＫＩさんのバンドからは独立してさまざまな活動をしています。まずはマレウレウの歌で「ウコウク」という曲を聴いてください。

――曲が流れる――

https://www.youtube.com/watch?v=hby3n2fKspM

これはマレウレウの曲の中でも私の一番好きなもので、「ウポポ」という輪唱形式で歌われています。

トンコリ奏者のOKI

MAREWREW

ウポポというのはアイヌの伝統的な音楽形式で、ものすごくたくさんの曲が残っています。ウポポはこのような短い輪唱形式の曲を即興でどんどん繋げて歌うもので、順番も何も決まっていません。どこから何の曲から始めてもよくて、歌っているうちに飽きてきたら他の曲を歌い始める。すると他の人がそれに付いていきどんどん繋げていく。終わりもないのでイヤになったら止める、そういう音楽です。このように伝統的な曲ですが、マレウレウの歌い方は昔の人たちとは発声方法が違うもので、そういう意味では大変新しいスタイルの音楽になっています。

次にマレウレウとOKIさんがプロデュースしたアニメがユーチューブに上がっていますので、それを見てみましょう。

――アニメ動画が流れる――

これは「カネレンレンレン」というアニメです（次頁上）。本人たちは「好きに解釈してよ」と言っていますが、私の解釈ではアイヌ文化が途切れることなく現代まで続いていたならば、こんなふうに発展したんじゃないかという、そういう世界を描いたものだと理解しています。マレウレウは他にもいろんなパフォーマンスをやっていますが、例えばこんなこともやっています（同下）。

動画流れる

これは何をしているのかと言いますと、場所は札幌のススキノのど真ん中の交差点です。この「ハエイー」というのはバッタキというバッタの動きを真似した踊りで、バッタキをしながら交差点を渡ると、そこにいた別のグループがそれに合流してバッタキを始めるという、いわゆるフラッシュモブというパフォーマンスです。札幌のど真ん中で、ここに俺たち、私たちはいるぜっていうことをアピールする活動で、マレウレウはこんなふうに、歌を歌うだけではなく、いろいろな形のパフォーマンスを行っています。

出所：北海道公式　第1回北の絵コンテ大賞アニメーション「KANE REN REN（カネレンレン）」
https://www.youtube.com/watch?v=x_Ukc7HvlbA

「大人のウポポピクニック」
https://www.youtube.com/watch?v=urclFKL7iQ0

次にIMERUAT（イメルア）という音楽ユニットを紹介します。ミナさんと浜渦正志さんというふたりのユニットで、このようなお洒落なホームページがあります（次頁上）。ミナさんは十勝出身のアイヌ女性で、お父さんは有名なアイヌの人権活動家でした。イメルアはアイヌ関連の活動自体は比較的少ないのですが、それでも例えばこんなことをやっています。

――動画流れる――

もうお分かりかと思いますけど、先ほどマレウレウが札幌のど真ん中でやっていたバッタキをイメルアがやるとこんなふうに全然違った音楽になります（写真中）。このような伝統的な曲をアレンジして、非常に先端的なポップスに仕上げていくというのがイメルアのやり方で、実は浜渦さんは「ファイナルファンタジーXIII」というゲームの全曲の作曲者の方です。そういう組み合わせで新しいアイヌの音楽を作ったりしているわ

http://www.imeruat.com/top.html

https://www.youtube.com/watch?v=P5fUrGezV3E

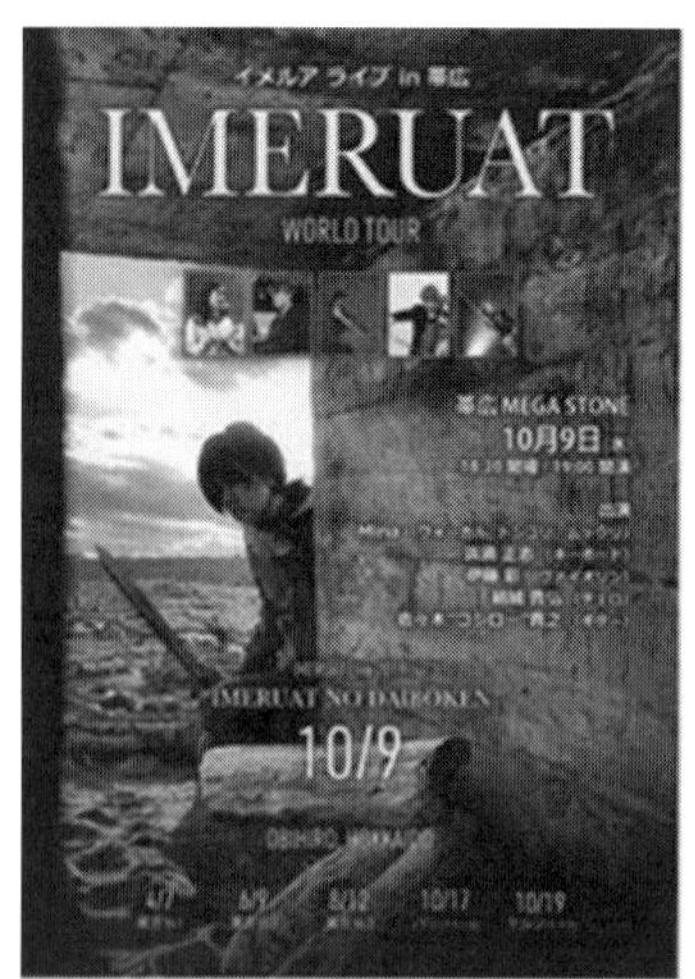

http://www.imeruat.com/

けです。

アイヌ民族文化財団のアイヌ語ポータルサイト

そしてみなさんがアイヌ文化に興味を持っておられるのであれば、まずこのサイト（写真上）をご覧なるのが一番いいと私は思います。

https://www.ff-ainu.or.jp/web/potal_bunka/index.html

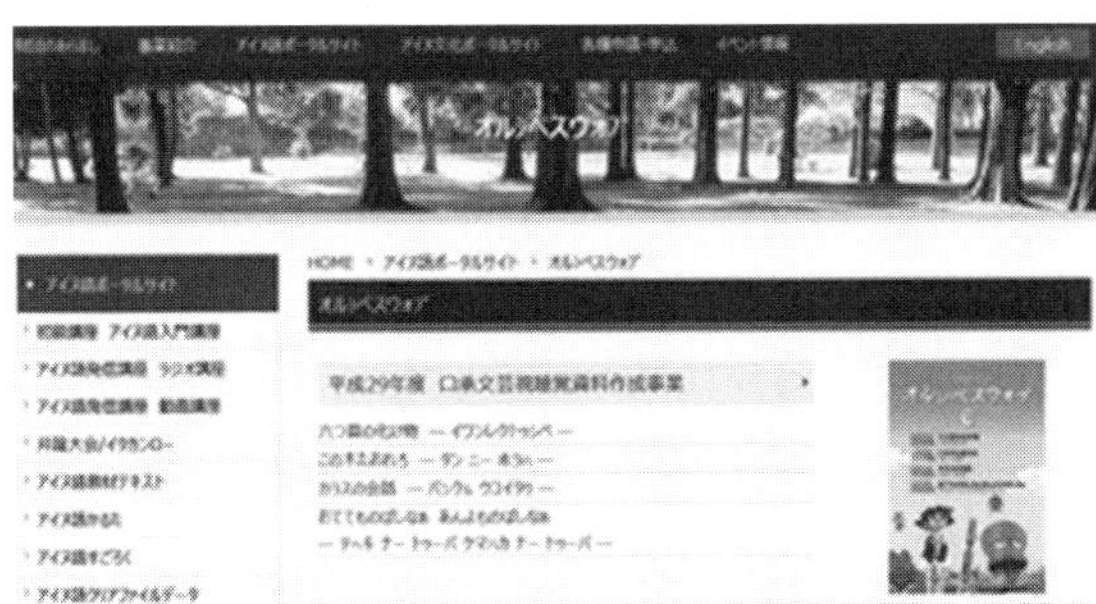

https://www.ff-ainu.or.jp/web/learn/language/animation/index.html

公益財団法人アイヌ民族文化財団のサイトですが、このアイヌ民族文化財団は、2020年に白老にできましたウポポイ（民族共生象徴空間）、およびその中にある国立アイヌ民族博物館の運営団体です。イメルアのホームページに比べるとなんと素っ気ない、どこから何をしていいのかさっぱりわからないような作りになっていますが、実はこのアイヌ民族文化財団のホームページは、世界で一番アイヌ関連のオリジナルコンテンツが充実したサイトです。その中でも今日は特にアイヌ語ポータルサイトの中にあるオルㇱペスウォㇷ゚（写真下）を紹介しましょう。クリックするとアイヌの物語をアニメ化したコーナーが出てきます。

このように、アイヌ語音声・日本語字幕、アイヌ語音声・アイヌ語カナ字幕とか、日本語音声・アイヌ語カナ字幕というようにいろんな組み合わせで見ることができます。そのひとつとして、このニタイパカイェというアイヌのユカㇻ（英雄叙事詩）をアニメにしたものを、アイヌ語音声、日本語字幕で見てみることにしましょう。

https://www.ff-ainu.or.jp/web/learn/language/animation/details/h25/nitaypakaye/ainu-japanese.html

——アニメ映像流れる——

これはアイヌの話なのか？　テレビで夜やっている普通のアニメじゃないかと思うかもしれませんが、ビジュアル的なことはともかくとして、話の中身は昔から語られてるアイヌの物語そのままです。アイヌの物語が、現代においてそのままファンタジーとして展開できる、つまりアニメやゲームにしていくとそのまま使えるようなものもあるということが、よくわかるアニメになっています。他にもいろんなものがありますので、ぜひご覧になってください。

日常生活をアイヌ語で

もう一つだけ紹介します。それがアイヌ語動画講座です。この講座は私たちが作っているもので、私がその委員会の委員長です。アイヌ語自然講座などいろんなものがありますが、とにかくアイヌ語でなにかやってみよう、アイヌを使っていこうという、そういうコンセプトで動画を作っています。今どんどん増えているのですが、その中で一つ紹介したいものが次の動画です。

――動画流れる――

この動画の撮影場所は二風谷というところですけれども、出演している女性の方は木村梨乃さんという二風谷生まれのアイヌの女性です。男性の方は原田啓介君と言って、アイヌではありませんが同じ大学で知り合って今は要するに生活上のパートナーです。そして2人はなるべく日常生活はアイヌ語を使うという活動をしていて、つまり今のような会話も日常的に行っています。右端でアイヌ語の解説をしている男性（写真上）は関根健司さんですが、彼は二風谷に住んで25年ぐらい経ち、木村さんが生まれた時から彼女のことよく知っていまして、師弟関係であ

「入る」のアイヌ語は単数形（アフン ahun）と
複数形（アフㇷ ahup）があります。

イランカラㇷ゚テ！　フナㇰ ワ エエㇰ？
irankarapte!　hunak wa e=ek?
こんにちは！　どこから来たのですか？

https://www.ff-ainu.or.jp/web/learn/language/movie/details/post_38.html

り日常的に親戚付き合いをしています。このようにアイヌ語をいろんな動画で紹介しているコーナーが、このアイヌ語動画講座です。

私がプロデュースしてるのは、この中の自然講座というものです。今日は時間がないので、興味があればご覧になっていただきたいと思います。このようにアイヌ民族文化財団のサイトをクリックして中へ入ってみると、他にもたくさんおもしろいものを見つけることができます。

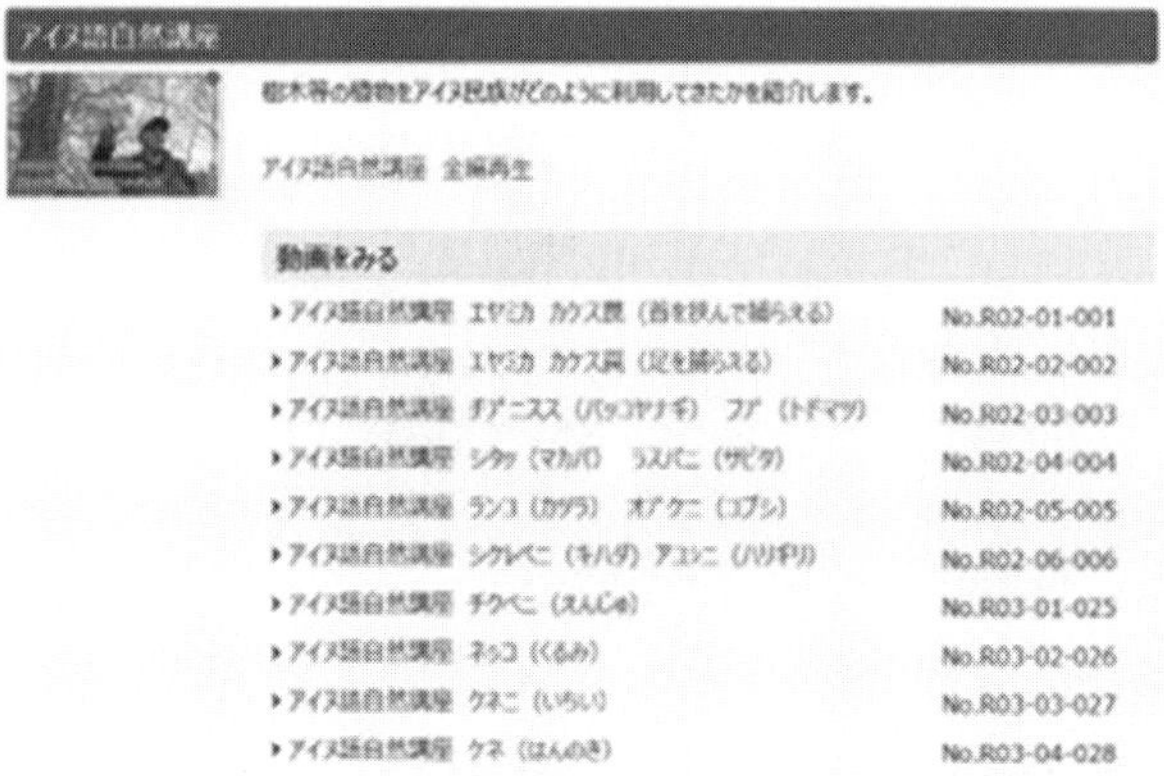

アイヌ語自然講座

樹木等の植物をアイヌ民族がどのように利用してきたかを紹介します。

アイヌ語自然講座 全編再生

動画をみる

▸アイヌ語自然講座 エヤミカ カクス罠（首を挟んで捕らえる）	No.R02-01-001
▸アイヌ語自然講座 エヤミカ カクス罠（足を捕らえる）	No.R02-02-002
▸アイヌ語自然講座 チアニスス（バッコヤナギ） フプ（トドマツ）	No.R02-03-003
▸アイヌ語自然講座 シタッ（マカバ） ラスパニ（サビタ）	No.R02-04-004
▸アイヌ語自然講座 ランコ（カツラ） オプケニ（コブシ）	No.R02-05-005
▸アイヌ語自然講座 シケレペニ（キハダ） アユシニ（ハリギリ）	No.R02-06-006
▸アイヌ語自然講座 チクペニ（えんじゅ）	No.R03-01-025
▸アイヌ語自然講座 ネシコ（くるみ）	No.R03-02-026
▸アイヌ語自然講座 クネニ（いちい）	No.R03-03-027
▸アイヌ語自然講座 ケネ（はんのき）	No.R03-04-028

https://www.ff-ainu.or.jp/web/learn/language/movie/details/post_15.html

アイヌ文化は過去のものではない

このように、現在いろんな人がいろんな形で、アイヌ文化をこれから継承していくために活動しています。特に若い人たちの活躍というのは非常に注目すべきところがあって、私もアイヌ語に関わってもう40年以上経ちますが、今では私が関わりはじめた頃には想像もできないぐらいたくさんの若い人たちが、自発的にいろんな活動をしている状況です。これをまず、知っておいてもらいたいと思います。つまりアイヌ文化とは過去のものではない。消え去ろうとしてるものでもない。そういうイメージがあるとしたら、それは現在の状況をよく知らないだけの話だということです。

キーワードはカムイ

そしてその中でも、みんなが残そうとしている伝統的なアイヌ文化のいわば芯の部分、真髄の部分というものがやはりあります。それがカムイ（傍点がアクセントのある位置を示す。そこを高く発音する）という言葉に象徴される世界観です。このカムイという言葉、これは『ゴールデンカムイ』のカムイですけれども、大概の人はカムイと発音しているでしょう。でも本当はカムイじゃなくてカムイです。ではちょっとみんなで言ってみましょう。ムを高く、カムイと発音してみましょう。はい、じゃあ言ってみますよ。私について言ってください。「カムイ」、「カムイ」（会場の声）。はい、いいですね。あともう一つ、村のことをコタンと言ってる人が多いんだけど、これもコタンです。言ってみましょう。はい、「コタン」、「コタン」（会場の声）。今日はこの「カムイ」と「コタン」を覚えて帰っていただければ、他のことは忘れてもいいですから（笑）。

このカムイという言葉は、アイヌ文化を理解するにあたって最も重要なキーワードになっています。このカムイという言葉がどういう意味だかわからないと、アイヌ文化についてはまず何もわからないと言ってもいいでしょう。アイヌはこの世界のあらゆるものに魂があると考えています。何にでも魂があるのです。ただしその中でも特に、何か精神、何か意志を持って活動してると考えられるもので、人間以外のもの、これをカムイと呼んでいます。

カムイを日本語に訳せば

意志を持って活動しているものということで、熊、魚、鳥などの動物はもちろんカムイだと考えるのですが、そればかりではなくて動かない木や草、これもみんなカムイです。生きているものがカムイなのかというと、生きていなくてもいいのです。火や水、雷などの自然現象、これらも活動しているものと考えます。例えば火が何の活動をしているかというと、火は光や熱を周りにまき散らして、そのおかげで我々は暖まり、夜でも明るく過ごすことができる。これはこの火というものが何らかの精神を持っていて活動してるからそういうことができるのだと考えるわけです。

ではそのような自然現象、動物、植物がみなカムイであるというなら、それは「自然」という言葉で置き換えてもいいのではないかと思うかもしれません。しかし、実はカムイが指すものはそれだけではありません。例えば家、船、臼、杵、小刀、鍋というような、人間が自分たちで作ったもの。そういうものも昔のアイヌの人たちはみんなカムイと考えていました。つまり、人間がカムイを作ることができるのであり、こういったものを含めてみんな精神を持って活動していると考えるのだということです。例えば鍋ですが、鍋にも精神があって活動しているからこそ、その中に食材を入れて、水を入れて火にかけると、美味しい料理が出来上がる。これは人間が鍋を使って作ったのではなくて、鍋が作ってくれていると考える。鍋がそういうものを自分の活動として作ってくれるからこそ、人間はご馳走が食べられるんだと、そういう発想をするのです。

ということで、身の回りのものは全てカムイです。ここに時計がありますが、これはとても偉いカムイです。なぜかというと、今何時かということを教えてくれるという、人間にできないことをやってくれる。そういう非常に力を持ったカムイである。こんな発想をするのです。

このカムイのことを、通常は先ほどの動画のように神様と言っています。普通はそのように訳します。アイヌのおばあちゃん方、おじいちゃん方に、カムイって何？　と聞くと、あーそれは神様のことだと必ず答えるでしょう。しかし、日本語の神様という言葉とカムイという言葉は根本的に違います。私はカムイに対して「神様」とは違う訳がないものかと考えていたのですけど、あまりいい言葉が日本語にはない。しいて言えば、人間を取り巻いて、人間といろんな関係を結んでいるもの全てをカムイというふうに言うんだと考えれば、それは「環境」と言ってもいいのではないか。強いてカムイを日本語に直すとしたら、この環境という言葉が一番近いかもしれないと考えています。

アイヌのカムイ観

アイヌの伝統的な考え方では、カムイとアイヌがお互いに良い関係を保っていれば、人間は幸せに暮らすことができる。そういう考え方をします。アイヌというのは「人間」という意味ですが、カムイを「環境」だと考えれば、アイヌとカムイが良い関係を保つというのは、言い換えれば人間と環境が互いに良い関係を保っていれば、人間は幸せに暮らすことができるということになる。これは現代のＳＤＧｓのような考えに似ています。要するに今盛んに環境を保護すると言われていますが、環境なんか保護するものではなくて、環境といい関係を保つ、環境が機嫌を損なわないようにする、そうすれば安定した良い生活ができる。それがアイヌの伝統的な考え方なのです。

また神様という訳があまり的確でないのは、例えばスズメの神様と言った時に、何を思い浮かべるかというと、天空に住んでいる全長5メートルもあるような、そういうスズメがスズメの神様みたいな気がするかもしれません。しかし、スズメのことをアイヌ語ではアマメチカッポと言いますが、アマメチカッポカムイというと、それは1羽1羽のスズメが全てアマメチカッポカムイなのであり、何かそれを統括しているものを指すわけではありません。

ですからそこら辺に猫が歩いていようが、犬が歩いていようが、それもカムイなのです。神様という言葉で表現すると、人間とは関係がないとか、人間とは遠く離れた所にいる存在のように感じるのですが、身の回りのものすべてがカムイなのです。私の家には4匹の猫がいますが、これも4匹ともカムイなのであり、うちの中は毎日カムイの毛だらけ状態ということになるわけです。先ほど家もカムイだと言いましたが、つまりみなさん全員がカムイの中にいるわけです。椅子だってカムイですから、みなさんは今カムイの上に座ってるわけです。

これがアイヌ的な考え方のカムイ観です。これもよくいろんな本に書いてあることですけれども、例えばお酒を飲んでてひっくり返してこぼれちゃう。すると我々は、「はい、雑巾雑巾」って拭こうとしますが、アイヌの古老の方からは拭くなって言われるのです。なぜ拭いてはいけないのかというと、それは床のカムイが、俺も酒飲みてえなと思ったから、お前にこぼさせたんだ。床のカムイが飲もうと思ってこぼさせたものを、お前が拭いてどうするんだ、拭いちゃいかん。そういう発想を昔の人たちはしていたわけです。

あらゆるものと共生

そういう考え方がアイヌのいろんな伝承文学の中に、満ち満ちているわけです。だからアイヌの物語を読んだり聞いたりしても、今述べた考え方がわからないと何もわかりません。そこでまず、これをちょっと聴いてみましょう。中本ムツ子さんという、私が非常に親しくしていただいていたおばあちゃん。おばあちゃんと言うと怒られるのですが、この時点で80歳過ぎてますが全然そう見えなかった人です。彼女に語ってもらった「〇〇の時のとなえごと」です。

――中本さんのとなえごとが流れる――

ポン　ピサック　モㇺモㇺ
ポン　オンタロ　モㇺモㇺ

中本ムツ子さん（中川裕撮影）

これは「小さな柄杓流れろ流れろ、小さな樽流れろ流れろ」と言っているのですが、目にゴミが入った時の、いわゆるお呪(まじな)いの言葉です。つまりゴミに向かって流れてくれと言ってるのです。それなのに、なぜ「小さな柄杓」とか「小さな樽」と言っているのかというと、「ゴミ、流れろ」って言ったら、ゴミの方が何言ってやんでぇー、お前の言うことなんか聞いてたまるかって、出てこないわけです。その時に小さな柄杓、小さな樽と呼べば、柄杓も樽も家の中で大事な役割をしてくれるカムイです。ゴミに向かって柄杓様流れてください、樽様流れてくださいと、こういうふうにカムイ扱いをして言っていることになります。ゴミはさすがにカムイじゃありません。魂は持っていますがカムイと呼ばれるようなものではありません。それが柄杓や樽と呼ばれてカムイとして扱われる。するとゴミの方でも気分がいいですから、まあそこまで言うなら出ていってやろうかといって流れるという、そういう発想だと思われるわけです。

このようにあらゆるものを人間と同じようにして扱う、精神を持ったものとして人間扱いするというのが、アイヌ的な発想法です。自然と共生するというような狭い考え方ではありません。人間以外の、自然も含めたありとあらゆるものと共生するというのがアイヌ的な発想です。

ヤブマメの唱え事

次もそんな風な感じで、ヤブマメ（次頁）を掘る時のとなえごとです。ちょっと聴いてみましょう。

ポン　アハ　チㇱ　ナ　ポロ　アハ　エㇰ　エㇰ
ポン　アハ　チㇱ　ナ　ポロ　アハ　エㇰ　エㇰ

後から聞こえた別の声は、中本さんの妹の住山頼子さんの声です。「ポン」小さな、「アハ」ヤブマメが、「チㇱ　ナ」泣いている。「ポロ」大きな、「アハ」ヤブマメが、「エㇰ」来い来いと言ってるのです。ヤブマメとは何のことだかわからないと思いますが、このような植物です。

これが冬になると枯れて、地面を掘るとこのようなものが土の中から出てきます。

ヤブマメとは別名、ツチマメと言いまして土の中に豆ができるのです。この豆をお米と一緒にバターを一塊入れて炊くと大変美味しく炊き上がります。これは我が家のある日の朝食です。

出所：松江の花図鑑（https://matsue-hana.com/）

ヤブマメ（中川裕撮影）

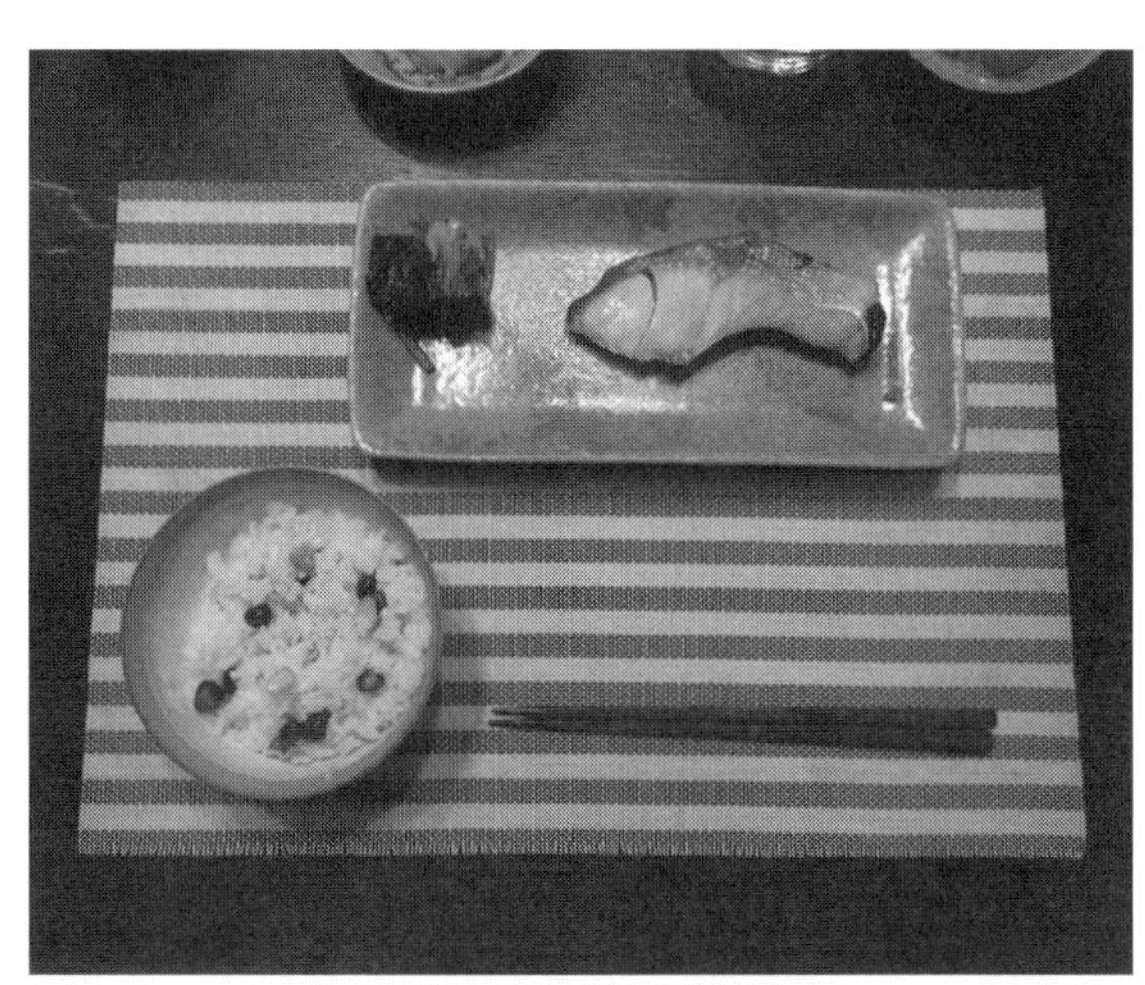

我が家の朝食（中川裕撮影）

このヤブマメを掘る時に、「小さなヤブマメが泣いている、大きなヤブマメ来い、来い」って言うんですね。「大きなヤブマメ来い、来い」はわかるような気がしますが、小さいヤブマメはなぜ泣いてるのかという話になります。ヤブマメは人間に自分の体を食べさせるためにやって来ると考えるわけで、ここがポイントなのですが、カムイの本体は魂です。本体は魂ですが人間世界にやって来る時に、魂の姿のままでは人間の目に触れること、つまり人間が見ることもできなければ人間と交渉することもできません。ということで人間に見えるように肉体を身にまとってやってくる。つまり肉体というのはカムイの着物だと考えられています。ヤブマメの場合だと、豆というのが着物なのです。これは着物であり、かつカムイから人間への贈り物でもあるわけです。これを人間の元に届けて、その代わりに人間からいろいろな感謝の言葉やお礼をもらう。そのお礼をもらって帰る。そのように人間と取引をするということでやってくる。

　ところがこの着物は、最初から大きな服をそのまま着てくるのではなくて、人間世界でだんだん大きくなってくるのです。そうすると、まだ十分な大きさになってないのに採られてしまうと、小さなヤブマメだなあ、それならこのぐらいのお礼でいいやという感じになっちゃうわけです。そこでまだもうちょっと待ってくれ、もうちょっと大きくなってからこれをお土産として人間にあげようと思っているのに、ここで採られたら非常に不本意なことで帰らなきゃいけない。だからまだだよ、まだ取っちゃダメだよって泣いている。それならもう十分に大きくなったヤブマメの方に来い来いと、そのように言っているのがこのとなえごとなのです。このようにヤブマメは自分の体を食べられるために人間世界にやってくる。これが一つのアイヌ文化のポイントです。

アイヌと交易

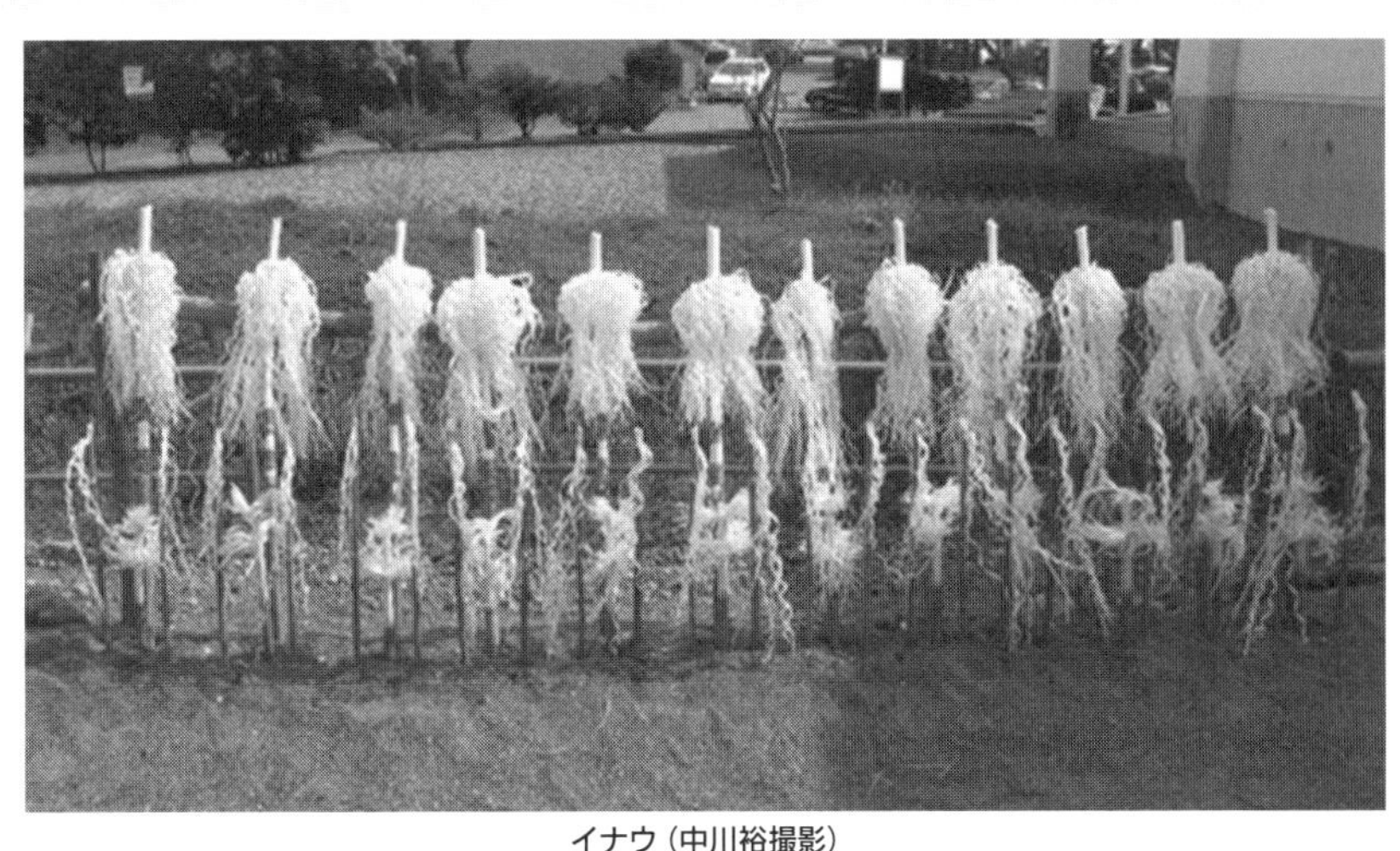

イナウ（中川裕撮影）

それは交易というものと同じものとして考えられています。例えば熊が人間世界にやってくるのは、熊の本体は魂なのですが、熊の毛皮と熊の肉を持って人間世界にやってきます。我々はその黒い毛皮のコートを着てやってきたものが、あの熊だと認識するわけです。熊の方は毛皮とか肉をお土産として持って来るのであって、それを人間に与え、その代わりにイナウやお酒や米の団子をいただく。特に米の団子は、昔は大変なご馳走だった。なぜなら江戸時代までは北海道では米が取れないので、本州の方から和人が持ってきたものを、さらにその北海道の和人から手に入れる、非常に貴重な輸入品です。それを使って作った団子というのは、人間もお祭りの時にしか食べられません。ましてやカムイは人間が作ってそれを捧げてくれないと食べられない、そういう超ご馳走でした。

またイナウというのはこういうもので、ヤナギの木やミズキの木などを削って作るものです。

これも木自体はカムイなのですが、イナウを作る前に木の魂そのものはカムイの世界に送ってしまいます。送るというのは、カムイの世界にお酒を捧げて魂を帰してしまうことです。残ったものは要するに木からもらった肉体、木の着物です。それをこのように加工することはカムイにはできないことであり、人間がそれをやらなければない。このように綺麗なものであり、カムイたちにとっては自分たちの手で作れないので宝物ということで、これをもらうとカムイが大変喜ぶのでお土産にして渡すわけです。

このようにしてカムイと人間は、お互いに自分たちの作れないものをやり取りする。人間は、カムイから肉や毛皮など自分たちが作れないものを受け取り、その代わりに人間はカムイにイナウやお酒、感謝の言葉など、そういうものを捧げてお互いが利益を受け合う、与え合う。これがアイヌの世界観です。

ということはつまり、狩りというものは人間と動物の戦いではない。そうではなくて、カムイの世界からやってきた動物を自分の家に客として迎えて、それを歓待してもてなして帰すという、お客を迎える行事なのだという発想となるのです。

『ゴールデンカムイ』を読み解く

さて、みなさんご存じの野田サトル作の『ゴールデンカムイ』(集英社)という漫画ですが、私はこの監修をしている関係で、それを活用して『アイヌ文化で読み解く「ゴールデンカムイ」』(集英社新書)という本を書きました。

その中で触れていますが、例えば初めのほうではこういう場面がよく出てきます。

ウサギと戯れている小動物を可愛がるアシㇼパという名前の女の子。この漫画のヒロインですが、扉の次のページをめくるとウサギが死んでいます（次頁写真左）。このウサギを殺したのはもちろんアシㇼパです。アシㇼパはその次のコマではメリメリメリと皮を剥いで耳を取って、これを解体して食べる。こういう場面がよく出てきますが、これは昔の生活としてはごく当たり前の光景です。今説明したアイヌの伝統的な考え方から見れば、これはウサギのカムイをお客さんとして迎えてそのお土産をもらっている、そういう場面であり、狩猟を生業としていた昔のアイヌの生活からしたら、たとえば農家で畑から大根を引っこ抜いてたくわんを作っているのと同じことです。ただし現代の文脈で、例えばこの場面を実写でやったら、まずみなさん引きますね。NHKの朝ドラで本物のウサギを使ってこれをやったら、たちまち抗議が来て炎上するでしょう。

『ゴールデンカムイ』（野田サトル　集英社）（C）野田サトル/集英社

『アイヌ文化で読み解くゴールデンカムイ』（中川裕　集英社新書）（C）野田サトル/集英社

　しかし、それをこういう風にちょっとギャグっぽく展開することによって、この漫画ではアシㇼパはそういうキャラクターとして、すんなり

『ゴールデンカムイ』2巻8話扉　(C) 野田サトル/集英社

と受け入れられてしまいました。これは野田さんの技量によるものです。動物を見ると捕まえて殺して食べるヒロインというのは、これまでの漫画の歴史の中でもなかなかいないと思いますが、まずそこのところを読者に受け入れさせることによって、この漫画はアイヌの伝統的な精神文化を説明、理解させる大きな功績を果たしています。

次の場面（次頁）ではそれが良く表現されています。

右が主人公の杉元佐一という日露戦争の退役軍人ですが、彼は肉弾戦は非常に得意なんですけど、銃の扱いはあんまり得意じゃない。ある時、鹿を撃つのですが、打ち損なって手追いにしちゃう。でも手追いになったままだとかわいそうなので仕留めなくちゃいけない、とどめを刺さなくちゃいけないと追いかけて行きますが、追いつめられた鹿が反撃をしてくる。その時にその鹿の目が、日露戦争でロシア兵を殺しまくって生き延びてきた自分の姿に二重写しになってしまい、引き金が引けなくなってしまう。アシㇼパが「杉元、撃て」って叫ぶのだけど撃てな

『ゴールデンカムイ』3巻24話　(C) 野田サトル/集英社

い。そこでアシㇼパとレタㇻというオオカミが鹿にとどめを刺す。「最後まで責任を持てないなら最初から撃つな」とアシㇼパが杉元に言う場面があり、その次の場面で鹿を解体して杉元の両手を鹿のお腹の中に入れさせます。真冬の北海道の山の中でかじかんでいる手をお腹の中に突っ込ませると、かじかんだ手が鹿の体熱でほぐれていくということで、アシㇼパの名セリフが語られます。

「鹿は死んで杉元を暖めた。鹿の体温がお前に移ってお前を生かす。私たちや動物たちが肉を食べ、残りは木や草や大地の生命に置き換わる。鹿が生き抜いた価値は消えたりしない」

この考え方、つまり人間は他の生き物の生命を奪うことによってしか生きることができない。それは人間だけじゃない。全ての生物は他の生命を奪うことによってしか生きることはできない。それが自然の摂理であって、人間が生きていくために当然のことであるということをお前は理解しなければいけないのだ。動物を殺さずに生きられる人間なんかいないのだ。殺すということによって自分が生きながらえされている、自分の命が他者の命によって支えられてるということを理解しろ、というのがアシㇼパの言っていることであり、アイヌがそれをカムイとの交易という形で昇華させた考え方を、違う形で言っている場面だと見ることができます。つまり私たちは毎日、牛や豚や鶏を殺して、それによって生活しているわけですが、そのことを普段、意識していません。自分たちが動物を毎日殺しているとは思っていません。それは殺すことを、誰か自分の知らない第三者に委ねて、その存在を無視しているからです。

ところがかつてのアイヌは男だったら全員、自分の手で動物を殺す。それによって生活していたわけで、自分の命がその動物たちの命によって支えられていることを、誰もが日常的に直接体験して感じていたわけです。その中で生まれた思想、それがカムイとの取引であるという、そういう思想として結実していった。

私たちがそれを、「なんて自分本位で人間本位な考え方か」と思ってしまうのは、私たちがそのことを普段考えたことがないからです。考える習慣がついていない。自分たちは動物の命なんかを奪ったりはしていないと思い込んでいる、そういう社会だからです。だから、「ではなぜ牛や豚、鶏などをあなたたちは殺して食べていいんですか?」と聞かれても答えられる日本人はほとんどいません。動物や魚を食べるにあたって、それに答えられるような倫理的な基盤を持っていないからです。それに比べると、先ほど述べたアイヌの取引という考え方、交易という考え方というのは、長年の間考え抜かれて出てきた、ずっとシステマティックな結論だということになるわけです。

人間とカムイの関係という思想

こういう考え方がわからないと、伝統的なアイヌ文化を理解することはできません。今いろいろ各地で上映されています「チロンヌㇷ゚カムイ　イオマンテ」というキツネ送りの映画がありますが、この映画や、「アイヌモシㇼ」という阿寒を舞台にした映画も理解しにくいものになるでしょう。

映画「アイヌモシㇼ」（福永壮志監督／2020年／日本・アメリカ・中国合作／配給：太秦）

映画「チロンヌㇷ゚カムイ　イオマンテ」（1986年撮影／2021年制作／北村皆雄監督／監修・カムイノミ対語訳：中川裕／製作・配給　ヴィジュアルフォークロア）

二つとも大変優れた映画で、「アイヌモシㇼ」は、現代の熊送り、つまり熊を殺してその魂をカムイの世界に送り帰すという儀礼を、今現在行うことについて描かれた、現実に非常にあり得るようなシチュエーションの物語で、大変見応えがある作品なのですが、それを理解できるかどうかは、今述べた人間とカムイの関係という思想を理解できるかできないかということにかかってきます。「アイヌモシㇼ」はその中で揺れる少年の心というものを描いた非常に優れた映画になっています。

アイヌの世界観の中心にあるもの

それから今年は知里幸恵の『アイヌ神謡集』（次頁）が刊行されて100年です。この本は1923年に出版されました。

この中で一番有名な話が「銀の滴降る降

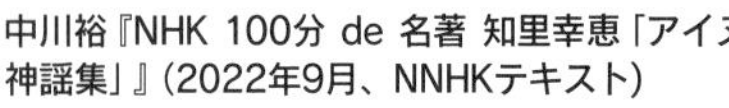
中川裕『NHK 100分 de 名著 知里幸恵「アイヌ神謡集」』（2022年9月、NNHKテキスト）

知里幸恵『アイヌ神謡集』（1923年、郷土研究社）

るまわりに」です。シマフクロウが、むかし金持ちで今は貧乏な少年に捕えられてその家を訪れるという話ですが、これもこれまで私が言った話がわからないと、たぶん何のことだかさっぱりわかりません。これはシマフクロウが自分でこの少年の矢を受け取って殺されて獲物になる、そういう話ですが、それがそういうふうには描かれていませんので、手を伸ばしてその少年が撃った矢を掴んだと表現されています。主人公はフクロウなので、手なんてどこにあるんだということになりますね。足で掴んだのか、翼で掴んだのか、というとそうじゃない。手で掴んだというのは、魂が手を伸ばして掴んだ、肉体は心臓に当たって死んだということを表わしているのですが、そういう表現であるということはどこにも解説的に書いてありませんので、それを理解できないと、そのままシマフクロウが生きてると思って、話を読み進めてしまうことになってしまいます。

このようにして、今日私が語ったお話というのは、アイヌの伝統的な世界観の中心的な考え方ですので、それを理解できれば、アイヌのいろいろな物語や、アイヌ文化を扱った作品が理解できるようになるということで、お話を終わらせていただきます。

では最後はこれで閉めましょう。アイヌ語で「スイ　ウヌカㇻアン　ロ」と言います。スイは「また」、ウヌカㇻ「会う」、アン「私たち」、ロ「〜しよう」、つまり「またお会いしましょう」です。これをみんなで言って終わりにしたいと思います。まず1回練習します。はい、「スイ　ウヌカㇻアン　ロ」。では本番行きましょう。(一斉に)「スイ　ウヌカㇻアン　ロ」。

ありがとうございました。

第2章　中川裕先生と学生たちのQ&A

学校の教科書に書かれていない歴史の学び

石川康宏　みなさん、こんにちは。石川康宏です。先ほど学科長から紹介のあった総合文化学科でのアイヌの学びを最初によびかけた張本人です。私が声をかけた理由の根底には、北海道で18歳までを過ごしたということがありました。子どもでしたから何も社会的な問題を理解していたわけではないのですが、それでもアイヌ民族が置かれたつらい立場、複雑な事情のいくつかについての記憶はありました。その後、年月を経てこの大学で経済学を教えるようになって、例えば同僚の日本史の研究者から「石川さん、この本を読んだか」と差し出された本の中に、中学・高校で学ぶ日本史は大和朝廷の歴史であって日本列島全体の歴史ではない。縄文、弥生、古墳時代と繋がっていくあの歴史は北海道にはなかったし、東北にも違う歴史の段階があった、それが学校の教科書には書かれていない。そんなことを教えられて、いつかそういう問題を神戸女学院大学の学生にも提起したいと思っていました。

石川康宏

なかなかそのきっかけがつかめずにいたのですが、2022年3月の定年退職が次第に近づくなかで、一つは『ゴールデンカムイ』という漫画が若い人たちのあいだでヒットしていると事務室の職員さんにも教えられ、もう一つは2019年のいわゆるアイヌ新法がアイヌをはじめてこの国の先住民族と認めながら、先住権をまったく保障しないひどいものになっている、そんなことを知って踏ん切りをつけたわけです。中川裕先生が『アイヌ文化で読み解く「ゴールデンカムイ」』というコンパクトで、しかも、しなやかに多面的にアイヌを学ぶことのできるテキストを同じ時期に作られていたこともあり、これを使ってならうちの大学でも授業ができるんじゃないかと思って声をかけたのでした。

コロナ禍のためなかなか予定どおりにはいきませんでしたが、それでもまず大学の中で、藤戸ひろ子さんという関西で「私はアイヌです」と語りながらアイヌ文化の普及に取り組んでいる方にお話をしていただくことができるようになり、2022年にはようやく学生と二風谷や白老、登別などを訪れることができるようにもなり、さらに、今日はこのように、これは大学が本来もつべき大切な社会的役割の一つだと思うのでが、近隣の市民のみなさんとも一緒に学ぶ機会をもつことができるようになりました。私はすでに定年退職となりましたが、あきらめずに声をかけてよかったと思っています。

さて壇上には、ものすごく緊張した顔つきで6人の学生が並んでいます。彼女たちは2022年に一緒に北海道に行き3泊4日のフィールドワークをともにしたメンバーです。いまから学生たちにいろいろな質問をしてもらい、中川先生からさらにいろいろなお話をうかがうというやり方でこの場を進めていきたいと思います。まずは緊張をほぐすために、去年の3泊4日のフィールドワークに参加して、あるいは今日の中川先生のお話を聴いて印象に残ったことなどを一言付け加えながら、自己紹介をしてもらいましょう。

末富琴子　フィールドワークで訪れた二風谷アイヌ文化博物館で、中川先生のお話にもあったアイヌ民族のウポポという歌（輪唱）を歌う体験をしました。最初にその歌を聞いた時は発音やリズムがよくわからなくて難しそうだと思いましたが、実際にやってみると楽しいものでした。人間科学部2年の末富琴子です。

濱野笑里　アイヌ料理が印象に残っています。先ほどの映画にも登場したシトというお団子がすごくもちもちして美味しかったですし、鹿の肉は鹿汁も焼肉も初めてでしたがおいしかったです。総合文化学科2年の濱野笑里です。

松本佳子　私も同じなのですが、アイヌ料理のお弁当が印象に残ってます。現地に行くまでは、どんなんやろうとか、食べられるかなと思っていたんですけど、すごく良かったです。総合文化学科4年の松本佳子です。

久保田梨紗　中川先生のお話では「カムイ」を日本語に訳すのに「神」より「環境」と述べられていたことが印象的でした。神というとイオマンテの儀式の熊のイメージがあったんですけど、環境という言葉をうかがって、フィールドワークでの体験ともしっくりくる感じがしました。文学部総合文化学科4年の久保田梨紗です。

森谷野乃花　白老のウポポイでアイヌの文様を彫刻刀で彫るという体験をしたのですが、とても難しかったです。その前に二風谷の貝澤徹さんの民芸品店でたくさんの彫刻を見て、すごいな、欲しいなと思ったんですけど、ちょっと値札の0の数が多すぎて私では買えませんでした。社会人になってからぜひ挑戦したいと思います。総合文化学科4年の森谷野乃花です。

前田奈奈葉　4日間のうち2日間は「びらとり温泉ゆから」という施設に宿泊したんですが、壁や天井にアイヌの文様が彫られたものが貼ってあったり、アットゥシの羽織物の小さいものが額縁に入れて飾られてあったりして、アイヌ文化を寝る前まで身近に感じられました。総合文化学科4年の前田奈奈葉です。

アイヌ語習得はどうやって

石川　この他にも同じ授業を受けた学生はいて、北海道のフィールドワークには全部で12名の学生が参加しました。それでは、ここからは中川先生に質問をさせていただきましょう。

前田　二風谷のアイヌ語教室の講師の関根さんから、お弟子さんとアイヌ語しか話さない時間をつくって、日常の中でアイヌ語を学んでいるとうかがいました。中川先生はどのようにしてアイヌ語を習得されたのですか。

中川裕　私が最初に行った時は今と違って、まだアイヌ語を喋れる人がたくさんいました。おばあちゃんもおじいちゃんもいましたが、私はおもにおばあちゃんたちのところに行って、その人たちが話す言葉をテープに録音して家に持ち帰り、それを聴いていました。でもわからないことだらけで、それを次に行ったときにこれはなんて言ってるの、こういう風に聞こえるのだけどこれで合ってるのか、そういうことを聞いて直していく。それをまた何度も繰り返してるうちに、だんだんとその場で何を言っているのかがわかるようになってきたのです。一番の中心は聞き起こしですね。この聞き起こし、これで覚えていきました。

石川　先生はその頃はどちらの学校におられたのですか。

中川　東京大学の3年生でした。最初は授業の合宿で行って、初めてアイヌ語を話せる人たちのところを訪ねたわけです。ですから最初は先生に連れていかれて、1人で行くようになったのはその2年後ぐらいからです。

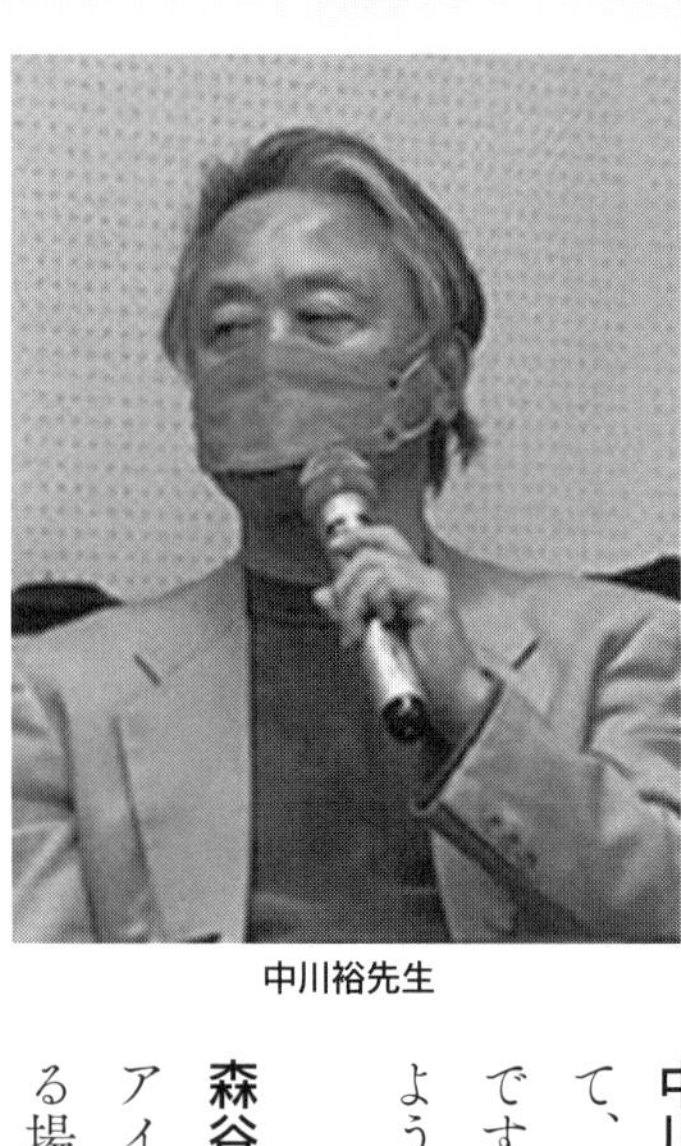
中川裕先生

森谷　「知里幸恵 銀のしずく記念館」でスタッフの方から、アイヌ語の植物の名前には人にとっての役立ち方や生えてる場所がつけられているものがあると聞きました。また現

中川先生に次々に質問

代になって生まれたもの、先ほどのお話にもありましたが、現代の社会がつくった新しいものにはアイヌ語でどんな名前がつけられているのか教えてください。

中川　ウポポイのあちこちにカタカナでアイヌ語が書いてあります。例えばエレベーターはトゥシエリキンペと言います。「綱で上がるもの」という意味で、実はクモのことです。クモが糸で上がったり下がったりする、その様子をエレベーターに転用して使っています。またトイレのことをアシンルと言います。これは昔からある言葉ですが、では多目的トイレはなんて言うか。最終的に決定した言葉がパラアシンル。つまり広いトイレでした。日本語の「多目的」などという言葉をアイヌ語に訳そうというのではなく、そのもの自体をアイヌ語でどう表現していくかを考えているわけですね。こういうふうにウポポイでは委員会を作って大勢の人からアイデアを出してもらって、新しい言葉を作って、あらゆるところに名前をつけています。職員の人はみんなあだ名をアイヌ語でつけて、あだ名で呼び合っています。このように新しい言葉を生み出す運動を始めているところです。

久保田　ハリー・ポッターの本を古代ギリシャ語に訳すときに、当時にはなかった電車をどう訳したかという話を読んだことがあるのですが、アイヌ語ではどのように訳されているのでしょう。

中川　電車はどう訳したのか覚えていませんが、車、自動車をアオㇷ゚という言い方にしてる人はいます。アは私たちが、オは乗る、ㇷ゚はものという意味で、「私たちが乗るもの」ということになります。自動車以外の乗り物もみんなそうじゃないかということになりますが、それは文脈で判断すればいいことです。電車を電気の車という名前で呼ぼうと考えた人もいると思うんだけど、電気自動車が一般化するとそれもどう呼ばれるようになるのかという問題が出てくるかもしれませんね。ただ、言葉を作っている人はあちこちにいるので、それをみんなが使い始めるとその言葉が定着する。とにかく言葉というものは使うことが重要で、使っていけばそのうちにどれか定着するものが出てくる。そういう考え方です。

石川　学生といっしょに学んだのですが、例えばカエデの木をトペニと言う。トペとは甘いものという意味で、その甘い樹液を出す木というように、アイヌ語は人にとっての役立ちに注目して名前をつけるとうかがったのですが、そういう言葉のつくり方が多いのでしょうか。

中川　そういうものもありますし、もうそれ以上分解できないのでどういう意味だかわからないものもたくさんあります。トペニの場合はトが乳でペが水という意味、乳の水ということでミルクという意味になります。でもそこまで分解できるものは実はあまり多くないので、木の名前にはむしろもっと根源的な、もうそれ以上どうにもわからない語根みたいなものの方が多いかもしれませんね。

名前のつけ方のひとつのパターンで言うと、ギョウジャニンニクという植物があります。これはアイヌが非常に重要視する香辛料になる植物で、アイヌ語でプクサと言います。このギョウジャニンニクは生え始めがスズランとすごくよく似ていて、私の家にも両方あって、別々に植えていたつもりだったのにだんだんと混ざって、どちらかよくわからないほどになってるのですが、スズランのほうはセタプクサと言います。プクサはギョウジャニンニク、ではセタというのは何かと言うと犬です。つまり犬のギョウジャニンニクという意味で、なぜ犬と名づけられているのかというと食べられないからです。スズランは毒草ですから食べられない。でも犬はアイヌ社会では非常に重要な存在なのに、なぜ役に立たないという意味で使っているのかわかりませんが、そういう名前の付け方が結構あります。

またスドキという北海道にもよく生えていて東北地方ではよく食べられる山菜なんですが、なぜかアイヌは食べなかったので、スドキにはアイヌ語名が無い。そういうものもあります。

石川　セタプクサは僕らが北海道で4日間お世話になったバスの名前でした。スズラン号とはおしゃれな名前だと思っていたのですが、それが「犬のギョウジャニンニク」号だったとは（笑）。

中川　スズラン号という名前ならきれいですよね。

ルーツに当たる方言の言葉を覚える

久保田　萱野茂二風谷アイヌ資料館にうかがったとき、沙流川流域のアイヌ語の一覧を見ました。各地方の方言や地方での衣装の違いも展示されていましたが、方言にはどんな特徴があるのか、また公的施設や学習の場で使われているいわゆる標準語のようなものはあるのでしょうか。教えてください。

中川　標準語というものはありません。一度議論もありましたが、標準語を作るのなら、みんながうちの言葉を標準語にしなきゃ嫌だと言ってまとまりませんでした。そこで今は、それぞれの地方でそれぞれの地域の方言を勉強するというのが基本になっています。でもそのうちに標準語を作ろうかという自然な流れになっていくんじゃないかと思いますので、それまでは自分たちの言葉を掘り下げていけばいいと思っています。アイヌ語の方言差はそんなに大きなものではありません。寧ろ日本の方言の方が余程その地域差は激しいです。例えば薩摩弁や津軽弁などのお年寄りの言葉を聞いても、全くわかりませんよね。でも、アイヌ語は方言によって全くわからないほど違うわけではなく、どこかの方言を一応マスターしていれば、ある程度の慣れで他の方言もわかるようになると思います。ただ実際に話している人たちからすれば、ちょっとした違いに抵抗があって、「言い方が違うからわからない」ということになるのだろうと思います。

久保田　ではアイヌ語を教えておられる講師の出身地域や、その方が何を学ばれたかによって多様性が出るということですね。

中川　基本的にはそうです。私は東京の八重洲で首都圏に住んでいるアイヌの人たちにアイヌ語を教えていますが、首都圏の人って北海道のいろんなところから来ているわけです。つまり、いくつもの方言、いくつもの違う方言のルーツの人たちが来ているわけです。そこに集まっている人たちはもともとアイヌ語が喋れるわけではないので、何かで統一してもいいんだけど、でもできるだけそのルーツに当たる方言の言葉を覚えてもらおうと思っています。そういう時には、一つの言葉に方言によって三つぐらいの違う言い方があれば、それを全部教えます。はい、千歳の人はこれね、静内の人はこれね、その他の人はこれねっていう感じで全部やるのです。とりあえず、他の地方の方言もみんな頭に入れてみなさいという感じで、全員が他の方言も覚えるようにしています。

久保田　では、すごくバリエーションがありますね。

中川　標準語をもし作るとしても、言葉を削っていく方向で考えなくたっていいわけで、どれでもありみたいなふうにしていけばいいのです。ただ文法の一番根幹的なところは統一しないと非常に読みにくくなってしまうので、そこだけはどこかに落ち着かせておいて、単語自体はどこの単語を使ってもいいってことでいいんじゃないかと思います。

久保田　単語カードにアイヌ語をたくさん並べる感じですか。

中川　同じ意味のいろいろなカードを作っていけばいいんです。我々だって自分のところの方言だけ使って育っているわけではないですから。いろんな言葉を聞いて覚えて使ってるわけですよね。無理にこれでないといけないということを決めなくてもいいんじゃないかと思います。

松本　二風谷でお話しをうかがった木幡サチ子さんから、1から10までの数え方を教えていただきました。1がシネㇷ゚で10がワンペでしたが、11はシネㇷ゚・イカㇱマ・ワンペでした。このイカㇱマとはどういう意味なのですか。

中川　余るという意味です。一つ余るという意味で、それは日本の古語でも同じです。九つ、十の次の十一はなんて言いますか。十一は漢語だけど日本語では「十余り一つ」と言いますね。それと全く同じで順序が逆になってるだけです。「一つ余る十」と言って、それがシネㇷ゚・イカㇱマ・ワンペという表現です。

松本　11からあとの全部がその法則にならっているというわけではないんですよね。

中川　20はホッネプというまた別の単語になります。10がワンペ、20がホッネプで、30はワンペ・エ・トゥ・ホッネプです。どういう意味かと言うと、ワンペは10、エは何々で以て、トゥは2、ホッネプは20。つまりあと10で2×20＝40になるという意味です。31になるとシネプ・イカシマ・ワンペ・エ・トゥ・ホッネプと言い、意味は1＋あと10で2×20＝40ということになります。

松本　難しいですね。ありがとうございます。

アイヌ文化は人に注目して

濱野　アイヌ語講師の関根健司さんから、地域のバスの音声案内にアイヌ語が追加されたということを聞き、そんなふうに日常の中でアイヌ語を聞く機会がどんどん増えたらいいなと思いました。フィールドワークから帰った後の話なんですが、親が北海道の白糠町にふるさと納税をしたんですね。その時にお金の使い道の選択肢にアイヌ文化のためにという項目があったそうです。それもアイヌ文化を身近に感じさせる機会だと思いましたが、自分が何かそういうことに貢献するにはどうすればいいんだろうと考えたりもします。先ほど、アニメや新しい音楽などの紹介もありましたが、アイヌ文化を広める活動は活発になってきているのでしょうか。どんな時にそれを感じられますか。

中川　私の前半の講演はそのことでした。こんなふうにいろんな人が活躍してますよということをお伝えしました。だからそれは私がたぶん一番身近に感じているんじゃないかと思います。例えばウポポイなどではついつい、建物や踊り、あるいは展示などそういう施設的なものには目が行き易いのですが、本当はウポポイで一番に大事なものはそこにいる若い人たちです。彼らはずっと若い頃から自発的にアイヌ語やアイヌ文化の勉強をしてきて、それぞれがすごい知識と技術を持っています。それが十分に発揮できるかどうかは施設のシステム上の問題なんだけど、できれば彼らといろんな話をしてみるということ、彼らが持っている知識を分けてもらうという、そういうことができれば彼らにとっても自分が身に付けてきたこと、調べたことなどを伝えられる場があればもっといろいろな活動ができるだろうと思います。だから、物じゃなくて人に注目するということが大事ですね。

濱野　実際にそういうふうに学んだり、話を聞いている人たちはいますか?

中川　大勢います。若い人でアイヌ文化を自分で自主的にいろいろ学ぼうとしてる人が大勢いるということを認識してくれればいいんじゃないかなと思います。

末富　シマフクロウが二風谷アイヌ文化博物館のロゴに使われ、建物の近くにはシマフクロウの像がありました。様々な動画でもシマフクロウがキャラクターとして登場しています。知里幸恵さんの『アイヌ神謡集』の初めに書かれてある物語もそうですが、シマフクロウはアイヌ民族にとって特別なカムイなんですね。シマフクロウが森の守り神とされているのはなぜでしょう?

中川　森の守り神じゃなくて村の守り神ですね。あっちでもこっちでもシマフクロウをイメージキャラクターとして使っているのは、たぶん知里幸恵の『銀のしずく』が出発点ですね。それでアイヌ文化＝シマフクロウというイメージができているのでよく使っているんだと思います。確かにシマフクロウはアイヌの村の守り神ということで格の高いカムイになっているんだけれど、でもただ単にカムイと言えば何を指すかというと熊なんですね。だからアイヌ文化の代表はやはり熊なんです。そこでウポポイのマスコットキャラクターですが、あれなんて言いましたかね。

末富　トゥレッポんです。

中川　あれは何かわかりますか。

森谷　ギョウジャニンニク？

中川　ではなくて、オオウバユリですね。でもトゥレッポんを見ても、ニンニクやカブにしか見えなくて、その意味ではものすごい馴染みのないものをキャラクターにしてるんですね。私そのキャラクターを作る委員会の委員だったんですが、最初に提案されたのが熊と狼なんです。でもそれはその場で却下されました。なぜかというと、昔からアイヌ＝熊＝木彫りというようなイメージがずっとあって、それを壊すために新しい施設を作って新しい活動をしてるのに、イメージキャラクターが熊では何も変わらないじゃないかっていうことで、斬新なイメージキャラクターということで出てきたのがあのオオウバユリでした。これはいいやってことになりましたが、誰も知らない、見てもわからない。でもオオウバユリはアイヌ文化にとっては非常に重要な植物で、それこそデンプンの塊で食料としてたくさんとって保存食料にするという、アイヌの生活にとって非常に重要なものです。それこそがアイヌ文化のマスコットキャラクターとして相応しいんじゃないかってことで、トゥレッポんになったわけです。実は私はシマフクロウをあまり使い回しするのも良いとは思っていなくて、もっと新しいものを作っていったらいいじゃないかと、そうやってアイヌのイメージを広げていければと、そう思っています。

石川　ありがとうございました。質問時間もそろそろ終わりになるかと思うのですが…。

中川　前もっていただいてる質問がありますのでそれを最後にお答えしたいと思います。

一つは先ほど紹介した「チロンヌプカムイ イオマンテ」というキタキツネの霊送りの映画のことで「アイヌの言葉がほとんど聞き取れませんでした。中川先生は聞きやすかったのでしょうか。どれぐらい時間がかかりましたか」という質問です。

はい、滅茶苦茶時間がかかりました。これは祈りの言葉の映画なのですが、ずっとアイヌの長老・日川善次郎エカシがお祈りの言葉を唱えてるんです。私の専門は物語なので、お祈りの言葉ってそれとは全然違う言葉使いをするわけです。しかもマイクが近くにあればいいんだけど、そうじゃなくて、遠くから他の人の話声などが入っていたのでとても聞き取るのに苦労しました。作業時間として数十時間はかかりましたね。そんなに簡単には聞き取れませんでしたし、本当にこれでいいのかって、出来上がった今でも思うくらい大変な作業でした。

次の質問です。「中川先生が好きな『ゴールデンカムイ』のキャラクターは誰ですか」。1人名前を挙げればインカㇻマッですね。なぜかというと他のキャラ、例えばアシㇼパという名前は最終的には野田先生が考えたもので、その中から私が、これがいいんじゃないですかって選んだものでした。それからキロランケは昔実在した人の名前でした。文献から探してきてこれいいんじゃないのということになりました。それに対してインカラマッは純粋に私が考えた名前です。巫術（ふじゅつ）という、遠くのものを予想したり、あるいは未来を予想するなど見る力を持ってる女性ということでキャラクター付けがされてるので、そういう名前にしました。

アイヌ語で「見る」という意味の言葉には、ヌカㇻとインカㇻという二つがあります。ヌカㇻとは、例えばこの目の前にあるペットボトルを見るというような場合に使う言葉ですが、インカㇻのほうは、見るものがあらかじめ決まってない状態、見て初めてそこに何があるかわかるというような場合に使います。窓の外を見たら鳥が飛んでいたという時の「見る」。これがインカㇻです。見ることによって何がそこにあるかを発見するということであり、そこにあるとわかっているものを見るというのとは違う言葉を使うわけです。何かを見て、そこで何があるかを見通すという、それにはインカㇻという言葉がピッタリなので、インカㇻ＝見る、マッ＝女ということで付けた名前でした。私としては大変気に入った名前です。

また相手の未来などを見る時に行う動作があって、私があるおばあちゃんからこんなふうにやったんだというのを見せてもらったことがあるのですが、それを漫画に取り込んでもらって、インカㇻマッに演じてもらいました。ですのでインカㇻマッのいろいろな動作などの中には、私のアイデアによるものがいくつかあって、そういう点も他のキャラクターとはちょっと違っています。

もう一つついでに言うと、私はアニメの声優さんのアフレコも監修してるのですが、何が一番発声しにくいかというとインカㇻマッの最後の「ッ」です。これがみんな言えないんですね。インカㇻマッだけなら最後に舌の先を歯の裏につけて言えるのですが、「インカㇻマッは」というように次に助詞が付くと「インカㇻマは」と「ッ」が発音しにくい。ということで、アニメの中でインカㇻマッという名前を一番連呼するキャラクターといえば、谷垣源次郎ですが、その谷垣役の声優さんは、私が直しに行くと、「またインカㇻマッですか」って収録ブースの中でよく苦労されてました。

三つ目の質問です。「自然と共存してきたアイヌの方たちですが、星や月など天体に関しての認識はどうだったのですか」。これは非常に豊富なものがあるんですが、あまり知られていません。それを研究した末岡外美夫さんという方がおられましたが、もう亡くなられました。末岡さんは『アイヌの星』という本を書かれていますが。その本は余り出回ってないんですが、これからある有名出版社から改訂版が出る計画が進められていますので、それをご覧になるといいと思います。

次は「アイヌ語と日本語の文法や音韻の違いについて」という質問です。これはとても大変な質問ですね。時間の関係で音韻の違いについてだけお話しすると、例えば「インカㇻマッ」では下の先を歯の裏に最後に着けますが、そういうような発音は日本語にはありません。それから「アシㇼパ」の「ㇼ」が小さく書いてあるのは何ですかとよく聞かれるんですけど、あれもとても説明がしにくい。大きい「リ」と小さい「ㇼ」はどう違うのかということですが、大きい「リ」では「ア・シ・リ・パ」と4拍になりますが、小さい「ㇼ」では「ア・シㇼ・パ」と3拍になるんです。こういう違いなので、聞いてもほとんどわかりませんね。でもそれはちゃんと違う音として昔の人はわかっていたわけです。

アイヌ語が氾濫する状況を

次に「アイヌ語が流行することについて何か思うことはありますか」。はい、それはもうどんどんやってくださいということです。そこら中にアイヌ語が氾濫するというような状況になってもらうのは、私の究極的な仕事の成果ということになると思いますので。そういう時代にどんどんなっていってくれるといいなと思っています。

最後にもう一つ質問ですが「日本語とアイヌ語の他言語との関係や独自性について教えてください」。

系統関係のことで言えば、アイヌ語は世界中のどの言語とも何の系統関係もない、いわゆる孤立言語と呼ばれるものです。それは日本語も同じです。日本語も他の言語と系統関係は何も確立されていません。証明されていませんので、孤立言語です。また朝鮮語もそうです。それからアイヌ語の隣で話されているニブフ語という言語もそうですし、カムチャッカ半島で使われているイテリメン語もそうです。

ということでユーラシア大陸の東の端の辺りに孤立言語が固まっていることになります。その固まっている理由は、おそらくそれらの言語は大陸に親戚がいたのだろうけど、モンゴル系の言語や中国語など、世界帝国が作られていく中で、そういう大きな言語にそれが全部吸収されてしまって無くなってしまい、島のところの端っこにその一部が残った。つまりもともといたはずの親戚がいなくなっちゃったんだろうということだと思います。だからアイヌ語と日本語がどっちも系統関係のない言語のまま隣り合わせているというのは、大陸から切り離された島でその言葉を話していたから残った。そうでなければ日本列島の言葉は全部モンゴル語になっていた可能性もあるわけですね。

アイヌを知る交流の場を

石川　ありがとうございました。最後に私からも質問させていただきたいのですが、私たちは神戸女学院大学でアイヌ民族について学ぶ取り組みを始めたばかりです。これからそれをより大きな意味のあるものにしていくために何をめざすべきでしょう。何かアドバイスをお願いします。

中川　それは答えるのが難しいお話ですが、おそらく関西地方——大阪や京都や神戸にも北海道から移住してきたアイヌの人たちが大勢いるはずです。だけどその人たちの中には、北海道にいるとアイヌだと知られてしまうので、それを知られたくないからこっちに来ている人が大勢いると思います。だから今現在の段階では自分がアイヌだとは言わないでしょう。だけどアイヌ文化を正しく、ポジティブに学んでいく場がここにあるんだってことが広く知られていけば、いや実は私もアイヌなんだという人が増えてくるんじゃないかと思います。そういう人たちが集まれる場というものを作っていくことが重要ではないかと思います。ですから私が望むことを言えば、オープンな開かれた場として、いつでもここに来るとアイヌのことについてこうして勉強できるとか知ることができるとか、あるいはそういうことを思ってる人たちと交流できる場作りをしていただくのが、一番将来のためになるんじゃないかなと感じています。

石川　想像していた以上に大きな課題をいただきましたが、ぜひ前向きに考えていきたいと思います。中川先生、今日はたいへんに長い時間ありがとうございました。

おわりに

神戸女学院大学准教授　**大澤　香**

２０２２年刊行の前作に続いて、続編となる本書をみなさまにお届けできることを、担当教員一同、大変うれしく思っております。この続編の刊行は、当初からの企画にあったわけではありませんでした。「はじめに」で建石先生が書かれているように、本授業は、新型コロナウイルスの感染拡大のために様々な計画変更を余儀なくされました。２０２２年度に、念願の北海道フィールドワークを実施することができましたが、準備段階では、感染症対策に留意しつつどのような形で実施できるのか、直前まで、いろいろな方々にご相談をしながら落ち着かない日々を過ごしました。やっと少し「ホッ」とした気持ちになれたのは、参加者全員が飛行機に乗り込み、北海道に向かって飛び立った時でした。「とにかく無事に始まった…」と。こうして始まったフィールドワークは、多くの方々のご協力で、とても魅力的で、本当に充実した内容となっていました。そのような中で、この貴重な学びも本にできたら良いのではないか、という声があがりました。

本書には、授業に参加した学生たちの声がたくさん含まれています。若い学生たちのやわらかな感性や等身大の言葉とともに、本授業での学びを読者のみなさまに追体験いただけるのではないかと思います。

２０２２年度には、本授業の立ち上げ当初から大変お世話になってきました中川裕先生をお迎えして、総合文化学科主催の講演会を開催することができました。西宮市と宝塚市の後援をいただき、学内のみでなく市民のみなさまからも多くの参加をいただきました。参加いただいたみなさまからの感想には、「もっと学びたい」という声が多く、地域社会から大学への強い期待を感じました。本書にも収録されていますが、講演会で中川先生から、神戸女学院大学が関西において、アイヌ文化を正しくポジティブに学ぶことができる、開かれた学びと交流の場となっていくことへの期待の言葉をいただきました。とても大きな課題で、どのような形でその期待にお応えすることができるのか、まだまだ手探りの状態ですが、いろいろな方々にご協力いただきながら、少しずつ、その輪が広がり、前進していることを感じています。本書をお読みくださったみなさまも、この学びと交流の場に加わっていただけましたら、大変うれしいです！

フィールドワークの事前学習、ならびに学科主催講演会で貴重なお話をいただきました藤戸ひろ子さんに感謝いたします。そして、フィールドワークでお世話になりましたみなさま、ご講話からたくさんの学びを与えていただきました木幡サチ子さん、貝澤耕一さん、木村二三夫さん、関根健司さんにお礼申し上げます。最後になりましたが、今回のご講演を担当してくださり、学生たちとも温かな交流をいただきました中川裕先生に心より感謝申し上げます。

アイヌの学びが、すべての命を尊重する学びとして、広がっていきますように。

【編者紹介】

石川 康宏（いしかわ やすひろ）
神戸女学院大学名誉教授。専門は経済学。著書に『覇権なき世界を求めて』（新日本出版社）、共著『若者よ、マルクスを読もう』（かもがわ出版）他。

建石 始（たていし はじめ）
神戸女学院大学教授。専門は日本語学・日本語教育学。著書に『日本語の限定詞の機能』（日中言語文化出版社）、共著『名詞研究のこれまでとこれから』（くろしお出版）他。

大澤 香（おおざわ かおり）
神戸女学院大学准教授。専門は聖書学・宗教学。著書に『イエスから初期キリスト教へ－新約思想とその展開』（リトン）他。

先住民族アイヌを学ぶII　北海道に行ってみた

2023年9月20日　初版第1刷発行

編者　石川康宏　建石始　大澤香
発行者　坂手崇保
発行所　日本機関紙出版センター
〒553-0006　大阪市福島区吉野3-2-35
TEL 06-6465-1254　FAX 06-6465-1255
http://kikanshi-book.com/　hon@nike.eonet.ne.jp
本文組版　Third
編集　丸尾忠義
印刷・製本　日本機関紙出版センター
ISBN 978-4-88900-284-3

踊ることは生きること

〜新潟明訓高校ダンス部　創造的な学びの記録〜

佐藤　菜美

目　次

序章　「高校ダンス部」ってなんだろう

1　はじめに……10

①　ダンス部活動はアクティブ・ラーニング／②　ダンスによる全人教育／③　詳細な記録

2　「新潟明訓高校ダンス部」という現場を描く……15

①　創作ダンスとは／②　新潟のダンス文化について／③　新潟明訓高校とは

第1章　「野球応援部」から「ダンス部」へ

1　ダンス部としてのアイデンティティー……22

2　明訓ダンス部、初めての全国入賞……30

3　でも、部員がたった2人に……33
4　結果に結びつかない　―迷いと自信を行ったり来たり……36

第2章　乗り越えた壁

1　保護者との関係……48
2　自主公演の開催　―生徒、教員、保護者、卒業生、地域をつなぐ……53
3　地元に根差して……60
4　手づくり公演の価値　―やりがい・生きがい―……65

第3章　多彩に広がるダンス部の活動

1　公式大会……75
2　学校行事……79
3　国内スポーツ・文化の祭典……83
4　新潟ならでは　―地域交流……88

5 奉仕活動……91
6 マスメディア……92

第4章 多様な生徒が生み出すドラマ

1 生徒Cの存在……98
2 主将の大けが……103
3 男子部員の入部……107
4 最難関大学に一般で現役合格……111
5 拒食症になった部員G……114
6 追い込まれたリーダーH……119

第5章 創作ダンス部のマネジメント ～ダンス部活動は、アクティブ・ラーニング～

1 「ダンス部」の特殊性……132
① 知・徳・体を育む人間教育／② ダンス部あるある／
③ 「個」が息づく集団活動

2　組織の一員としての自覚　—1人1役—……138
①　何のために部活動をするのか／②　役割と責任／③　小さな社会

3　信頼関係を構築する　—コミュニケーション—……148
①　ミーティング／②　部日誌／③　ダンスノート

4　表現力や感性を磨く　—感受性—……160
①　孤独な時間／②　トラウマを強みに／③　謎と好奇心／
④　正解はない／⑤　「感情」と「理性」のてんびん

5　生徒主体の稽古と作品創作　—長所を生かす—……174
①　テーマを深掘りする／
②　ブレーンストーミングを活用した創造活動／
③　作品解説書と言語表現／④　ＫＪ法による発想／
⑤　ＰＤＣＡサイクル／⑥　主体的マネジメントと実践力

6　競争意識を触発する　—競争—……186
①　コンクール・大会／②　オーディション／
③　ソロ発表会／④　外部団体との関係／⑤　学業との両立

コラム　ダンスは、クラスを変える……200

第6章　全国の頂点に　「"Fight for Liberty"　―チャップリンの演説より―」

1　戦後70年に生きる高校生のメッセージ……207
2　私は誰？……212
3　自由とは何か　―人生を切り開く力……213
4　このままじゃ、先生の奴隷だ！……216
5　痛みがあるから伝えたい、叫びたい……218
6　全国優勝と弱気な監督……223

第7章　葛藤と挑戦　「僕たちのボレロ　―臆病者よ、さらば！―」

1　全国優勝の翌年　―臆病な王者……231
2　他人の視線を気にする臆病者……232
3　弱い私が邪魔をする……235

4　前向きな発信が感染する！…… 238
5　人間くさい、ありのままの私…… 240
6　「ボレロは王者しか踊れないのよ⁉」…… 242
7　明訓を辞めます。…… 243
8　終わりは始まり…… 249

終章　ダンスの力

1　踊ることは生きること…… 254
2　自分らしく生きる…… 255
3　創造的プロセス　—学びの原点…… 257
4　おわりに…… 258

あとがき…… 260

序章　「高校ダンス部」ってなんだろう

1　はじめに

私は、平成19年度から平成28年度の10年間にわたり新潟明訓中学校・高等学校の保健体育科教員として勤めていた。そこでは、授業（保健体育）のほか、学級担任（7年間）、校務分掌（生徒指導部、保健主事）、部活動顧問（ダンス部）を任されていた。

顧問として率いたダンス部は、赴任して9年目となる年に、創作ダンスの甲子園とよばれる「全日本高校・大学ダンスフェスティバル（神戸）」において第1位となる文部科学大臣賞を受賞した。その他、保護者・学校・地域が連携して開催された単独公演をはじめ、奉仕活動や地域交流など、ダンス部を通じてさまざまな教育実践を試みてきた。本書は、新潟明訓高校ダンス部の10年間の軌跡である。

近年、部活動をめぐる問題が世間を騒がせているが、そもそも部活動は正課つまり教育課程には入っていない。部活動を学校外へ切り離すことや、教員の労働時間の問題なども議論されている。事実として、前述のとおり私自身も複数の職務を兼務し、疲弊しまくっていた。よって教員の労働時間の問題や業務の過重負担については、痛いほど理解できる。「持続可能な」教員の労働を検討する上で、必要な議論であるとは思うが、そこで真っ先に排除の対象となるのが「部活動」というのは残念である。なぜなら部活動が教育課程に入らないことへの疑

問を持っており、言い換えると、部活動の教育内容は正課に値すると考えるからである。

こうした部活動をめぐる議論が活性化する中で、本書を執筆する意義は、「アクティブ・ラーニングとしての部活動」の在り方と、「ダンス（舞踊）教育はいかにして可能か」について記述している点である。

①　ダンス部活動はアクティブ・ラーニング

昨今、教育界では「能動的学修（アクティブ・ラーニング）」という言葉が叫ばれているが、大学の教育改革でもそのあおりを受けている。私たち現場教員の教育活動においてもグループ・ディスカッションなど、能動的学修の技法を用いた教授法の質的転換が求められている。先日、全国大学実務教育協会が主催する能動的学修の教員研修リーダー講座を受講してきた。能動的学修は、平成24年の中央教育審議会答申において「教員と学生が意思疎通を図りつつ、一緒になって切磋琢磨（せっさたくま）し、相互に刺激を与えながら知的に成長する場を創り、学生が主体的に問題を発見し解を見いだしていくこと」と定義されている。また講座のテキストによると「学生の課題探求型能力、すなわちどのような環境でも『答えのない問題』に最善解を導くことができる力を養うことにその意義がある」と述べられている。文部科学省の「生きる力」のみならず経済産業省が進めるグローバル人材（「相手の立場に立って理解する」「主体的に物事を考える」「自分の考えをわかりやすく伝える」「新しい価値を生み出す」）に通ずるものがあると

している。当然ながら、能動的学修の導入による教育改革は、大学のみならず、高校以下の教育機関においても同様である。

２０１９年（平成29年）に受講したＪＡＰＥＷサマーセミナーでは、スポーツ庁政策課の高田彬成氏より、次のようなことが指摘された。「２０４５年には人工知能が人類を超える「シンギュラリティ」に到達する。15～20年先、子どもたちの65％以上は、今は存在していない職業に就くとの予測があり、半数近くの仕事が自動化される可能性が高い」。ＡＩが人類を超えるという、まるで映画の世界が現実のものになる日が、すぐそこに来ているというのだ。将来の変化を予測することが困難な時代において、ＡＩには不可能で人間にしかできない重要なものとは何かと問われた。そこでは「創造力」が強調された。

能動的学修の導入の背景には、上記のように変化する時代に即した社会的要請があると考えられるが、そもそものようなことが叫ばれるずっと前からダンス部活動では能動的学修が実践されてきているのである。

② ダンスによる全人教育

舞踊教育研究会編「舞踊学講義」（２０１１）によると、「舞踊は創造的芸術経験であり、『舞踊教育』は全ての人々を対象に、個々人の興味・関心に基づいた創造的指導過程を重要視する全人教育である」とする。結果が全ての勝負事でもなく、初めから決まっている一つの正解を

導き出すものでもなく、多様な答えを受容するといった、プロセス重視のダンス教育は、まさに能動的学修の宝庫である。「踊る―つくる―みる」といったダンスの特性全てが創造的活動であり、学びのチャンスであふれている。ダンスは表現領域つまりコミュニケーションの手段であり、それを創造するプロセスを含めたダンス部活動では、「相手の立場に立って理解する」「主体的に物事を考える」「自分の考えを分かりやすく伝える」「新しい価値を生み出す」ことの重要性を、当然の価値として理解し実践してきている。

ダンス部は、運動部としての側面を持ちながらも文化部としての側面を併せ持っている。そのことは、ダンスという多面性や複雑性ゆえに曖昧さや難しさをもたらすことも事実だ。しかしこれこそが、ダンスの最大の魅力でもある。一方で現実社会では、ダンスはスポーツと芸術のはざまを行ったり来たりしながら、生き残りをかけてその立ち位置に奮闘し、既にある枠組みの中で時に肩身の狭い思いをしてきたのである。ダンスに対する誤解や偏見を抱かれることも多かった。それは裏返せば、ダンスの価値が理解されていないことを教えてくれた。とかくダンスや芸術の世界では、自分のアイデアを見せたがらない。また曖昧なものを曖昧なままにすることをよしとする風潮もある。それも十分に理解できる。しかし、ダンスあるいはダンス部の、その価値を理解してもらうには、その構造を可視化し、公開していくことには意味があると思っている。

③ 詳細な記録

本書では、ダンス部活動を通じた表現・創造性教育の意義や価値を裏付ける多くの事例とともに、新潟明訓高校における10年間のダンス部活動の指導実践を振り返る。同好の生徒と教員との濃厚な関係の中で、機械ではない生身の人間（まさに曖昧で答えのないもの）を相手に、真正面から体当たりしてきたその過程では、数多くの失敗を経ながらも、多角的なアプローチを工夫しては実践と修正を重ねていた。そのディテールは、結果や数字だけを見ているだけでは分からない生々しい事実にあふれている。執筆にあたっては、ただの自分史にはしたくないという思いがあった。本書は、自身の実践で見えてくる「ダンス部活動を通じた人間（全人）教育」について記述する。なお、本書に登場する人物には、アルファベットを用いているが、本人の名前とは全く無関係であることをここで断っておく。快く掲載に協力してくれた愛すべき教え子たちと関係者に感謝している。

全章を通して、ダンス部活動による舞踊教育の意義と、アクティブ・ラーニングとしてのダンス部活動の意義を裏付ける、生徒と教員の対話的な学びを各所に散りばめている。部日誌をはじめとする当時の生徒と教員の対話や出来事の記述は、ドキュメンタリー独特の迫力を持っていると思われる。読者の皆さんには、複数の要素が複雑に関連し合いながら、生徒と教員が成長していく姿を、文脈の中で理解し、感じ取っていただけたらと思う。

2 「新潟明訓高校ダンス部」という現場を描く

本書では、「新潟明訓高校ダンス部」を対象に、現場のディテールを描き出していく。対象期間は、筆者が在任中の平成19年度から28年度の10年間である。現場をマルチメディアで捉えるために、10年間生徒と毎日記録してきた部日誌や作品創作ノート、生徒が個々に所有する「ダンスノート」や筆者のネタ帳、さらには「ダンス部たより」をはじめとする保護者や生徒向けの発行物、保護者が取りためた膨大な画像資料、新潟日報の記事などを基礎資料としながら、当時の生きた現場を細やかに記述する。一方で、素材である「新潟明訓高校ダンス部」は、筆者自身もその現場の一部である。よって、私という主体と生徒との対話関係の中で生み出された具体的事象の記述は、客観性を重視する学術論文とはその特性が異なっている。

本書を読み進めるにあたり、あらかじめ特筆すべき事項を以下にまとめておく。

① 創作ダンスとは

創作ダンスとは、生徒自ら自由にテーマを選定し、選曲や振付・構成などを手掛け、自ら踊る創造的行為である。合唱部や吹奏楽部のコンクールにみられる既定曲のような、決まった形式や様式があるわけではない。それにとらわれない自由さが特徴だ。

この創作ダンスの最高峰の大会が「全日本高校・大学ダンスフェスティバル（神戸）（以下、ＡＪＤＦ）」である。ＡＪＤＦは、（公益社団法人）日本女子体育連盟が主催する日本で唯一の創作ダンスの全国大会である。コンクールという特性柄、当然ながら、人数制限や時間制限、その他小道具大道具などの演出に関するルールなどはあるものの、多様な作品が生み出されるよう大会側も工夫している。最近ではダンスの流行に伴い、ＡＪＤＦのほかにもジャンルに合わせたダンス部の全国大会が新設されメディアを騒がせているが、このＡＪＤＦは平成30年時で31年の歴史ある大会である。

明訓ダンス部は、私が赴任して3年目に初めて県総体で最優秀賞を受賞したことを契機に、ＡＪＤＦ（創作コンクール部門）に初出場して以降、8年間連続出場していた。そのうち全国入賞は5回であり、平成28年度には三賞といわれる高得点層に贈られる賞のうちの「神戸市長賞」を受賞、平成27年度には、１００校近い作品の中から総得点が第1位の作品に贈られる「文部科学大臣賞」を受賞した。

芸術舞踊の中に「モダンダンス」や「コンテンポラリーダンス」があるが、これらは内面や感情を表現する形式にとらわれない自由なダンスである。ヨーロッパの伝統的な古典バレエを否定し、20世紀初頭にアメリカで生まれたのがモダンダンスであり、その後隆盛してきたのがコンテンポラリーダンスである。いずれも現代舞踊・前衛舞踊の全般を指す言葉である。これらの舞踊が、学校教育活動として扱われたときには「創作ダンス」と言い換えてもいいかも

しれない。創作ダンスは、学習指導要領における中学校・高等学校体育のダンス領域を構成する内容の一つであり、「イメージを内包して踊る動きの喜びや、一人ひとりの個性に応じて自由に創造して踊る楽しさがある」（全国ダンス・表現運動授業研究会編：２０１３、p．１３７）。またヒップホップやチアダンスなどのエンターテインメントのように、娯楽性や観客を楽しませる大衆的表現と、個人の内面に向かおうとする創作ダンスとにはその特性に違いがあるものの、これもまた明確な境界があるわけではない。

本書では、おもに大会（創作ダンスの部）上演作品と、それが出来上がるまでのプロセスを含めて「創作ダンス」と呼びたい。明訓ダンス部は、この創作ダンス作品を生徒自らがつくり、練習し、コンクールで上演している。

②　新潟のダンス文化について

新潟県の高校ダンス部は、全国大会において複数校が受賞するなど全国的に注目度が高い。日本女子体育連盟が主催する日本で唯一の創作ダンスの全国大会である「全日本高校・大学ダンスフェスティバル（神戸）」（ＡＪＤＦ）では、２００７年度から現在に至るまでの12年間、県勢の受賞が途絶えることはない。

また新潟は踊り文化が盛んな県である。中でも新潟市芸術文化会館を活動拠点とする日本で唯一の劇場専属コンテンポラリーダンスカンパニーである「Noism」は、高校ダンス部に

とって、憧れであり目標となっている。

③ 新潟明訓高校とは

「明訓」の歴史は、大正10年（1921年）向学の念に燃えた勤労青年が、中学校（旧制）程度の学力を身につけたいと、働きながら学んだ新潟夜間中学講習会に始まる。この講習会は、好学の志を持った勤労青年たちが、自ら小学校の校舎を借り、自ら教師を招いたことから始まったという。この建学の精神である「好学・自治」の校訓のもと、「社会に奉仕できる人間となるために学ぶ」を教育目標としている。平成19年（2007年）には、新潟明訓中学校を開校し、併設型の中高一貫教育を開始した。

現在では県内一の私立進学校としてその地位を確立し、東京大や国公立大学医学部医学科など、難関大学へ進学する者も多い。部活動も活発であり、中でも野球・陸上競技・サッカー・剣道（男子）は、新潟県および全国をリードする存在として強化部に指定されている。その一つである野球部は、甲子園の出場実績を数多く有する部である。新潟明訓高校は、水島新司による野球漫画作品である「ドカベン」のモデルになったことでも有名である。なお、ダンス部は、強化指定部ではない。

生きたデータ

本書では、次の資料をはじめ、生徒や筆者、保護者や卒業生などによる過去の記録をもとに、当時の生きたエピソードを詳細に記述している。それらは、字体を変えて表記している。

ダンス部日誌

部日誌は、一日一人が担当し、毎日の練習内容や感想、最近の関心ごとなどを記載し、監督に提出するものである。監督は返信後、その日の練習終わりに記載者に返却すると、記載者から次の担当者に手渡される。部員が約30名いるとすれば、次に回ってくるのは1カ月後となる。

ダンスノート

一人1冊用意される。用途は主に、行事や大会の前後の、抱負や振り返りの場となる。また、舞台や美術館などの芸術鑑賞を終えたあとのアウトプットの場にもなる。加えて、芸人でいうところのネタ帳であったり、自己との対話を図り、内面を吐き出す場所であったり、監督との秘密の交換日記（お悩み相談所）になったりする。ダンスノートは個人で管理する。

ダンス部たより「MEIKUN DANCE」

イベントや大会の連絡事項を案内する手段として用いられる。生徒だけでなく、保護者とのコミュニケーションツールとして活用される。作品に関すること、最近のチームに関すること、日頃のご支援への感謝なども併せて記載される。1年間に10号ほど発行される。

創作ノート

「創作ダンス」作品の創作過程で用いられる。一作品につき1冊用意され、部で管理する作品創作用のノートである。作品に関する演出的なアイデアや、ミーティングによって得られた意見、文献やインターネットなどで得られた情報などを書きためておくノートである。

第1章　「野球応援部」から「ダンス部」へ

1　ダンス部としてのアイデンティティー

赴任当初、新潟明訓高校ダンス部の役割は、野球部のスタンド応援要員であった。むしろ、それを求めて約20名の部員が明訓ダンス部に集まっていた。甲子園出場実績のある明訓野球部は学校の花形であり、「甲子園のスタンドでチアをやりたい」というニーズがダンス部にはあったのだ。当時の私はその状況を受け入れられずにいた。

茶髪、ピアス、ミニスカート、厚化粧…なかなかのツワモノぞろいの生徒と私との間には、溝があった。それでも組織を整えるために、役職を割り当て、目標を確認し、練習メニューを計画し、基礎練習からみっちり改革をした。チアダンスだけではないダンスの多様性や奥深さを伝えたい一心であった。しかし日々の練習はいつも欠員状態であった。

当時私は、ダンス部のアイデンティティーに固執していた。チアリーディング部でも応援団でもない、ダンス部としてのアイデンティティーを持ちたかったのだろう。甲子園の応援に大きな憧れを持つ生徒と、自分が主役となるダンス部をつくりたいと燃える私とには、方向性のズレが生じていた。当時は、部員も学校も、誰もダンス部がダンス部として活躍することを求めていなかったのだ。甲子園と同時期に創作ダンスの全国大会（全日本高校・大学ダンスフェスティバル）があるにもかかわらず、他の部活の全国大会に来ている現状にもいら立って

いた。野球部の活躍を素直に喜ぶことができない自分がいた。

私は猛烈な反発をくらった。「甲子園の応援がしたくて明訓に来たはずなのに！」「なぜこんなに練習をしなければならないのか」。私に面と向かって言えない生徒の本音は、他の教員に向けられた。さらに、生徒を苦しめたのは私との関係だけではなかった。それは保護者の存在である。顧問交代と同時に急激に体制が変化したことで、生徒の不安は保護者へと感染していた。クレームはクラス担任や私に直接浴びせられた。当初は完全に自信を喪失し、プライドも積み上げた経験もボロボロに崩れていた。課題を見つめるゆとりもなく、被害者意識が強かった頃である。心身ともに付いてこられず、退部を選択する部員が続出し、4、5年は安定しなかった。生徒との信頼関係を構築するのには、時間を要した。

ダンス部が以前に比べるとすごくハードになり、それぞれのとらえ方に差が出てきたように感じます。自分は頑張りたいのに親に理解してもらえない悔しさ、習い事を犠牲にする…等々さまざまな事情やら感情が目立ち始めてきました。でも部活の最中は集中してほしいのが本音です。

平成19年5月19日　部日誌　3年生

個人個人進路や考え、価値観が違うから思いも違うだろうケド…私は前よりも部活が楽しいしダンスも好きになってきた。（中略）遊んだりする時間はなくなるけどその分得られるものもいろいろあ

ると思う。ダンスもうまくなりたかったから先生が来てくれたときは嬉しかった。今までと変わってたまに（?）きびしく怖いときもあって楽しくないという人もいるかもだけど、私はそれでも楽しいので、今までどおりの菜美先生でいてほしい。きっとこんなうちらで先生もすごい苦労で悩んだりもあるだろうけど、これからも明訓ダンス部の先生でいつか明訓に来てよかったと思える日が来てほしいです!!

平成19年7月16日　部日誌　2年生

今、私は誰の立場に立って考えればいいのか分かりません。どの人の気持ちも、分かるところがあるから。でも、こんな中途半端な立場だからこそ、変えていけるものがあるのかなと思います。

平成19年7月18日　部日誌　2年生

今みんなが部活を去ろうとすることは、指導者にとっては壁であり、悩みであり、失敗であるかもしれない。でもそのときこそ、成長の準備期なのだと思う。

私は出会いを大切にしています。たまたま自分が選択し、たどり着いた場所で出会う人々や出来事。別の道を選択すれば出会えなかった人たち。それはつまり今の自分はいないということ。だから、私はあなたたちに出会えたことにとても感謝しているし、そのこと自体がまた新しい自分、相手をつくっている。みんなにも今後、出会いを大事にしてほしいと思う。

佐藤菜美　返信

この野球部の応援が、私学の経営戦略として、全職員が協調して行うべきことだということを理解するまでには、随分と時間がかかった。それが、ダンス部の役目として長い歴史を持つということとも。ダンス部の実績が出るようになって以降も、野球部の応援を部としてどのように位置づけるか、常に頭を悩ませていた。着任当初は、チアリーダーを希望する生徒を全校生徒（女子）を対象に公募し、卒業生に指導を依頼するなどの対応をしたこともあった。後半につれてダンス部の実績が残るようになると、応援に行く試合の回数を減らしたり（当初は準々決勝から、後半は準決勝から参加）、チアの応援に時間を割きすぎないようにしたり、いろいろな対応に加え、部員の意識改革も行った。併せて、強化部の学級主任を任されたことにともない、野球部生徒に対してアプローチができるようになってくる。このクラスは、強化部（野球部、サッカー部、陸上部、剣道部）の生徒を中心としたコースであった。よく冗談半分で、「ダンス部だって全国大会があるんだ。あなたたちも応援に来るべし」などと話していた。野球部の男子たちは、「ダンス部いつ来てくれるの？」などと甘えてくるのだが、「来て当然、応援されて当たり前などと勘違いしたら、絶対行かない。そもそもなんで野球部だけなんだ。ねぇ」などと他の強化部を巻き込んで笑いながら話題にしたりしていた。

野球の夏の大会に向けた抽選会が先日行われました。マスコミをはじめとする世間の注目を集める中、抽選結果が公表されました。これまで、私が明訓に着任してから、甲子園には何度か行かせてもらいましたが、その胸中は単純なものではありませんでした。なぜなら「夏」は野球部だけのものではないからです。それぞれの立場で「かけがえのない夏」があり、「最後の夏」があります。そのような中で、ダンス部は常に野球部の応援担当を強制されてきました。

私は幼い頃から、運動やスポーツに触れる環境に育ちましたが、その中で疑問に思うことがたくさんありました。部活動に代表される「マネージャー」は必ず女がやるものなのだろうか？　なぜ高校野球だけ特別に派手な応援なのか？（吹奏楽やチアリーディング、全校応援など）、そもそもチアは女である必要があるのか？「ダンスは女がやるもの」なのか？

かつての野球部のスタンド応援では、明訓ダンス部員は他校のそれと同じように、太ももを露出し、ブルマーをはいて応援していました。しかし、ある年ダンス部員がスタンド応援中に盗撮被害に遭い、加害者は逮捕され、警察の事情聴取を長い期間受けました。生徒はその動画を確認し、そこに映る映像が自分自身であることを認めなければならない。その光景を見ながら、私には教員や顧問としてだけでなく、女として、さまざまな疑問が湧いてきました。わざわざ自分たちの練習を削り、本意ではないスタンド応援で、なぜ生徒を危険な目に遭わせなければならないのだろう。野球の応援に行くなら、サッカー、陸上、剣道だって同様の対応をしてもいいじゃない。夏の全国に向けた大切な時期なのは、ダンス部も他の部も同じなのに、なぜ野球だけ特別なのか。

それらはスポーツの長い歴史や文化が背景にあります。チアやマネージャー、野球の特別対応などの事例は、野球をはじめとするスポーツ界の「男性中心主義」がもたらす象徴的な出来事だと思っています。恋愛感情を抱く、特別な相手のために肌を露出するのと、これとは話が違うわけです。スポーツには、「応援する―応援される」という構図・図式があるために、選手は多くを見失いがちです。世の中には、男性の快楽のために女性を商品化したり、モノ化して扱う社会的な構図はあらゆるところで見えてきます。スポーツはそれを大量生産する文化が根強く残っているといわれています。少なくとも野球という種目から見えるそれは、軍隊的な入場行進に始まり、戦場に出陣していく男子諸君を少しでも気持ち良くさせるために、女性は肌を露出し、声を出し、笑顔でたたえる。マネージャーは母性的な立場で裏方として男子球児を陰で支え、活躍に涙する。…そういったドラマに「美」を見いだし、そこに乗っかる多くの日本人の前時代的なアイデンティティーと、それをあおるマスコミの画には、私なんかはとても違和感を覚えてしまうのです。強制されるのでなく、純粋に応援したいな〜……なんて思うのが本音です。

このような疑問は物事の本質を捉えたり、自分にとっての真理（何が正しいのか）を考える上で必要なことだと考えます。これだけ世界的に女性の活躍社会を訴える昨今、日本の男性優位社会はまだまだ根深い問題があると思っています。それがスポーツ界や教育の世界に象徴されていると思います。性差の事例であれば、制服だって男子はズボン、女子はスカート、なんで?? 権力構造の視点からは、体育の集団行動、右へならえ!、必要なの?? これらは社会的性差（ジェンダー）や社会的な

権力構造を考える上で、身近に転がっている問題であります。声を荒らげて「おかしい‼」と叫ぶ前に、その背景を知る必要があると考えています。性差を含むあらゆる「ちがい」を理解した上で、尊重したい。そのバランスが崩れると心にひずみができてしまう。特に女性は男性の道具として扱われることに敏感な社会になってきました。つまり、女性が「人としてちゃんと立ちたい」と思える、主張できる社会になってきたんだと思います。

ダンス部は女子が多い。ミーハー感覚（野球部超かっこいい、応援してる自分カワイイ、応援できる明訓ダンス部最高）で、あるいはよこしまな気持ち（野球部の彼氏ほしい）などで、スタンド応援を楽しみにしている人もいるかもしれない。しかし、いったん立ち止まり、知的に考えてみてほしい。男子がチアをやることも本来ならば別に自由なことだ。けれどもそれを「おかしいもの」「女子が応援するもの」と決めつけている人（もしかしたら自分自身がそうかもしれない）がいる事実を知る必要がある。そして、県代表として出場するダンス部としての立ち位置を見失っては本末転倒だ。もしも、ダンス部員皆がそれを中心的にやりたいなら、「ダンス部」でなく、「野球応援部」とか「応援団」とか「チアリーディング部」に変えたらいい。あるいは有志団体を組んで、構成すればよい。なぜダンス

野球部試合のスタンド応援

部があえてこの期間にわざわざやる必要があるのか。そこをもう少し知的に、プライドを持って考えてほしい。その答えをちゃんと持った上で、大切な時間を使ってほしい。

私は、以上のことをクラス日誌にも書きました。私自身、応援したい気持ちは当然あります。なんてったって、今年は自分のクラスだしね！（当時、野球部を含む強化部で構成されるクラスの担任であった）でも、応援要員としてのダンス部、野球部のためだけのダンス部、これお好きですか？　私は嫌です。ダンス部はダンス部の足でちゃんと立ちたい。サッカー、陸上、剣道も、その他の部も応援したい。そして自分も頑張りたい。それを発信したい。互いの活躍を、互いの存在価値を、尊重し合える関係を築いていたいなと思っています。

平成27年6月29日　部日誌「今年は、野球応援行けるかな」の前に　佐藤菜美

【（部日誌に挟み込んだ文献コピー）】
笹沼朋子「特集・スポーツと労働　スポーツとジェンダー——女性は何のために運動するのか」No.537/April 2005 日本労働研究雑誌

2　明訓ダンス部、初めての全国入賞

大学院を修了するとき、恩師からこのように言われていた。「私の真似(まね)していいのは3年までよ。3年で結果出しなさい」。どこかでその言葉は脳裏に居座っていたのかもしれない。がむしゃらだったが、赴任1、2年目は着実に県大会での結果を上げていた。プライドとダンスへの情熱だけで奮闘した当初から、わずかながらも信念は浸透し状況は変化していた。たった10人で迎えた県大会は明訓で初めてとなる最優秀賞（1位）を受賞し、新潟県の代表として全国への切符を得た。多くのライバルたちが悔し涙を流す一方で、当時の生徒の心情は複雑であった。襲い掛かってくる不安は「受験」。明訓ダンス部にとって、全国は未開の地だった。県内一の私立進学校である明訓は、多くの部活動が6月で引退し、受験モードになる。そのような風潮の中、3年生は8月まで部活動を続けることがイメージできなかったのだ。学校に戻ると、主将が部員を代表して私に言った。「県代表を辞退したい」と。その瞬間、私は激しく叱責(しっせき)した。しまいには主将は貧血で倒れてしまった。それくらい、生徒に心理的な負担を強いていたことに気づいた。

袖幕で最優秀賞受賞の発表を聞いたとき、私は素直に喜びたいのに複雑な思いになってしまったの

です。それは、あなたたちがどんな思い、反応をするのだろう、もしかしたら喜んでいないのではないかと不安が頭をよぎったからです。明訓のこの雰囲気の中で、皆さんは本当によく頑張ったと思います。作品は悔いなくこだわり抜きました。それは、明訓の先生たちが一番評価してくれるのではないでしょうか。自信を持っていいのです。自信を持たなくては駄目です。考えや行動を学校内のレベルにとどめていてはもったいない。外に目を向け、自分の可能性を信じてあげましょう。

平成21年6月2日　部日誌「県総体を終えて」佐藤菜美

互いに冷静さを取り戻した後、「県の代表」について話し合った。しかしそれだけでは不足だと反省した私は、後日進路指導部の協力を得てダンス部向けにガイダンスを依頼し、受験勉強への不安の解消と具体的な方策について指導をもらうことで、全国へ前向きに取り組むことができるよう工夫した。外的な力で生徒のモチベーションをけん引するには限界があった。

全国大会に出場するまでは、「全国に行くと世界が変わるよ」といろいろな方に言われてきましたが、自分の中ではそれがどういう意味なのかあまりよく理解できていませんでした。県総体で最優秀賞を受賞し、県代表として全国大会への出場が決まった後も、私たちはその自覚と責任がなかったり、マイナス思考の面が先行したりしてたくさんの方々に迷惑をかけてしまうことがありました。しかし、賞の重さを少しずつ感じるようになり、みんなの意識が全国大会に向ききってからは、作品自体

もチームとしての雰囲気も格段に良くなっていくのが分かりました。

全国大会では全てが初めてのことだらけで、最初は周りの雰囲気に圧倒されてしまいましたが、チーム一丸となり私たちらしく行動できたように思います。本番では自分や仲間を信じ、最大限の力を尽くし踊りきることができました。演技中、全員の呼吸が一つになるのを感じることができ、とても力強い支えになりました。今まで踊ってきた中で最高の踊りができたと思います。そして、特別賞を頂くことができました。全国大会に出場することでさえ、私たちにとって夢のようなことだったので、87校中のたった10校に入ることができるとは想像もしていませんでした。踊り終わったあとは、受賞の嬉しさと感動で涙が止まりませんでした。

弱い自分に負けそうになったり、苦しいことやつらいことがたくさんありましたが、今まで経験したことに無駄なことなど一つもなくて、全てが今の自分につながっているんだなと思います。この夏の経験一つ一つが私たちにとってかけがえのない財産です。

学校発PTA通信「初めて全国大会に出場して」ダンス部主将

全国の会場で恩師にこう言われた。「たった10人なのによくつくれている。でもここからはあなたがやるんじゃなく、生徒にやらせなさい。生徒が自分でやるようになるから」。—見透かされていた。

3　でも、部員がたった2人に

華やかな結果とは裏腹に、部員減少は止まらなかった。3年生の引退と新体制のスタートと時期を同じくして、当時入部して半年もたたない3名の1年生が、ポツリポツリと減りついに全員退部した。理由は、やはり学習との両立の大変さや人数の少なさからくる不安であった。残ったのは、たった2人の2年生であった。この2人は、同じ部にいなければ絶対に関わらないだろうと思えるほど真逆のタイプであった。主将Aは、天真爛漫で社交性が高く、常に多くの友人に囲まれていた。自由で目立ちたがり屋で、自分をオープンにする気さくな人間だった。一方副将Bは内気でオタク気質だった。自分の好きなことには正直でブレナイ強さがある一方で、対人コミュニケーションを苦手としており、目立たないがとても優しい人間だった。この真逆の2人が、廃部の危機に陥った明訓ダンス部を、途絶えさせることなく未来へとつなぐことになる。

今日はすごくいい時間になりました。このことを書こうか迷ったけど、忘れないようにしたいので。チームとして、また絆が深まった気がします。私も思っているだけでは、相手のためにもならないということを学びました。

平成22年3月10日　部日誌　2年生A

今日は昨日よりとてもいい機会になったように思います。私とAは本心で話し合うことができました。本当に今回の話し合いが人生の岐路だと思います。大げさなことを言っているとは思いません。今回のことを通じて、私はもっといろんな人に向き合いたいと思いました。いろんな人に出会いたいし、いろんな人の考えを知りたいです。もしそこで何かに悩んでいる人がいれば、できるだけの力を使って、助けの手を差し伸べようと思いました。

平成22年3月11日　部日誌　2年生B

1年生が辞めたので、今日から2人です。でも、私たちの引退までできることは新入生に全てしようと思います。キツいし、怖い人だと思われても、悪い部にはしたくないので、反省を生かしていい関係をつくろうと思います、まず、学習面で弱音を吐かない!!　後輩を不安にさせないように、隠すのでもなく、本当に充実させたいです。今までの自分を見つめ直すいい機会になったと思います。すごく1年生が辞めて不安だし、悔しいので、私はダンス部でもっといろんなことを吸収して、すてきな人になります。

平成22年3月12日　部日誌　2年生A

今ここまで部員が激減している状況には、きっと意味があるのでしょう。でもこれを機に、あなた方が2人で未来を見据え、良い方向へと動かそうとする主体的な姿は頼もしいです。ダンス部にも春が訪れるといいですね…泣

佐藤菜美　返信

4月、入部した新1年生はなんと16名であった。

元主将Aは、現在あるテレビ局でキャスターをしている。そんな彼女から、ある日連絡がきた。「私、実はアナウンサーを目指していて、全国のテレビ局を受けていたんですが、やはり現実は厳しくてここまで内定がありません。そして、高校のときほど頑張れていない自分が嫌で…（中略）自分のウリのなさに弱気になっていました」。「長い長い就活終了のお知らせです！　このたび、○○のキャスターとして内定をいただきました。自分と向き合うことからずっと逃げていて、ここまで引きずりました…。今思えば、ダンス部での経験も同じですね。練習して、先生や部員に見てもらって、できないところをまた練習して、本番。本番のたった数分のために、ずっと練習してたってこと思い出しました。（中略）この就活期間、Bにも支えられていたんです。私にはないものを持っていて、正反対なBだからこそ私のことをよく知っていると思い、連絡を取っていました！」

2人は今でもお互いをリスペクトし合っていたのだ。

4　結果に結びつかない　―迷いと自信を行ったり来たり

平成21年度の初入賞以降、4年間にわたり全国大会で結果を残すことができずにいた。平成22年度は、たった2人の3年生と16名の1年生で構成される2年生不在のチーム、平成23年度は1、2年生のみのチームであり、どこかの学年が欠けている状態であった。その間、私も生徒も、正解を求めて迷いと自信を行き来することが多かった。

平成23年度、3年生不在のチームで挑戦した全国大会は、予選は通過するものの、やはり入賞には食い込めずにいた。一方この頃は、部員のモチベーションが高く、全国入賞を目指したいと主体的に高い目標を掲げるまでに成長していた。

8月に1、2年生だけで挑んだ全国大会では、予選は通過したものの、賞を受賞することはできず悔しい思いをしました。また、「全国大会」という大舞台で、チームの至らなさを痛感し、自分たちの課題を知る貴重な機会となりました。他チームもこの全国大会を機に3年生が引退し、完全に私たちと同じラインに立ちました。1年早くリーダー学年を過ごしてきた経験を存分に生かし、新たな気持ちで日々の練習に励みたいと思います。

また、「新潟明訓高校ダンス部」として舞台の出演について声をかけていただくごとに、チームの

知名度が上がってきていることを実感します。知名度が上がるということは、それ相応の期待とともに評価が厳しくなることでもあります。しかし、それに応えることは、私たちにとって成長のチャンスであり、責任というものを強く感じます。その達成のためには、勉強との両立、部員同士の衝突、自分の甘えとの直面など困難はたくさんあります。しかし、ここまで残ったメンバーで一丸となり、ピンチをチャンスに変えながら、大きな壁を乗り越えたいです。そして、来年こそは全国入賞を果たしたいです。

学校発「明訓同窓」原稿　２年生　主将

その後、新チームとして新作を披露した秋季大会では、「明訓らしさ、自分らしさ」とは何なのかという問いに直面していた。「入賞」という他者評価を実感できないため、自分の感性を正当化しようとしていたのがこの頃かもしれない。

秋季大会のとき、客席で「明訓の世界観て分からないよね」という声を聞いたのですが、明訓の世界観って何ですかね？　明訓で踊っていてもいまひとつ分からないです。世界観って見てもらう人に分かりやすい方が良いのでしょうか。

平成23年11月12日　部日誌　２年生

これって「人」に例えると話がしやすいかもしれません。「明訓の世界観」→「佐藤菜美」に例えたとしたら、佐藤菜美の世界観＝考え方・哲学・思考・容姿・オーラ・センス…って何ですかね。佐藤菜美という人間は、他者に対して分かりやすい存在、周り、観客に合わせた存在でありたいと願うだろうか？

分かってもらいたいけど、分かり合えない、全てを分かろうとすることは無理である、そういうことの矛盾というか、ジレンマってあるよなと思います。明訓の作品が、「分からないけどなんかいい、すごい」みたいな、そんな存在になれるといいなあと思います。

皆が分かることを共有することは、平和かもしれませんが刺激がなく成長がないのではないかという感覚があります。新しい領域（発想）を発信していける存在でありたいなあと。それが今分かり合えなくても、いつかそのときがくるかななんて思ったりします。

一方で、周りに合わせられる柔軟な姿勢や、普遍的なものを感じられる作品・人でありたいなとも思います。人や作品は、常にそこの葛藤で生きているとも言えるのではないでしょうか。だから、さまざまな思いを持って生きて（表現して）いれば、その人（作品）の世界観は「自然と」出てくるものなのではないでしょうか。一言でこういうもの、なんて自分のことを言い表せないですからね。

佐藤菜美　返信

当時は、まるで「こちらの感性を理解できない周りが悪い」と言わんばかりに、私は言い

訳めいた発言をしている。「曖昧さ」という逃げ道に走っているようにも見える。たしかに大衆には理解し難いような抽象的で非常識的な演出をしていたかもしれない。（ルールは逸脱していないが）例えば作中で上演中の様子をカメラで撮影しながら踊るとか、大会で紙ふぶきをばらまくとか、頭まで覆う全身タイツを着るとか、新体操のリボンを演出に使うとか…。当時、新潟ダンスの美しさの象徴であった「そろえること」をあえてしなかったり…それは決して正統派ではなく、（当時の新潟のダンス界では）大衆的でもなかった。内容によっては批判も受けたが、当時の私は「画一化された風潮に一石を投じよう」などと尖(とが)っていたのだ。まさに若気の至りである。しかし、迷いながらも挑戦していたのだな、とも思う。

舞台上で自由に遊ぶ演出

この数週間後に行われた「第45回全国女子体育研究大会（新潟大会）公開演技」では、私も生徒もにわかに自信を抱くことになる。本大会は、全国の幼・保、小・中・高等・特別支援学校、大学・短大、社会体育などの指導者および関係者を対象とした全国研究大会であり、わが国の舞踊教育をけん引する指導者たちが集う場でもあった。ここで私は、高校の研究発表者として研究報告をし、ダンス部はレセプションに出場した。私自身が研鑽(けんさん)の機会を得、成長する姿を生徒に

伝える機会となった。そしてＡＪＤＦで受賞を逃した『Clown─戯と涙のサーカス─』が再演の機会を得、そこで称賛を受けたのである。

大会を終えた今、以前より一回り大きくなった自分がいることを実感しています。私としては、大学院の修士論文を提出したとき以来の達成感です。この感覚は久しぶりです。正直なところ、はじめ研究発表者を私がやらざるを得なくなったときは、自分の置かれている状況の不幸ばかりを嘆いていました。（中略）状況を受け入れるには時間がかかりました。やれば自分にとってプラスになることは理解していましたが、やはりプレッシャーに押しつぶされそうになる自分がいました。文句の多い人は弱さの裏返しです。私は、自分に自信がなかったのです。

この大会を前向きに受け入れられるようになったのは、やっぱり私に関わってくれる周囲の人たちのおかげであると確信します。私の力だけでは絶対に成し遂げられないことでした。自分のモチベーションの中には、皆さんやクラスの生徒や、ダンスの授業で関わった生徒たちの顔がありました。（中略）

大きな山を乗り越えたとき、今まで見えなかった新しい景色

Clown─戯と涙のサーカス─

が見えます。そしてまた、目の前には以前よりも高い山が立ちはだかっている。挑戦するか否かは自由です。今回の山越えを経験し、他領域の人と新しい出会いや考え方を知ることができました。授業、クラス、体育科、高体連、それぞれの仕事、中高ダンス部の指導と、やらなければならないことはたくさんあって、決して楽なものではありませんでしたが、やれました。自信がつきました。天はきっとやれない試練は与えないのだと思います（特に信仰心はありません）。私個人の考えですが…その人にはその人なりの試練が与えられるものだと。

ダンス部の作品は中高ともに高い評価をもらいました。大会会長からは「クラウンというテーマは難しいって夏言ったけど、これだったら上の賞入ってるわよ」と言われ、「変えたでしょ。作品はやっぱり進化していかなきゃ、変えていく気持ちがないとね」とも。目標を達成した後というのはやはりすがすがしい気持ちです。皆さんも、忙しいスケジュールを一つ一つ乗り越えたこと、クラウンという作品を進化させ高い評価を得たことを自信に、自分を褒めてあげましょう。そしてまた訪れる新たな山に立ち向かっていこう。

平成23年11月21日（月）　部日誌　女子体育研究大会を終えて　佐藤菜美

この大会を終え、生徒も指導者も自身の成長を実感し、評価を得たことで自信を取り戻すことになる。

チームは、技術、モチベーションなど全国に通用するだけの総合力を持ち、生徒自身が全

国入賞という高い目標を抱くまでに成長していた。平成23年度までは全国入賞がかなわなくとも、「○年生がいないから」という逃げ道があったかもしれない。しかし、翌年度には全学年がそろい、かつての部員激減をはじめとする不安定な時期を、乗り越えていた。

全国レベルのチームをつくるためには、身の回りの事象を全てダンスにつなげることができるかどうかで大きな差がつくと思っています。全国入賞常連校にとっては、朝練など当たり前のことかもしれませんが、私は明訓で朝練などの全体練習以外の練習を強制したことは一度もありませんでした。大会一週間前ごろから皆さんが主体的に全ての時間をダンスにかけようと努力する姿は嬉しかったです。「本気だな」と感じました。歴代最高のモチベーションであると断言します。力もあります。しかし、全国に視野を広げたとき、課題も見えてきます。私は、皆さんの熱い気持ちを形にしたいと思います。頑張りましょう。（中略）気持ちは大事です。しかし実力がなければ上位にはいけません。技術、体力、表現力、作品演出力・構成力、そしてメンタル、全て準備しよう。

平成24年5月28日　部日誌「県総体を終えて」佐藤菜美

しかし、この年も全国では結果を残すことができなかった。そのことは、監督の指導内容に見直しが必要であることを示していた。なぜなら、生徒のせいにはできない条件がそろっていたからだ。

3年生は、これをもちまして引退となります。全国大会入賞という夢をかなえてあげることができず、そしてご支援くださった方々に結果を持ってお礼が言えず、大変申し訳ありません。私の指導力不足を痛感しています。

平成24年8月28日　ダンス部たより　佐藤菜美

結果が出ないと、不安定な状態は続いていく。

ある生徒の言葉に、このようなものがあった。「大した成果も得られないのに一日練習なんて、やるだけ無駄」。これを受け、私と部員たちは、部活動の意味や価値について考える機会に立たされた。

いま一度考えてみよう。私たちは何のために部活をやっているのか、何のためにダンスを続けているのか、何のために険しい道を選んでいるのでしょう。それは無駄なのだろうか、価値はないのだろうか？

私にはセンター試験に必要な科目を教えてやることはできません。私にできること、課された使命は「人間教育」だと思っています。分かりやすい数値や結果には出にくいところなので難しさはつきまといます。日々の活動の中で起こる失敗や、無駄と思える回り道は果たして必要のないものなのでしょうか。創作や練習、成長の過程は、たしかに時間がかかります。楽しいだけではありません。

即効性や合理性だけを求めては大切なものを得ることはできないと思います。負けちゃだめですよ！　そして、勉強も頑張るのです!!　私にはそれしか言えないのですが…ああ、もどかしい！

平成24年12月23日　部日誌　佐藤菜美

私は明訓ダンス部が好きです。ダンス部の一人であることに誇りを持っています。それは、今までもそうだったし、多分これからもそうだと思います。今まで何度も部活を辞めなければいけないような状況に陥ったことがありました。それでも、部活を辞めた自分は想像できなかったし、絶対に辞めたくありませんでした。〝つらい〟とか〝苦しい〟と思ったことはあります。ダンス部に入って失ったものもあると思います。でも、その先に必ず自分にプラスになるものがあったと思っています。楽しいことばかりを選んできていたら、このプラスは得られなかったでしょう。もし、県大会や全国前の練習を「楽しい」と思う程度にしか練習していなかったら、あんなに悔し涙を流すこともなかったと思います。苦しいことがあるからこそ、楽しいことも嬉しいことも悔しいことも倍に感じられます。楽しいだけで本当に楽しいことを経験することはできないと思います。この苦しみの先に、新しい何かが待っていると信じて、今は頑張るのみです！

平成24年　ダンスノート　2年生

さまざまな考え方があるこの世の中で、自分の考えだけが正しいと思うのは小さいと思うけれど、

私たちが目指している姿や追い求め日々失敗しながら模索しているのは間違っていないと信じています。また同時に自分の道すら信じることができなくて、他に何を信じられるのだろうとも思います。有言実行、必ず結果をもって自分自身に間違っていなかったということが証明できるように、いま私が本当にやるべきこと、できることを冷静に見つめてこれからも頑張っていきたいです。

平成24年　ダンスノート　2年生

結果が全てではない。一方で、評価を受ける、他者に認められるという事実は、自信になる。努力に対して相応の結果が出なければ、逃げ道を探し、言い訳したり不安定な心持ちにもなる。理想論を語って、自分を正当化したりもする。不確定な未来を前に、自分の可能性を信じるためには、小さな自信の積み重ねがやはり必要である。評価軸は一つではないし、結果は自分の価値を決める全てではないが、人の成長にとって重要な要素なのだろう。

「野球応援部」から始まった、私が率いる明訓ダンス部は、自分らしくありたいと奮闘しながら、不器用に真正面から衝突を起こしては、自信喪失したり、大切にしたい信念を確認したりして、変化しながら成長を遂げていた。

第2章　乗り越えた壁

1　保護者との関係

かつて保護者からバッシングを受けたトラウマもあってか、保護者の手を借りようという発想はしばらくの間、持つことができなかった。その考えが変わるきっかけとなったのは、初めてとなる単独公演を開催したことである。普段、練習場として使用しているダンス場をスタジオ風に仕立て、舞台・会場・受付・撮影などのスタッフとして保護者を動員した。来場客は、関係者ばかりの内輪の層であるものの、最も身近な存在である家族・友人・教員などを招いて手作りの公演となった。

年度初めに、「私のかねてからの夢である自主公演をやりたい」と生徒に伝えたのを記憶しています。チーム力はもちろん、ダンス場の設備環境やダンス部の認知度もまだまだであったかつての頃に比べ、「今ならできる!」という確信めいたものがその言葉を言わせたのだと思っています。また、私の夢はいつしか生徒自身の夢となっていました。第1回ということで、「できる範囲で」やるつもりが、十分すぎるほどの出来栄えであったと感じています。スタッフとして生き生きと働いてくださった保護者の皆様、ゲストとして花を添えてくれた清心中学高校ダンス部の皆様、休日にもかかわらず見に来てくれた多くのお客様あっての実現だったと感謝いたしております。来場客の評判も良

く、ダンス部が多くの人たちの支援をいただいていることを再確認できた公演となりました。会の成功は部員の自信となっただけでなく、ダンス部卒業生にとって自身が「明訓高校ダンス部」であったことに誇りを持てた瞬間となったに違いありません。さらに、最大の収穫は子・親・顧問がこのリサイタルを通じて一つになれたことだと感じています。

今回は第1回ということもあって、「内輪の発表会」にとどめました。しかし、ここにいる限りは発展はないとも感じています。多くの人たちに私たちの活動を知ってもらい、支援者を増やしていくことが今後の課題となってくるでしょう。今後は、今回の成功を自信に、そして課題を見据えることを忘れず謙虚に精進していきたいと思います。

平成25年4月24日　ダンス部たより　佐藤菜美

段取りを確認し合う生徒と保護者

撮影担当の保護者

その4カ月後、4年ぶりとなる全国入賞を果たすことになる。

監督の越えるべき課題は、「保護者との関係」。それを確信させられる出来事がもう一つある。それは、全国入賞後の打ち上げのときである。保護者との酒を交えた祝勝会では、まだ私は保護者に恐縮し心の距離をとっていた。覚悟して臨んだものの、やはり私は標的となった。教育熱心な1年生の保護者を中心に、練習時間、勉強との両立、衣装づくり…たまった鬱憤(うっぷん)を目いっぱい浴びた。そのときは、被害者意識というよりもむしろ「当然だよな」と納得する節もあり、無言でうなずきながらじっと耐えていた。なぜなら、学習面で期待のかかる生徒を預かることは若干の後ろめたさがあった。自分から退部発言をするように促したりもするのだが、そのような生徒に限って辞めなかったりする。すると今度は、かつて大反対していた3年生の保護者たちが、畏縮する顧問を擁護するように保護者と教員をつなぐ助けを果たしてくれる発言を次々と放つのだった。「それくらいやらないと全国入賞は無理！」とか、「開き直りも大事だよ～」など。全国入賞という結果が伴ったことにより、保護者の考えが変わっていたのだ。

これを機に、保護者との関係づくりを意識的に行っていくようになる。「分からない」ことから膨らむ保護者の心配や不安を理解しようと努め、「ダンス部たより」を活用して情報を伝達したり、保護者が参加できるようなイベント（例えば、「衣装づくりサポートの会」など）を企画したり、保護者同士が情報交換できる場づくりなど、新たな工夫が生まれていった。「先生はわが子をしっかりと見てくれている」ということが保護者に伝わると、活動に理解を示し

てくれるようになる。折を見て、家庭では見られない子どもの様子を、個別に伝えることを意識的に行っていた。保護者との距離感が縮まり、ダンス部として「できること」が格段に増えていくことになる。この関係性の構築と自信が、明訓ダンス部の強固な礎となっていった。

後半になると、保護者が合宿に差し入れを届けてくれたり、合宿で夜な夜な衣装を製作してくれたりする。全国大会の応援には手作り千羽鶴やオリジナルタオル・Tシャツ・うちわ、横断幕などが用意されていた。過剰になるのは若干恐縮してしまうとともに、そのような風潮についていけない保護者が出てくるのではないかという心配がよぎることもある。事あるごとに「義務ではない」ことを伝え、仕事や家庭などの事情を優先してもらえるよう配慮した。けれども、舞台上で輝くわが子の姿を一目でも見ていただけるよう、それだけはお願いしていた。また、保護者同士でも、孤立しがちな保護者がいれば声をかけるなど、主体的に関係づくりを行う姿が見られた。保護者同士の信頼関係が子どもへ好影響を及ぼすことを理解しながら、何よりも互いの交流を楽しんでいるのだ。当然ながら、１年次の保護者は、やる気満々の保護者会の風潮に初めは圧倒される。ところが学年が上がるにつれて、まるで自分の青春時代のように子どもとともに、苦楽を分かち合うのである。

新潟明訓高校ダンス部は、今年8月に行われた全日本高校・大学ダンスフェスティバル（神戸）において審査員賞を受賞し、昨年に続く2年連続の全国入賞となりました。高校の部には、90校が出場

し、その中から受賞した約10校のみが最終日に特別プログラムと呼ばれる公演を行うことができます。3年生にとっては、引退を懸けた最後の大会であるため、一日でも長く舞台に立てることを願っているのです。保護者たちも同じ思いで現地へ応援に行き、結果発表では、親子入り乱れて抱き合い、嬉し泣きしました。

初めは、心配と応援が混在する親の気持ちも、子どもの真剣なまなざしを見せられるうちに、黙って見守る気持ちに変わってくるから不思議です。保護者同士、指導者とも盛んに交流を行い、子どもたちの良きサポーターを目指しています。

部活動本来の意義は、大会受賞のみではありません。部活動は、親以外の大人、目標を持った強いつながりを持てる仲間との貴重な出会いの場です。多感で悩みも多い高校生期に、部員同士が励まし合い心を育てていると感じます。時に思い通りのダンスが表現できないことに落ち込んだり、部活動と学習の両立に悩んだり、引退後は受験という大きな壁に挑んでいきますが、明訓ダンス部を貫徹した子どもたちは各自の望む道を自分自身で切り開く力を培っています。そして、卒業生たちは新たなステージから母校を思い、合宿や大会の指導応援に駆けつけ、後輩に手を差し伸べてくださいます。さらに、明訓のダンスを見て「この部でダンスを踊りたい!」と受験してくる中学生も毎年増えてきています。

今後も、歴史ある新潟明訓高校において、子どもたちが紡いできた素晴らしい伝統をより良くつなげていけるよう、サポートしていきたいと思います。

平成25年９月「県高Ｐ連」原稿　新潟明訓高校ダンス部保護者会
「良きサポーターとして　〜子どもを信じ、見守る〜」

2　自主公演の開催　――生徒、教員、保護者、卒業生、地域をつなぐ

数々の失敗を経て学んだことは、何かを達成するために必要不可欠な要素は、その構成員皆が一枚岩になることだ。そのために、保護者会や懇親会の開催、部だよりの発行、職員・生徒向けのお披露目会の開催など、支援協力いただくための工夫に力を入れた。監督一人でできることなど限られているわけなので、関わる人々が一体となって生徒の成長のために尽くせる関係性が必須であった。ひいては、関係者一人一人が、そこに「楽しみ」を見いだしてくれたらと願い、取り組んでいた。

このつながりを最も実感できるのが、年度末に開催していた自主公演である。明訓ダンス部に関わる全ての人々とのつながりが、あらゆる可能性の扉を開いていくことになる。

毎年思うことですが、私は生徒、保護者、卒業生、指導者、お客様が見えないつながりで一体となれるこのリサイタルの雰囲気が好きです。それぞれが自分の能力や適性を生かして主体的に楽しみな

がら仕事をし、それが一つの大きな塊となってお客様に伝わる。それを受け取ったお客様の反応が、また私たちの活力になる。この循環がたまらなく幸せに思います。今回、リサイタルに何らかの形で関わってくださった人たちが、少しでも明日への活力を見いだしてくれたらとほのかな願いを抱いています。この小さな思いの輪が、江南区、新潟市、新潟県、全国へと広がり、思いの連鎖が起こるといいなと願っています。

平成28年3月31日　「第4回新潟明訓高等学校ダンス部公演」を終えて　佐藤菜美

保護者会の参入をきっかけに、平成24年度からスタートした1年に1度のリサイタルは、翌年度の校外公演を皮切りに、1年間の総まとめとしての成果発表だけでなく、ダンスによる地域交流を目的として進化していった。開催時期が毎年3月である理由は、3年生の卒業を祝う場（卒業式および3年生の受験終了後に開催）として位置付けているためでもある。つまり、自主公演の開催目的は、「成果披露」「卒業祝い」「地域交流」の3本柱である。

スタッフは、保護者に加え卒業生のボランティアを動員し、この機会に教員、生徒、保護者、卒業生、学校、地域がつながることができていた。卒業生や保護者は、ダンス部の行事に主体的に関わることを「生きがい」としていた。その支えの基にダンス部の活躍があることを、生徒が自覚できる場となっていたのだ。

また、日頃の成果を地域に発信することによって、明訓ダンス部やダンスそのものへの関

心を持っていただけるよう意識していた。ダンスの特性そのもの、つまり心身を投じた創造的芸術活動の本質について、生徒が理解でき、また観客に理解を得るために、次の三つを掲げていた。それは、「可能性への挑戦」「年齢、言葉、性別、人種を超えたコミュニケーション」「心身の極限まで迫る表現」である。

「可能性への挑戦」「年齢、言葉、性別、人種を超えたコミュニケーション」「心身の極限まで迫る表現」。これらは、回を重ねても大切にしていきたいこだわりです。私は、同じ場所にいられないタチです。これは、ただ単にどこかの場所へ移動したいということを指しているのではありません。つまり、成長しているのを実感していないと、生きている心地がしないということを言いたいのです。だから、小さなことでもいいから変化を起こしていたい。それを感じられない環境には身を置いていたくない、そう思います。（中略）

　貧しいと、人は貪欲になります。（愛、食、金、物…など）欲求が満たされないとやりたいことが見えてきます。かつてのダンス部のように。しかし、豊かで恵まれた今の環境に、安穏と、ただ身を置いているだけでは、何かが変わることなどないでしょう。思考しない頭と

ダンスの力を地域に発信

体になるでしょう。起こることに疑問を持ち、アクションを起こさねば。豊かな環境だからこそできる「変化」を自ら巻き起こせ！

平成27年3月19日　「第3回新潟明訓高等学校ダンス部公演」を終えて　佐藤菜美

前述のとおり第1回公演は、平成25年3月に、学校の「ダンス場」をスタジオ公演風に仕上げた内輪の発表会からスタートした。ダンス場の隣には柔道場が併設されており、普段は可動式のパーテーションで区切られている。それらを取り外し、ダンス場側をパフォーマンスエリアに、柔道場側を客席としてレイアウトすることにした。会場の広さを測り綿密な計算をしながら、パフォーマンスエリアと客席

第１回リサイタル会場（ダンス場・柔道場）

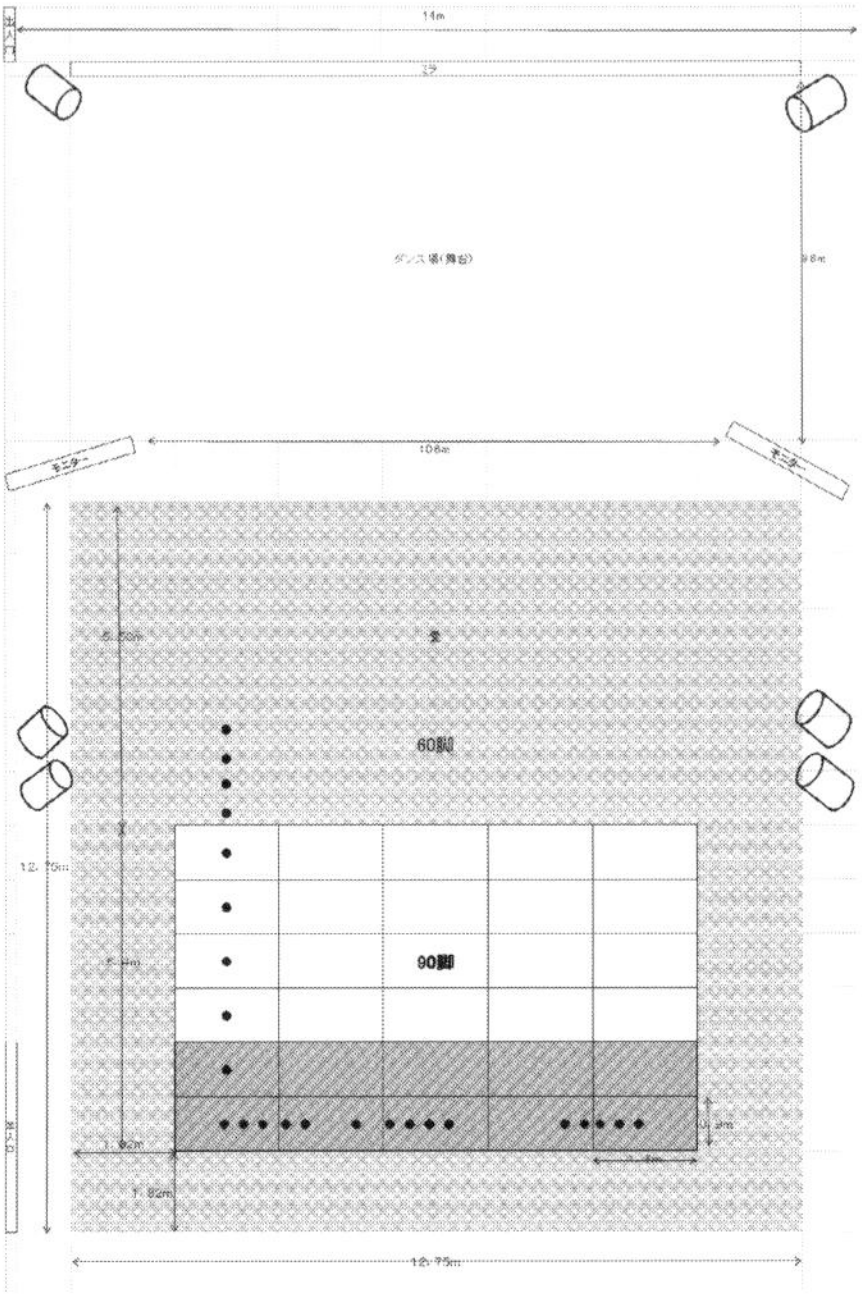

会場レイアウト図（佐藤作成）

の比率を決め、学校内にある物品を最大限に活用して、手作りの小劇場が出来上がった。

このノウハウは、私が大学時代に得たものである。公共劇場以外の場において、ダンスパフォーマンスを企画し、運営するために必要なノウハウは過去の経験から知っていた。それらの経験を応用しながら、創造力を駆使して明訓バージョンによみがえらせた。現在の置かれた環境で最大限の範囲で生徒とともに楽しんでいた。ダイナミックな発想を認めてくれた当時の上司には頭が上がらない。普段の練習場所が、スタジオに変わるまでの過程は、クリエイティブでワクワクする楽しい時間である。ここには、劇場開催とは異なる楽しさがあった。

江南区文化会館が始めた「江南区文化会館音楽演劇ホール中高生無料貸出事業」の利用を

契機に、平成26年の第2回から校外での開催が始まった。「江南区文化会館音楽演劇ホール中高生無料貸出事業」とは、「中学生・高校生の部活動の援助と芸術文化の情操教育を目的にすることで、日頃、利用することの少ない文化会館に関心を持ってもらい今後の連携と交流を図る」ことが目的である。なお本事業では、会館に常設されている音響および照明機器、備品などの使用については全て無料で貸し出されていた。

江南区文化会館は平成24年に開館した施設で、新潟明訓高校は新潟市江南区に所在している。この江南区文化会館の利用を契機として、「ダンスを通じた地域交流」という本公演の目的が色濃くなっていった。

> いずれは利用したいと考えていた「江南区文化会館」様から、江南区内の中学校・高校あてにホールの無料貸し出しの案内をいただきました。本校の部活動でその事業を利用したい部がなかったこと、開催日に他のイベントが入っていなかったことも功を奏し、ダンス部がこれを利用できる運びとなりました。（中略）
>
> 今回のリサイタルと昨年との違いは、まず「校外で実施できる」という点です。お金をいただいて実施する公演ではないため、豪華な照明やプログラム、広告やチラシなどに手をかけることはできませんが、この一歩は大きな進歩であると捉えています。よって、まずは劇場で実施できることに感謝し、「できる限りの最大限」を尽くし、これを成功させたいと考えています。一方で、公の場での実

施には責任が伴います。内輪の達成感で終わらせず、観客がもう一度来たいと思うような内容にする必要があります。つまり、生徒には「ダンスを通じた社会活動」としての姿勢を持たせたいと考えています。そのためには、「参加することに意味がある」のでなく、しっかりと種をまいて育て、そこに生きる人々が豊かになれる、その一助としてのスタンスや方法を模索しなければなりません。少しずつでも地域住民の方々に新潟明訓高校ダンス部を知ってもらい、支援者を増やしていくことが求められます。その結果として、「社会のために好きなことを生かす喜び」を体験させたいと思っています。

あまり時間はありませんが、このチャンスをモノにできるよう、そしてまた一つ生徒たちが階段を上れるよう、なにとぞご支援ご協力のほどお願いいたします。

平成26年2月4日　ダンス部たより　佐藤菜美

校外公演によって、生徒に学んでほしい教育的なねらいは、「好きなことを生かして社会に貢献する喜び」であった。世間ではワークライフバランスとかＱＯＬ（個々人によって異なる生きがいややりがいなどの「生活の質」）などといった言葉をよく耳にするようになったが、つまりそれが何を指すのかということについて身をもって知ることには意味がある。自分のために踊ることを楽しむのも十分意義深いが、学校外へ出て社会とのつながりの中で自分の立ち位置を確認し、対外的なやり取りの中で、人間性を形成していくものと思われた。広義のキャリア教育、生き方の教育といってもいいかもしれない。よってリサイタルは、個人の楽しさに

とどまらない、ダンスの持つ力とその多面性を知ることのできる絶好の機会である。普段ダンス部を支援してくださる人々に、ダンスを通して感謝の意を表現し、それを受け取った相手が明日への活力を見いだしていく。このことは、ダンスを含む上演芸術のもつ役割ともいえるだろう。

3　地元に根差して

本公演は、回を重ねるごとにその評判が広がり、入場券（無料）はプレミアチケットと化した。地元開催へのこだわりを持ち、新潟市江南区を中心に地道に広報活動を行った結果、内輪の客層のみならず、普段ダンスとは縁遠いであろう地元のおばちゃんたちやお年寄りなど、幅広い年齢層の方々が毎年会場に足を運んでくれた。また、区長や館長をはじめとする江南区の関係者も快くバックアップしてくれた。

第1回～第3回までは、チケットなどの入場券制を導入しておらず、半券などによる明確な人数を把握することができていないものの、3回とも満席となった。第2回の満席を受け、第3回はゲネプロ（本番を想定した通し稽古）を公開し、ダンス部親族および県内高校ダンス部員向けの公演とした。それによって来場者の殺到を防ごうと試みたが、やはり客席に入りき

れない来場者が殺到し、会場ロビーのモニター前が観客であふれる事態となった。この事態は、第4回以降に入場整理券制と2回公演制を導入することで解消された。実質的には、公開ゲネプロと2回の本番で、計3回の本番を設けることによって、より多様な層のお客様を数多く会場に招くことが可能となった。内輪の客層以外の層に来場者を広げる意図から、出演者が確保できる枚数に制限を設けたが、配布開始2時間も満たないうちに、売り切れる事態となっており、地元を拠点とした「明訓ファン」が少しずつ増えていることを実感していた。

今回改めて感じたこと、それは「挑戦し続ければ、状況は変わる」ということです。校外単独公演なんて夢のまた夢だった頃を思えば、お客様があふれかえるほどのこの状況は何だか不思議です。（中略）現在新潟県内のダンス部で単独公演を開催できているのは、本校ダンス部1校のみでしょう。本当に恵まれています。たまたま学校が江南区にあって、たまたま劇場がこのタイミングで新設されて、たまたま学校向けに無料貸出事業をやっていて、と決して当たり前ではない巡り合わせです。また、ある程度の実績がなければ、一般の方が「観たい」とは思わないでしょう。部員2人になっても辞めずに部を守り、負け続けて悔しい思いをした多くの先輩たちの汗と涙があって今があります（私もたくさん泣きました…）。私を含め、出会う全ての人が、あのとき、あの選択をしていなければ、今はないのです。皆さんは本当に豊かで恵まれた環境にいます。決して当たり前ではありません。一方で、意志を持って選択し、行動し、つかみ取ったものがあるのも事実です。偶然と必然が今をつ

外まで続く観客の行列

満席につき入場を締め切る事態

くっています。

平成27年3月19日「第3回新潟明訓高等学校ダンス部公演」を終えて　佐藤菜美

「毎年やっているの？　もっと早く気づくようにいろんなところにポスター張ってちょうだい！　来年も楽しみにしてるわ」と声をかけてくださいました。この言葉にすごく、地域のつながりを感じました。

リサイタル報告書　卒業生スタッフ

受付をしていて思ったのですが、お客様の中に年配のご婦人グループが多くいらっしゃいました。もしかしたら地域の方でしょうか？　新聞を見ていらしていただいたのでしょうか？　今回本番を観ていただいた多くのお客様から「来年も来ます！」という、うれしいお言葉をいただきました。

リサイタル報告書　保護者スタッフ

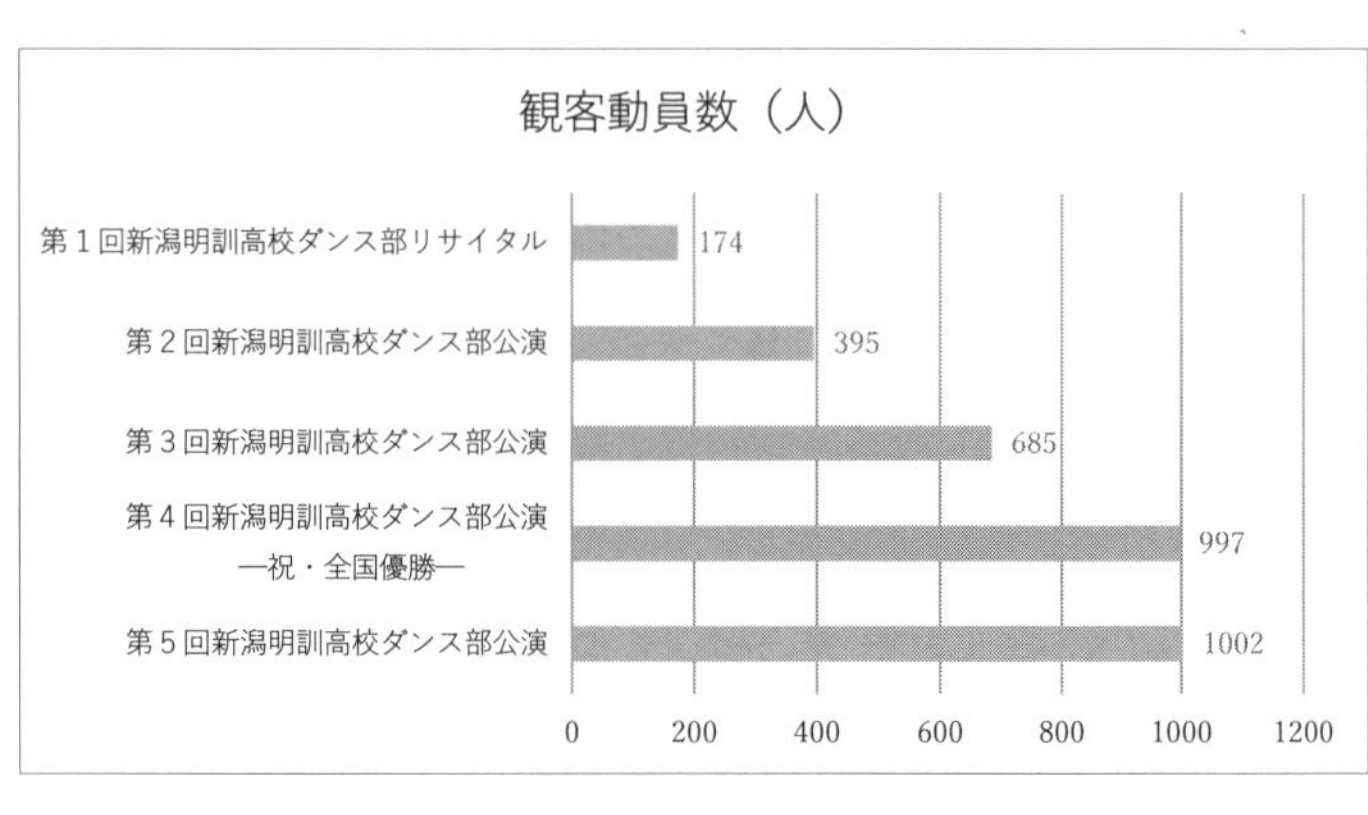

本公演は、「江南区文化会館音楽演劇ホール中高生無料貸出事業」を利用しているため、会場借用費および会場付属の備品借用費はかかっていない。なお本事業では、会館に常設されている音響および照明機器、備品などの使用については全て無料で貸し出されている。つまり市民の税金によってまかなわれている。たとえ会場費負担がなくなっても公演運営にかかる経費は、ポスター・チラシ、事務用品などにもかかってくる。それらの経費は、部に配当される生徒会費や部費から支払われる。無料事業を利用しているとはいえ、経費はそれなりにかかるものだ。舞踊公演の開催には、一般的に会場借用料のほか、照明機材や照明家の人件費などがかかるといわれており、このような事業を利用しその恩恵を受けられる団体はまれだろう。その点において、恵まれた環境のもと明訓ダンス部は活動できていた。よって、江南区や新潟市に関連する演出を取り入れることにより、その恩返しを形にしていた。

例えば、年によってはこんな演出的工夫がある。新潟

県あるいは新潟市江南区の特色を出すプログラムである。具体的には、新潟市の芸術祭である「水と土の芸術祭」の上演作品の披露や、新潟県のマスコットキャラクターであるトッキッキの着ぐるみダンス、さらに新潟市江南区のご当地キャラクターに扮した演目などである。部員や地域住民の方々が、地元愛を深め、楽しんでいただけるよう意識して取り組んでいた。

なお、このトッキッキの着ぐるみは、新潟県に申請すると貸し出してくれる。かつて国体のシーズンだっただろうか、私もこの着ぐるみを着て、トッピーに扮装したことがある。ところがバッテリーが切れてしまい、踊るトッピー（筆者）が徐々にしぼんでしまうという惨事に見舞われた。そのようなよき思い出と体験は、明訓リサイタルの演出につながっていた。

地元カラーを盛り込む演出

江南区親善大使

明訓リサイタルの人気上昇に伴い、これまでに幾度も、よ

り大きなキャパシティーを持つ会場に変更しようかという議論が起こっていた。来場者からもお金をとってもいいのではないかと複数の意見を頂戴した。江南区か区外かそれぞれのメリットとデメリットを挙げ保護者や卒業生とともに徹底的に議論を交わしたが、関係者内で賛否が分かれた。結局、継続性を鑑みてやはり地元に落ち着くことになった。

おそらく今後も議論は続くのだろう。学校の部活動であるという事実、高校生であるという事実、公演開催には経費がかかるという事実、一回にかける「本物」を見せたいという思い、より多くの方に見ていただきたい・理解を得たいという思い、それらが交錯する中で、最善の選択を下していくことになるのだろう。

4　手づくり公演の価値　―やりがい・生きがい―

公演の制作業務は、私を中心に副顧問と協働して行っていた。業務内容は非常に多岐にわたり、１人の手と目ではまかないきれないことが多い。大きなイベントを達成する上での必須条件は、複数の人々が協働するということである。監督は、その環境を整えるために、演出家としての側面と、マネージャーとしての側面の両面においてリーダーシップをとる必要がある。チケット制をしばらく導入しなかった理由は、業務負担を軽減する理由からだ。教職とし

ての本務がある中で（しかも年度末に…）、このリサイタル業務を並行して行うには、1人で全ての業務を背負いすぎないことが重要となる。公演の人気上昇とともにその規模が大きくなるにつれ、業務を分散するように心がけた。一方、広い視野で想像力をフル稼働させないと、トラブルが起きたり、連携がうまく取れなかったりする問題が発生する。初めて校外で開催する際は、非常に神経を使った。業務内容が明確に見えるようになれば、スタッフが自発的に仕事に取り組めるようになる。たとえ担当責任が分散しても、チェック態勢を整え、進捗（しんちょく）状況を把握する。情報はすぐに共有するよう努め、日頃から情報の行き来が円滑に行われるようにしておく。卒業生のグループＬＩＮＥや保護者会長との日常的なやりとりは、複数の目で公演を運営する上で重要となっていた。

今回は、さすがに神経を使いました。自分の持っている想像力をフル稼働させて、マネジメントに力を注ぎました。必要な物品は何か、必要な係は何か、スタッフはどこに、何人、どんな人がつけばいいのか、予算はどのくらいかかるのか、お客さんはどう動くのか、お客さんはどんな心理になるのか、プログラムのバランスはどうか、色彩・ダンサー、作風は重なっていないか、作品に気持ちを惹（ひ）き付けるためにはどんなアナウンスがいいのか、どんな流れがベストなのか、ゲストや会館スタッフ、来賓に失礼はないか、…とにかくイメージをして、自分のイメージの中で「これでいけそうだ」「一本通った」とつかめるまでは、必死に準備を進めました。

いま現代社会を生きる私たちにとって、「創造性」が重要視されていますが、それが一体どういうことを指すのか、皆さんが実感を持って「分かる」ときは、もしかしたらもっと後かもしれません。しかし、心震えるような体験があってこそ、他人の痛みや温かさを想像することができるのだと信じています。

平成26年3月18日「第2回新潟明訓高等学校ダンス部公演」を終えて　佐藤菜美

舞台監督は、ダンス部顧問が担当し、舞台進行の指揮をとる。その他の舞台スタッフ（舞台監督、照明、音響、映像、アナウンスなど）については、ダンス部を卒業したＯＧ・ＯＢが担当していた。照明・音響・映像は、劇場の専門スタッフから指導を受けながら、卒業生が照明操作を行う。インカムによる顧問のキューに合わせ、出演者の動きを見ながら絶妙なタイミングで操作していく。この息の合った裏方のコミュニケーションも本公演の醍醐味である。インカムを通じた「バッチリ！」「せ～のっ」「色このくらいでどうでしょうか？」「この作品もう一回リハーサルしてみていいですか？」「あ～悔しい！」といった具合に、裏方もこだわりをもって公演を作り上げていく。また制作業務や上演作品を含めて、他の部活動との横断的なつながりを生かしていた。看板は書道部に、アナウンスは、全国的な実績もある明訓高校放送部に依頼する。放送部内では、本公演でのアナウンスの人気が高いらしく、その枠を争ってオーディションを実施しているそうだ。大変ありがたいことにレベルの高い人材が送りこま

れ、本公演の精度をぐっと引き上げる。過去には、吹奏楽部の生徒の生演奏とダンスをコラボレートしたプログラムを披露したこともあった。

出演者は袖幕にはけると、すぐさまバックステージに戻り素早く早着替えを行う。そのような場面では、袖幕つきの卒業生スタッフが着替えを手伝い、「いってらっしゃい！　楽しんで！」と背中を押して送り出す姿がある。そして華やかな舞台で踊る現役部員を見守りながら、時に目を涙で潤ませている。

有志で募った卒業生にとって、高校卒業後もダンスあるいはダンス部と関わりを持てる場所となっていると思われる。彼らにとって、リサイタルは1年に1度の帰る場所なのだ。

音響係（卒業生）と舞台監督（副顧問）

会場スタッフ（受付係　会場係　列整備係　花束・プレゼント受付係）は、主に現役部員の保護者および卒業生が担当していた。事前の会場下見や打ち合わせなどを入念に行い、何度もシミュレーションを重ねた上で本番を迎えることになる。初回開催から数年間は、私が全て係の配置や業務内容の指示を行っていたが、徐々にノウハウが蓄積でき、後半

はすっかり保護者や卒業生にお任せしていた。

・先生が舞台に専念できるよう、みんなで協力してもっといろいろなお手伝いをしたいと思います。
・娘を通じてダンス部に関わることができ、おかげで親自身も貴重な経験をさせていただいています。本当に感謝しています。
・保護者もたくさんの元気をもらい、サポートし続けようと思っています。

リサイタル報告書　「リサイタルを終えて」　保護者

今回のリサイタルで伝えたかったこと、それはエンディングの歌詞に込められています。「僕がひとりでできることなんて何もない。君とふたりでできることならいくつかある。僕ひとりでできることがないわけじゃないけど、よければ一緒に…その方が楽しい」。自分なんて大した力があるわけではないし、一人でやれることには限界があります。それぞれの経験や能力を生かして力を合わせれば、一人では不可能なことも達成できるということを、このリサイタルの経験を通して学んでほしいと願っていました。皆で一つのことを達成する充足感（楽しさ）は、個人で楽しいことをしたときの気持ちとは異なるような気がしています。人は孤独な存在だからこそ、他人との目には見えない心のつながりを求め、そこに幸福感（楽しさ）を見いだすのだと改めて思いました。

平成27年3月19日　「第3回新潟明訓高等学校ダンス部公演」を終えて　佐藤菜美

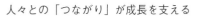

以上のように本公演は、保護者との協力態勢を実現し、その波及は卒業生や地域へと広がりをみせていった。業者への委託を行わず、ダンス部の関係者によって運営されるこの手作り感は、「無料事業」の醍醐味なのかもしれない。たしかに負担は大きい。生産性や合理性を考慮すれば、お金で解決できることも多い。時間も労力も軽減できる。創造的活動を通じた教育活動として最善の選択とは何か、葛藤は続くだろう。けれども、顧問、部員、卒業生、保護者が一体となって一つのものを作り上げ、地域の人たちと見えないつながりを得ることは、本公演に関わる人々のやりがいや生きがいにつながっていると思われた。何よりもこのクリエイティブな過程と、公演を達成したときの充実感は代えがたい価値があるのではないだろうか。

人々との「つながり」が成長を支える

自主公演を開催するまでの過程は、まさにアクティブ

な学びである。それは、学校—家庭—地域が一体となって、自分が、人々が、組織が成長していく過程を楽しんでいるからである。

生徒さんたちの努力と意欲、指導者の力量、部を温かくバックアップする保護者、学校、地域とみんな素晴らしい!!

リサイタルアンケート　観客

第3章　多彩に広がるダンス部の活動

明訓ダンス部は、その実績が評価されるうちに特性の異なるさまざまなイベントに出演するようになった。ダンスと一口に言っても、ジャンルも活動の場もいろいろだが、年間を通じてあらゆるジャンルのダンスをつくり、踊っていた。踊る人、つくる人、観る人、関わる人によって、ダンスは形を変化させていくのだ。ダンスの形態は、遊び、競争、フィットネス、セラピー、エンターテインメントや上演芸術など多様で、複数の顔がある。劇場におけるコンクール形式の舞台もあれば、屋外での自然環境を生かしたパフォーマンス、地域の特性を生かしたイベント、異文化交流や福祉活動など幅広い。他校の事例や私の現役時代の活動も含めると、学校や福祉施設への訪問活動や国際交流などもよく見られる。ダンスは、踊る場や目的によって、さまざまなジャンルが選択され、彩り豊かな表現を生み出していく。

ところで、全てを受容してくれる温かいまなざしの中で踊ることには大きな意味がある。しかし、高校生の学びとしては、それだけでは不足だろう。自分が楽しまなければ部活動の本質を見失ってしまうが、社会的な立ち位置で活動を行うことには教育的意義がある。出演依頼を受けるたびに、教育活動と

アートの森で身体表現

して適切かどうかの判断をせまられる。よく上司から「ダンスは難しい」と言われたものである。それの意味するところは、勝敗を競う公式大会や試合だけではない、ボーダーが曖昧で複数の側面を持つダンスという文化が、難しいのである。ルールや基準に当てはまらないものが多いからだ。男子も女子も分けられていないし、運動系でも文化系でもあるし、評価も人が決めるものだし…。しかしダンス部が、ダンスを通じたダイナミックな教育活動ならば、ダンスの多面性に触れることこそが、その効果を発揮するのだろう。

ここでは、明訓ダンス部が出演してきた数多くのイベントの中から、特徴的なものをいくつか抜粋してご紹介する。コンクールなどの競争から福祉的活動や地域貢献活動など、一つの枠組みにおさまらない、ダンスの多様な在り方を見ていただきたい。

1　公式大会

ダンスはインターハイの種目ではない。そのため、高校ダンス部の「全国大会」はインターハイとは別に存在する。全国的に見ても、ダンスという種目が高等学校体育連盟に所属している県はそう多くはない。

明訓ダンス部は、新潟県高等学校体育連盟（以下、高体連）に加盟しており、毎年6月上

旬ごろには新潟県高等学校総合体育大会（以下、県総体）が開催される。新潟県の場合、県総体は「全日本高校・大学ダンスフェスティバル（神戸）」（以下、ＡＪＤＦ）の予選会として位置づけられており、最優秀賞を受賞した高校は新潟県代表としての出場枠を手にすることができる。

①　創作ダンスの聖地―全日本高校・大学ダンスフェスティバル（神戸）

ＡＪＤＦは「ダンスの甲子園」とも呼ばれ、毎年神戸市で行われる歴史ある大会である。創作ダンスを志すものにとって、「神戸」は聖地なのだ。

本大会は、「参加発表部門」と審査式の「創作コンクール部門」の2部門があり、後者には「高校の部」と「大学の部」がある。創作コンクール部門（高校の部）においては、近年90校以上が参加し、盛り上がりを見せている。本大会は、県総体で最優秀賞を受賞しなくてもエントリーすれば出場することができる。なぜなら新潟県の場合、ダンス部は高体連に加盟しているが、他県は必ずしもそうではないからだ。近年新潟県からは、最大7校ものダンス部が本大会に出場し、複数校が受賞している。新潟県ダンス部のレベルの高さは、全国的にも注目されているところだ。高校創作コンクール部門は、出場校のうち40校が予選（審査員6名で審査）を通過し、決選（審査員12名で審査）に進出することができる。そのうち約16校に受賞のチャンスが与えられ、12校が最終日の受賞校による「特別プログラム」に出場できる。生徒にとっ

年度	県総体	結果	作品	全国大会	結果	作品
平成19	第60回新潟県高校総体ダンスコンクール	審査員賞	パラドックス ～葛藤する私とワタシ～			
平成20	第61回新潟県高校総体ダンスコンクール	優秀賞	Clown～笑われる芸人　おぼろげな導の先に…～			
平成21	第62回新潟県高校総体ダンスコンクール	**最優秀賞**	現し世に蠢く闇 ―化けのすみか―	第22回全日本高校・大学ダンスフェスティバル（神戸）	**特別賞**（舞台美術の工夫に対して）	現し世に蠢く闇 ―化けのすみか―
平成22	第63回新潟県高校総体ダンスコンクール	優秀賞	ゆめゆめ充ちぬ槽 ―「死なない蛸」より―	第23回全日本高校・大学ダンスフェスティバル（神戸）	入選	ゆめゆめ充ちぬ槽 ―「死なない蛸」より―
平成23	第64回新潟県高校総体ダンスコンクール	優秀賞	Clown ―戯と涙のサーカス―	第24回全日本高校・大学ダンスフェスティバル（神戸）	入選	Clown ―戯と涙のサーカス―
平成24	第65回新潟県高校総体ダンスコンクール	優秀賞	永遠のフロンティア ―私たちが宇宙を見るということ―	第25回全日本高校・大学ダンスフェスティバル（神戸）	入選	永遠のフロンティア ―私たちが宇宙を見るということ―
平成25	第66回新潟県高校総体ダンスコンクール	優秀賞	運命にあらがう蛹 ―おさまらぬ身体―	第26回全日本高校・大学ダンスフェスティバル（神戸）	**特別賞**（主題にふさわしい演出効果の工夫に対して）	運命にあらがう蛹 ―おさまらぬ身体―
平成26	第67回新潟県高校総体ダンスコンクール	優秀賞	影身 ―それは、まぎれもなく私だ。	第27回全日本高校・大学ダンスフェスティバル（神戸）	**審査員賞**	Media-Confusion//
平成27	第68回新潟県高校総体ダンスコンクール	**最優秀賞**	"Fight for Liberty" ―チャップリンの演説より―	第28回全日本高校・大学ダンスフェスティバル（神戸）	**文部科学大臣賞**	"Fight for Liberty" ―チャップリンの演説より―
平成28	第69回新潟県高校総体ダンスコンクール	**最優秀賞**	僕たちのボレロ ―臆病者よ、さらば！―	第29回全日本高校・大学ダンスフェスティバル（神戸）	**神戸市長賞**	僕たちのボレロ ―臆病者よ、さらば！―

大会実績

て、この「特別プログラム」は夢の舞台である。

明訓ダンス部は、私が赴任して3年目に初めて県総体で最優秀賞を受賞したことを契機に、ＡＪＤＦ（創作コンクール部門）に初出場することになる。以降の8年間は、全て連続出場していた。そのうち全国入賞は5回であり、3回は入選（予選突破、決選進出）であった。平成27年度には、総得点が第1位の作品に贈られる「文部科学大臣賞」、平成28年度には三賞といわれる高得点層に贈られる賞のうちの「神戸市長賞」を受賞した。

②　新潟県高等学校体育連盟主催の大会

高体連主催の大会は、年に2回、春季と秋季に開催される。

春季は新潟県高等学校総合体育大会である。本大会は「創作コンクール部門」と「参加発表部門」の2部門で構成され、明訓ダンス部は毎年両部門に

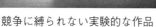

出場していた。創作コンクール部門はコンクール形式で行われるため、ＡＪＤＦと同様に校名を伏せたまま上演され、５人の審査員によって審査される。前述の通り、本大会はＡＪＤＦの予選会として位置づけられ、最優秀賞を受賞した高校が新潟県代表としての出場枠を獲得できる。その他、優秀賞2校、審査員賞が1、2校授与される。私の在任中の10年間のうち、明訓ダンス部は県総体では全て入賞している（最優秀賞3回、優秀賞6回、審査員賞1回）。全国大会とは賞の種類は異なるものの、大会調書や審査基準はほぼＡＪＤＦに準じる形で行われるため、この時期に一度完成品として上演したものを審査してもらい、大会で得た講評をもとに、各校は8月のＡＪＤＦに向けて練り直しの作業を行うことができる。

ジャンルに縛られない作品

競争に縛られない実験的な作品

秋季は、新潟県高等学校秋季ダンス発表会である。本大会は、「創作ダンスの部」

と「その他のジャンルの部」の2部門で構成され、いずれもコンクール形式ではない。本大会は、発表会形式であり、新人大会として位置づけられている。各校の顧問や来賓が記入した全上演作品の講評用紙は各校にフィードバックされるとともに、他校作品を互いに鑑賞し合うことで学びの機会となっている。コンクールの縛りがないため、実験的で挑戦的な作品披露が可能となる。

全国的に見てもレベルの高い新潟県高体連ダンス部において、県総体の優勝旗を手にすることは、至難の業である。良好な競争関係が、毎年新潟県から数々の名作が生まれているゆえんでもある。

2　学校行事

ダンス部自身が明訓の看板を背負い、母校愛を深めることは当然のことだ。そのほかに、ダンス部のパフォーマンスを見ることによって、明訓生や同窓生、教職員が「明訓プライド」を持てるということが実は大切だったりする。その意味で、校内における活躍の場は重要だった。

明訓祭

体育祭

① 文化祭、体育祭

ダンス部員にとって、学内でのパフォーマンスは特別なことである。普段から関わりの深いクラスメートや教員に披露できる機会は、生徒たちの自己肯定感を大いに高める。

明訓祭（文化祭）のダンス部パフォーマンスは、プログラムのトリに位置づけられることが多く、大体育館を埋め尽くすほどの来場者が訪れる人気プログラムだった。中高ダンス部が合同で発表する数少ないステージの一つでもあり、約20分間で創作ダンスからエンターテインメントまで多様なプログラムを構成し、中高の生徒が自ら司会を務め進行される。観客はフロアからギャラリーまで人でびっしりと埋まっている。明訓祭では、ダンス部のパフォーマンスを普段見る機会の少ない人たちも大勢鑑賞している。この機会を逃せば、校内にダンス部の実力や活動内容、ダンス

作品の多様性について伝える機会を失うため、貴重だった。

体育祭では、オープニングやハーフタイムなどで披露する機会が設けられ、人工芝グラウンドのセンターフィールドを使用し、屋外で踊る。体育祭の特性柄、チアダンスを披露することが多かった。際限なく広がる大空のもと、空間にのまれてしまわぬように、パネルやフラッグ、ポンポンを駆使した派手な演出手法で、明訓カラーを押し出す戦略だ。四方を在校生や保護者に囲まれ、強風や日差しが影響する中で、真っ黒に日焼けしながら普段使わない体力を消耗するのも面白い。もともとこのパフォーマンスは、人工芝グラウンドの竣工祝いとして特別に設けられたものであった。しかしこの披露が好評で毎年恒例のイベントとなった。

②　野球部スタンド応援

野球部のスタンド応援におけるチアダンスはダンス部が伝統的に担っていた。画一的なパフォーマンスや、女子のみ編成の生足チアというジェンダーを際立たせる構造は私自身があまり好まないこともあって、男子部員をチアに入れようかとか、ドカベン風に学ランと学生帽を着用し葉っぱを口にくわえて踊るとか、キャラクターを立てるのも面白いとか、私の自由な妄想はジャンプしていた。しかし著作権の問題や、高校野球の持つ威力と風潮を考えるとそこまでの冒険はできなかった。男子も、女子に交じり同じ振付を一緒にやりたいというほど、勇気はなかった。伝統的な振付も何だか「女子っぽい」から面白い（お尻をフリフリとする動きが

なぜか多い）。女子のブルマ廃止、七分丈スパッツという小さな抗いにとどまった。

スタンド応援が近づくと、ダンス部、野球部、吹奏楽部、応援団との合同練習が行われる。本番のスタンド応援では、野球部員が絶妙なタイミングで頭上高く挙げる歌詞カードやパネルを頼りに、連携して次の曲の振付へと止まることなく対応していく。県の野球選手権大会は、ダンス部の全国大会に向けた追い込みの時期と重なる。スタジアムへのバス移動直前まで、自分たちの練習を行うのである。

甲子園出場が決まり勝ち進むほどに、車中泊を繰り返しながら新潟と兵庫を行き来する非日常感を生徒は楽しんでいたが、正直なところ私にとっては過酷であった。炎天下の焼け付くアルプススタンドに打ち水をしても、すぐに蒸発してしまう無駄な作業を幾度も繰り返し、生徒の熱中症対策に万全を期した。すると、情けないことに私自身が熱中症になり、新潟に戻るやいなや、一週間も欠勤した。今では笑い話だが、前向きに取り組まないと痛い目を見ると学習した。それでも野球部が勝ち進んだ場合に対応できるように、チアのユニフォームやポンポンなど、スタンド応援に必要なものは全て神戸遠征に運搬する。ＡＪＤＦ終了後、そのまま神戸に滞在し甲子園に向かった年もあり、卒業生とはこの思い出話でよく盛り上がる。会場に行けば、「この日のためにどれだけ練習したんですか？」と、ドラマを作り上げようとするマスコミの質問に対し生徒がどのように答えるのか、その観察も面白かった。高校野球の威力はすさまじい。けれども、高校球児の活躍は純粋に美しく、皆の誇りであることには違いないだろう。

3　国内スポーツ・文化の祭典

①　トキめき新潟国体・北信越かがやき総体　式典演技

新潟らしさ 存分に

郷土芸能、幻想的なダンス…

4万人超す会場一体

厳重検査 長〜い行列

会場入口 気をもむ来場者も

さっちゃん熱唱 被災者代弁

式典前演技 観客と歌声合わせ

新潟日報2009年９月27日付朝刊

平成21年度には国民体育大会（新潟大会）の式典演技を県ダンス部が担当し、複数回にわたり全県ダンス部による合同リハーサルが実施された。県ダンス部の担当箇所については、私を含む数名のダンス専門教員が振付・構成を考えた。

国体の式典演技には、複数の団体が参加したが、高体連ダンス部は３５０名が出演した。演技の内容は、新潟の歴史や文化にまつわるもので、学校を超えて同じ目標に向かって共に一つのものを創り上げる貴重な機会となった。スタジアムの広大なフィールドを、マスゲームのコマのように、走りまくるダン

サーの動きは、なかなか過酷であっただろう。同様に、彼らを指導する私たち教員もひたすらフィールドを走りまくっていたのが思い出深い。

本番は新潟の誇る大スター小林幸子氏や、世界に誇る佐渡の和太鼓集団「鼓童」とのコラボレーションをはじめ、県内のあらゆる年代や立場の人々とともに式典演技を創り上げた。

人生に一度しかない国体で踊るという経験をすることができました。こんなに多くの人たちと踊って、周りと一つになるのが実感できました。練習ではガラガラだったビッグスワンに、たくさんの人がいて感動したし、天皇皇后両陛下を前にして踊れたのは貴重な経験になりました。

平成21年9月26日　部日誌　2年生

平成24年度に開催された全国高校総体（北信越かがやき総体）の式典演技では、新潟市内の高体連ダンス部が出演した。これについても私たちダンス専門教員が、新潟にまつわるテーマ（佐渡おけさ、日本海の大海原、チューリップ、お祭りと花火など）で振付・演出し、指導に携わった。

この前年度に、私たちは青森県（この年は東北ブロックでの開催）へ視察に行った。高校生が披露する伝統芸能（津軽三味線、なまはげ太鼓、ねぷた祭りなど）のド迫力に圧倒され、「惨敗だ…」と落ち込んで帰路についた。帰りの車中で「新潟は何を強みにするのか」と悩ん

だ末に、出た結論はこうであった。「高校ダンス部のレベルの高さ、質の高さで勝負しよう」。

② 第30回国民文化祭・かごしま２０１５　霧島ダンスの祭典

国民文化祭とは「文化の国体」といわれ、「国民の文化活動への参加の機運を高め、新しい芸術文化の創造を促すことを狙いとした」1年に1度の祭典である（文化庁ＨＰから）。ホスト県であった鹿児島県の担当者から出演依頼を受けたのは、1年半前ほどである。2年前からＡＪＤＦへの視察団が派遣され、その頃から明訓に目を付けてくださっていたらしい。同じゲスト校として全国大会の超強豪校である神戸野田高校ダンス部と、福岡大学付属若葉高校ダンス部（いずれも文部科学大臣賞受賞歴あり）にも声がかけられていることを知ると、「ウチなんかでいいんでしょうか…」と電話口で恐縮していたのを思い出す。もちろんその頃、来夏に文部科学大臣賞を受賞するとは、誰もが想像していなかったわけであるが。

新潟から遠く離れた鹿児島。そこでは、新潟とは違う景色、温度、気候がその土地の人を育てています。日頃どんなことを感じているのか、どんな景色が好きか。新潟と鹿児島とでは違いがあって面白そうです。最初、あの若葉高校、あの神戸野田高校と一緒に舞台に立つと考えたとき、怖い！とか人知を超えた人たちが集まるのか…とか交流なんてできるのかと恐怖におののいていました。ただこの機会を〝恵まれたもの〟として考えてみたら、こんなに素晴らしい機会は二度とないなと感じるこ

とができました。（中略）私たちは新潟の良いところや、その中でどう作品づくりをしているのか伝えられたらいいし、向こう側からも、今後の創作の手がかりになる鍵を見つけることができたら、来年度や冬に生かせると思います。

平成27年11月10日　ダンスノート　2年生

新潟からの乗り継ぎのため、伊丹空港で鹿児島行きの便を待っていた。明らかに「地方から出てきました！」というオーラを放ちながら静かに待つ私たちに、気さくに話しかけてくる人がいた。鹿児島弁なまりのおばちゃん集団である。霧島ダンスの祭典にゲスト出演する事情を話すと、「私、明日見に行くのよ！　差し入れするわ！」「みかん持ってってあげる！　家近いのよ！」。現地に着くと、宿泊所である霧島自然ふれあいセンターや、霧島市民会館の楽屋に、知り合って間もない方々からの差し入れが次々と届いた。

本番当日、発表会が終わると地元高校生たちやゲスト校との交流会が開かれた。すると鹿児島県の高校生らが、メモとペンを持ち、「どうやって作品つくってるんですか?!」「どんな練習しているんですか?!」「写真撮ってください!!　キャ～！」と、私たちをまるでスター扱い。私たちは「モンブ（ＡＪＤＦ第1位のこと）をとった明訓ダンス部」として見られていた。

ダンスはスポーツ種目と異なり、練習試合などで県外遠征をする機会が少ない。したがって、コンクールなどの競争とは無関係に、県外チームと交流できる機会は貴重であった。いま

やＳＮＳなどのツールで世界規模で瞬間的につながることができる高校生であるが、その土地の風土へ実際に足を運んで、違いや良さを肌で感じる体験は有意義であった。鹿児島県の暖かな気候や美しい景色、そして愛にあふれる人たちが、新潟から来た私たちを優しく迎え入れてくれた。そういった多くの優しさに触れ、生徒が発した一言には重みがあった。「ああいう人になりたいです」

鹿児島は、行くだけでクタクタになってしまうような、本当に日本の最果てにあるところでどうしてこんなに遠いのに私たちに声を掛けてくださったんだろうか…と本当に嬉しい思いと、言い尽くせないような使命感におそわれていました。（中略）

普段なら交流することのない人たちとたくさん交流できて、嬉しかったし、楽しかったです。宿舎が一緒だったり、ご飯が一緒だったりで、１００人も友達はできなかったけれど、たくさん話せるような友達ができました♡（中略）「来年も頑張ろうね！　まあ、うちがモンブとるけど（笑）」と言われてしまいました。自分たちがそういう立場なんだと実感した瞬間でした。新潟明訓高校ダンス部がどんどん全国へ知れ渡っていっています。たとえば、空港で会った人とか、観光でお会いした方々が、私たちの名前を覚えてくださって、しかも差し入れなどもくださって…。人のつながりと温かさというものを身に染みて感じました。

平成27年11月14日　ダンスノート　２年生

4　新潟ならでは　—地域交流

①　水と土の芸術祭　市民プロジェクト「みずつちキャンドルナイト『燭光の祈り』」

水と土の芸術祭は、２００９年から3年に1度、新潟市内で開催している芸術祭である。「みずつちキャンドルナイト『燭光の祈り』」は、「市民プロジェクト」の一つとして、新潟市内で活躍するダンサーとキャンドルクリエイターとのコラボレーションによって企画された。

上堰潟公園　背景には角田山

キャンドルの幻想的空間

新潟市西蒲区の上堰潟公園において、角田山を背景にした自然の中、市内他校生ら（新潟清心女子高校、新潟青陵高校のダンス部）とともに幻想的なダンスを披露した。豊かな自然と芸術文化が育まれる地元新潟で、このようなパフォーマンスの機会があることはとても貴重なことである。劇場発表だけではない、自然と一体と

なったダンスの形を新たに知る機会であった。

キャンドルがきれいにともされ、その場が一気に異世界に変身しました。この世界を味わうことができて、幸せだなと思いました。寒い中、キャンドルの火の温かさ、人と触れ合ったときの温かさを味わうことができました。

平成27年10月　部日誌　２年生

② 高校生文化フェスティバル（スポーツ大賞受賞式）

「高校生文化フェスティバル」は、平成27年度に開催された第28回全日本高校・大学ダンスフェスティバルで、新潟明訓高校ダンス部が１位にあたる文部科学大臣賞を、新潟中央高校ダンス部が２位にあたるＮＨＫ賞を受賞したことを記念し、新潟市文化政策課の主催で行われた文化行事である。ここで、明訓ダンス部

稲垣選手にスポーツ大賞

新潟市が贈呈へ

新潟明訓高　新潟中央高　ダンス部にも

新潟市は20日、ラグビーのワールドカップ（W杯）イングランド大会の日本代表で同市秋葉区出身の稲垣啓太選手＝新潟工高出・パナソニック＝と、8月に神戸市で行われた全日本高校・大学ダンスフェスティバルで、全国1位の文部科学大臣賞に輝いた新潟明訓高ダンス部、全国2位のNHK賞を受けた新潟中央高ダンス部にそれぞれ「新潟市スポーツ大賞」を贈ると発表した。

同賞はスポーツ分野で活躍した個人・団体に贈る賞として、2004年に創設された。稲垣選手が7例目、両校のダンス部が8例目。新潟中央高ダンス部は、創作ダンスで全米大会優勝した05年に続き2度目の受賞となる。

稲垣選手は、市出身の選手として初めてW杯に出場し日本代表の勝利に貢献したこと、両校ダンス部は市内の高校が大会で初めて1位と2位を占めたという功績が評価された。

20日の定例会見で篠田昭市長は「稲垣選手と両校の快挙は、市の子どもたちの大きな希望となった」と話した。

稲垣選手への贈呈式は21日に新潟東映ホテルで開かれる「稲垣啓太選手に感謝、激励する会」で、新潟明訓高と新潟中央高の各ダンス部への贈呈式は24日、市民プラザで開かれる「高校生文化フェスティバル」でそれぞれ行われる。

新潟日報2015年10月21日付朝刊

は、ラグビー日本代表の稲垣選手とともに「新潟市スポーツ大賞」の表彰を受けた。翌年、平成28年度の同大会では、新潟明訓高校が4位にあたる神戸市長賞を、新潟南高校が特別賞、新潟中央高校が審査員賞を受賞し、創作ダンスに絞り出演校数を拡大した「高校生ダンスフェスティバル」が開催された。ダンスの魅力や新潟市の踊り文化への理解を深める機会として、行政主催で企画された。しかし、この企画は市の財政状況を理由に平成29年度で打ち切りとなった。市の企画の中でも人気が高いものであったというから、残念である。

③ 新潟市芸能まつり

外部団体から箏曲への振付依頼を受けた。和楽器の生演奏と踊りとのコラボレーションである。箏曲の時間は約11分を超え、箏の生演奏に合わせて踊る初めての体験となった。リハーサルや本番では、生演奏を体でじかに感じながら、共に発信し合う感覚は新鮮であった。スピーカーから流れるCD曲に合わせるダンスとは異なり、舞台上で初めて作品が出来上がる感覚があった。二度と同じものはない、生の人間が放ちあう呼吸や独特の間(ま)といった、その一瞬一瞬のやりとりを生徒は存分に楽しんでいた。

リハーサルで音と動きの呼吸を合わせる

この機会を通じて、他の芸術領域との化学反応によって生まれる新たなダンスの形があることを知った。

5　奉仕活動

ダンスを通じた奉仕活動として、24時間テレビ・献血キャンペーンなどに参加していた。ここでは、「ダンス」つまり自分の好きなことを生かして社会に奉仕する、その一つの切り口を知る機会となる。

「24時間テレビダンスセッション」は、ＴｅＮＹテレビ新潟（日本テレビ系列）の主催イベントであり、新潟市内のチャリティー会場で行われる。毎年、他校ダンス部や他団体との合同で行い、各団体の個性あふれるパフォーマンスが披露されるほか、その年のテーマに合わせた合同作品を作り披露する。この合同作品は、地元にテレビ放送される。大勢の観客を呼び込み、募金活動に貢献する。

24時間テレビダンスセッション

「クリスマス年末年始　献血呼びかけキャンペーン」は、県内高校のインターアクトクラブが中心となり、輸血用血液が不足しがちな時期に、若いパワーで献血の協力を呼びかけるイベントである（万代シテイＨＰより）。出演団体による各種パフォーマンスのほか、ビラ配りやティッシュ配りなどで献血の呼びかけ活動も行う。

ほかにも、東日本大震災のチャリティーイベントへの出演や、ダウン症児とのダンス交流会に招待出演したこともある。ダンスを通じて障がいの有無を超えて交流する姿があった。

6　マスメディア

最近テレビを見ていると、ダンスを取り入れているコマーシャルが実に多いことに気づく。テレビやＣＭをはじめとするメディアには、踊りであふれている。高校生をはじめ学校の場合は、生徒が商業ベースに乗せられることに敏感である。しかしメディアへの露出は、一概に悪いとも言い切れない。明訓ダンス部は、企業が企画するプロモーション動画に出演したり、地元テレビ局の企画に参加したり、数々の出演をしてきた。生徒が商業的な道具に使われるのはよくないが、それが過ぎないかぎり、テレビや新聞などのマスメディアに出演したり掲載されたりするのは、純粋に本人も保護者も喜ぶし、思い出にもなる。自身の活動を広く社会に知っ

てもらうきっかけにもなる。その中で、自身の立ち位置を客観的に知る契機となる。その体験自体は、学びが多く非常に教育的でもある。時には編集者側の操作が働いていることに気づくこともあるし、抗(あらが)えない社会の潮流を感じることがあるかもしれない。もしかすると、それ自体も学びかもしれない。いずれにせよ、マスコミの影響力は絶大である。

①　地元新聞や広報誌への記事掲載

新聞や広報誌への記事掲載は、ダンス部の活躍をより多くの人々に知っていただくツールとして、大きな意味を持つ。

ダンスという種目がマイナーであることは、新聞記事の大きさを見れば歴然とする。ダンスを記事にしてくれることを黙って待っていても、なかなか相手にはしてもらえない。理解と普及には自助努力が欠かせない。「結果」というのは、大衆的で便利で分かりやすいが、ダンスの場合は、どんなに立派な成績を挙げても、メジャースポーツのそれにはかなわない。メジャースポーツは「大会がこれから始まる」という段階で、新聞の一面を飾ったりする。同じように生徒が頑張っていても「大人の事情」でその表現に大きな差があることは、残念ながら記事の扱いを見れば分かる。

生徒の活躍と、ダンスの魅力を知っていただくために、自ら新聞社に連絡する。そして、地元新聞、地域の広報誌など、どんなに小さな記事でもスクラップして取りためておく。

② テレビ出演

これまで複数回にわたってテレビ出演をしてきたが、それらは、毎年恒例の24時間テレビダンスセッションの放送や、高い競技成績を挙げて注目を集めた結果として特集を組まれたりしたものである。内容は、ダンス作品自体の放送や、作品創作・大会出場までのプロセス、結果を報告するものなどさまざまである。余談であるが、私個人は新聞記事ならまだしも、動画出演ははっきり言って嫌いである。高校の頃からカメラを向けられるたびに人の陰に隠れていたものだった。「生徒が主役、監督はカット」。これを取材陣に依頼するのだった。全国優勝の怒濤（どとう）の取材対応では、誇りをもって堂々と取材を受ける生徒のかたわらで、カンペ通りにしゃべる私がいたのである。

ところでAJDFは、受賞校による再演（「特別プログラム」）が、毎年お盆すぎごろにNHKで放送される。創作ダンスは、生徒や学生が自らつくり踊るものだが、振付演出の著作権から放送されないという事態には至っていない。また、その動画を購入することもできる。しかしエンターテインメント系のダンスに比べ、創作ダンスやコンテンポラリーダンスのテレビへの露出は圧倒的に少ない。編集者のフィルターがかかる可能性があるという点や、振付の著作権などの問題において、難しさがあるのかもしれない。視聴率がとれない可能性もある。最近話題のストリートダンスの全国大会は、民放や民間企業とタッグを組んで、著しい普及をみせている。当然ながら大衆的で分かりやすいものは、消費社会と相性がいい。メディアの影響

力を知るほどに、創作ダンス、芸術舞踊の普及について考えさせられる。

第4章　多様な生徒が生み出すドラマ

た。10年間のダンス部活動では、価値観も性格も育ちも異なる、多様な生徒たちと向き合ってきた。その生徒一人ひとりに、その人ならではの濃厚なドラマがある。ダンスの持つ特性に時に救われ、時に危険な目に遭いながらも、彼らは誰とも違う個人としての自分を形作っていった。

このような、個が息づくダンス部の教育活動では、プライベートなことを無視して語ることはできない。ここには、信頼関係と安心感を土台にしながら、生身の人間の成長に立ち会う（簡単にビジネスライクに割り切ることができない）教育現場特有の難しさとやりがいがある。個々人に起こる成功や失敗、ハプニング、リスキーでセンシティブな出来事が、周囲へと影響を及ぼし、また自分自身へとフィードバックされることで、人間性を構築していく。

1　生徒Cの存在

彼は高校まで「女」として生きていた。大学進学後は名前を変え「男」として生きている。Cとの出会いは中学部女子の体育授業を担当したときである。得意としている体操技を女子の前で披露しては、「かっこいい」と言われることを嬉しそうにしている姿が印象的だった。彼は内向的で口下手ではあったが、親しい友人には甘え上手で好かれていた。後輩の目には「男勝りでキレると怖い先輩」に映っていたようだ。冬はスラックスをはいていたりして、私の勘

は早くから働いていた。ある日１年のお疲れさま会として部員全員で焼き肉を食べに行ったときのこと、私が「Cはそちらの人？　全然問題なし！　受け入れるよ」と軽々と伝えたところ、彼は曖昧でどっちつかずな反応をした。当時は彼が、異性愛者なのか性同一性障害者なのか、それともそうでないのか、はっきりとはしていなかった。日常生活では「髪を伸ばす」ことは特に強いたわけではなかったが、ダンス部生徒が自ら生み出した特有の文化によって皆が統一していた。強くなるために「髪形をそろえること」に意味を見いだしていたようだ（新潟の高校ダンス部ではよくある文化）。当然彼も髪を長くしていたし、制服も衣装も全体の流れに従って最低限の「女子らしい」服装をしていた。

ところで彼はある全国コンペのソロ部門において上位入賞を果たしている。早くから将来ダンスを続けたい意思を聞いていたのもあって、彼の踊る力や武器である体操技術を総合的に判断して、個人コンクールへの挑戦を促したのは私だった。上演作品は、もともと私が群舞として振り付けた作品を、個人用にリメイクしたものだった。偶然か必然か、その作品のテーマは「運命に翻弄される女性の苦しみ・嘆き」。彼の事情をあまり大げさに捉えていなかった私は、「この群舞をソロ用に変えて出そうよ」などと軽々しく提案していたのであった。受賞後、マスコミから受けたインタビューにことごとく答えられなかった彼は何も言わずに泣くのだが、私は「すぐ泣くなよ～」（当時よく泣いていたため）と怒っていた。後になって気づくわけだが、彼は自分の感情をどう整理し説明していいのか分からなかったのかもしれない。

私は身体と中身が離れていると思います。とてもむなしいダンスをしていると思います。運動を楽しんでいるだけにすぎません。しかし、最近になって、自分の中身とやっと向き合うこと、見つめることができるようになったと思っています。もっと擦り合わせなければいけません。過去の経験を思い起こしたり、過去を経た自分をもっともっと研究する必要があると感じました。

（中略）今回の作品を見て、人間の欲望を見せつけられて、負い目のような感覚が薄れました。人間の内側を見て、少しだけ自分が生きることを肯定できた気がして嬉しかったです。

ダンスノート　ダンス作品鑑賞後の感想より　C

彼の踊りには、他のダンサーとは段違いの存在感があった。まさに叫びがあったのだ。女とも男ともとれない中性的な両性具有の魅力に引き付けられる多くのファンがいたことも事実だ。なぜそのような魅力が出るのか、なぜそこまで伝えたい思いが全身からあふれ出るのか、当時の私はその理由をはっきりとは分かっていなかった。

ある日事件は起きた。私の担当する体育授業をCが欠席したことで彼の不在を知り、同じクラスのダンス部員に彼の欠席事由を聞いたのだ。すると部員は、数日前に参加した校外研修での出来事を泣きながら語り始めた。宿泊したホテルで、「飛び降りたいが窓の鍵が開かない」「はさみ・カッターを持っている人はいないか」と友人に話して回ったと。最近腕に巻いたテーピングは、「死にたい」からじゃないかと心配と恐怖で泣きながら訴えたのだった。カウ

ンセラーに対応の仕方を仰ぎ、遅刻してきた本人とその日のうちに面談をすることになる。

彼は体を硬直させていた。風呂に入っていないのか体臭がしていた。肩を上げうつむいたまま、私の問いかけに対し、長い沈黙を時折はさみながら答えていった。そこで彼は私に初めてカミングアウトするのだが、全てを知ることになるまでは時間を要した。そのような限界が訪れるきっかけとなったのは、高校生という思春期にありがちな恋愛や親との関係というちょっとしたことだった。私は大して驚かなかった。しかし、彼は親に知られることを最も怖がり、罪悪感にさいなまれていた。

大学合格が決まると、その後の生き方について相談があった。「大学では自分らしく生きたい。名前を変えようと思う」と。そこで作戦を練った。大学への手続きの仕方や親へのカミングアウト、そして苦楽を共にしてきた部員へのカミングアウトについて、本人が求めることを尊重しながら具体的に話し合った。愛する人や大切な人たちに自分がどのように受け入れられるのか、怖がっていた。親へは手紙という形で、部員へは私が見守る形で本人から直接話をした。部員は泣いていた。私は少し離れたところでストレッチをしながら、聞いていない様子を装って耳をダンボにした。ある部員が切り出した。「真実を知ったからといって先輩は変わらず先輩だ」と。私からは、偏見は持つべきでないとか、彼を受け入れるべきだとか、価値観を強いることはあえてしなかった。「自分の内側に偏見が湧いてくるならば、それに気づくことには意味がある。事実としてＣのような人が存在していること、生きづらさを感じている人が

いるということは理解してほしい」とだけお願いした。

彼と向き合って分かったことは、踊ることが自分の存在証明になっていたということである。当時彼は取材にこう答えていた。「自分にとってダンスとは、コミュニケーション。口下手な性格もあり、言葉を介さずに自分の思いを人に伝えることのできる点に魅力を感じる」と。また、私の前で彼は「私と付き合うことで周囲の人は不幸になる。私がいることで周りから奇異な目で見られてしまう。お父さんとお母さんにも申し訳ない。そう思うと自分なんかいなくなればいいと思ってしまう」と。性役割を強いられる日常生活においては、社会からまるで自分を拒否されているような感覚に陥る。普段直接言葉にできないけれども、自分の痛みを表現でき受け入れてくれる居場所として、舞台は存在していた。生きる実感を、ダンスは満たしてくれるものだったのだ。

卒業式の日、彼はスカートをはいていた。私が「スラックスにしないの?」と聞くと、「最後なので」と答えた。18年間ともにした自分の名前を呼称されると、彼は大きな声で「はい!」と返事し、凛(りん)とした姿で卒業証書を受け取った。そこには決別と前進、覚悟のようなものがみえた。

2　主将の大けが

ちょうど県総体を1カ月前に控えたころ、踊り込みが本格化し始めていた。その日の練習終盤、「最後の一本にしよう」と意気込んで通し練習が始まった。その途中、「バーン」と大きな音とともに、動けなくなった生徒がいた。「ストーップ!!」と大きな声を出し生徒に駆け寄ると、主将が脚を押さえてもだえた。足首が倍以上のサイズに赤く腫れあがるのを確認すると、ただごとではない空気が走った。

その日の夜、病院から帰宅した主将と電話で話をした。診断の結果、足首の骨折と靭帯(じんたい)断裂であった。医師には「大会出場は無理だ」と言われたと、号泣していた。それでも、医師に「8月の全国には出たい」と強く訴えたところ、「手術でボルトを入れれば早く治る可能性がある」とのことであった。それを聞き、3カ月後の全国に照準を合わせようと伝えた。

今日までの1カ月間、私にとってもチームにとっても成長するための貴重な時間だったと思います。1カ月前を振り返ると、あまりにもショックで「どうしてこんなことになるの!?」「この日のために頑張ってきたのに…」と頭を抱えながら、自分を責めていた毎日だったなと思い出しました。私が弱音を吐いていたら、チームが壊れてしまうと分かっていても、心の奥では「私だけなんで？　ど

うして?」と叫んでいました。しかし、今までダンス部でやってきたことを思い出せば思い出すほどダンス部に対する思いが強くなり、体の中から燃えてくる感覚が出始めてから、落ち込んでいる暇はないんだということに気づいた気がします。この立場である限り、どんなにつらくて、悔しくて、苦しくても、部員には決してその姿は見せない。そして、3年生は集大成となる県総体。後悔は絶対にしたくありません。(中略)みんなと踊る場面がないとしても、全員が同じ気持ちで舞台に立ち、心の奥を伝え、思いっきり自信を持って本番を迎えたいと思います。

平成某年5月29日　ダンスノート「県総体の抱負」主将

運命を受け入れることは容易ではありません。家では泣きたいだけ泣けばいいし、悔しさを叫んでもいいと思います。もし私があなたの立場だったら、簡単に割り切ることなどできません。3年間、これに懸けてきたのだから。この状況下で、チームをキャプテンとしてまとめ上げられるか否かは、非常に高いハードルではあるけれど、あなたの腕の見せどころでもあります。最後の県総体、どう迎え、どう終えたいのか、心に耳を傾け、やりきってほしい。

キャプテンは、あなたです!

佐藤菜美　返信

私が下した決断は…県総体の舞台に主将を出演させた。「参加発表部門」では、松葉づえを

ついてけがをした役を表現した。出演はド頭のほんの数秒である。そして、最も思い入れの強い「創作コンクール部門」では、床をはって上手前（舞台に向かって右手前）に集まり、その後転がってはける。ただそれだけの出演だった。たったそれだけでも、皆と同じ衣装を着て、出演までの待機時間を共に過ごし、部員を鼓舞し、そして最後の県総体を率いた。

県総体を終えると、主将は手術のため入院した。その後の回復力は目覚ましかった。ものの1カ月でダンサーに復帰、そして、全国にエースとして出演し、入賞したのだ。

3カ月前にけがをして、キャプテンという立場なのに一緒に踊れない状況から、まとめられないことや踊りで思いを伝えられないことが悔しくて悔しくて…。でも、それがあったからこそ、今の自分がいるんだなと思っています。そして、自信がつきました。しかし、いろんな決断をする中で、実際ここまで回復できるか不安だったし、（中略）いろんな迷いや悩みがありました。一人で突っ走って、自分だけでなんとかしようとしていたときが多く、やっぱりリーダー学年が手を取り合って、本気にならなきゃ後輩もついてこないし、チームも良い方向にいくことがないんだなと思いました。（中略）今まで作品創作の中でやってきた過程を思い出すと、全て通らなければならない道だったんだ！　自分たちが信じた道でよかったんだ！とここまで信じ続けられたことを本当に誇りに思っています。

ダンスノート「全国大会を終えて」　主将

実はこの話には続きがある。ダンス部では3月末に単独公演を開催しており、コンクール作品を再演する。現役を引退し、受験も卒業式も終えた3年生は、この単独公演で久しぶりに舞台に立つとともに、これをもって明訓を去ることになる。「最後の最後」である。劇場入りし、本番を翌日に控えたリハーサルの日のことである。県総体のけがのときと、全く同じ作品の、全く同じ動きとタイミングで、起きてしまった。「バーン！」舞台上で倒れこむ元主将。私はマイクで「ストーップ!!」と声を上げた。その瞬間、「やったな」と思った。靭帯が切れていた。

単独公演の打ち上げでは、保護者と酒を交えていた。主将の母親は、保護者会代表として全体に向かって3年間の思いを涙で語るやいなや、つぶれてしまった。最後の最後に大けがをしてしまったわが子への心配、周囲への配慮…きっとそんなことを思ったのだろう。保護者にもたくさんの負担をかけてしまった。私はそばで主将の母親の体をさすった。心配をかけて申し訳ない気持ちと感謝の気持ちがあふれた。

3　男子部員の入部

着任してから6年目となる年、ダンス部に初めて男子部員が入部した。きっかけは、新入生歓迎会を見に来ていた2人の男子生徒に私が声をかけたことだった。彼らは、憧れのまなざしでダンス部を見つめる一方で、男が踊ることへの周囲の目をひどく気にしていた。

一方ダンス界において、男子は何かと重宝される。「男子だから」という理由で、目立つ役をもらったりすることはよくある話である。それは女子の嫉妬をかった。「何で男子ばっかり」。男子と女子の間にはしばらく溝があった。最初はやはり気を使った。ダンス部の中で男子はマイノリティーなのだから、無意識の集団圧力があるのは当然だ。

今日はずっと話し合いだったのですが、とても有意義だったと思います。（中略）最近少し問題になっていた女子と男子の壁の話も本音で話すことができ、少しみんなのことを理解することができた気がします。話してみて、案外気づかないうちに人を傷つけていたり、人に気を使わせてしまっていたりするんだなぁと思いました。

平成某年10月9日　部日誌　男子部員D

男子の部室はない、ユニホームもない、衣装も男子用をデザインしなくてはならないなど、ないないずくめのスタートだった。ところで、複数の作品を披露するイベントの練習では、短時間で衣装を素早く着替える「早着替え」が行われる。そのようなとき、男子は仮の部室である「体育用具室」に一時押し込められる。女子の着替えの準備が終わるまで、しばらく密室に入って待機していただくわけだが、時々面白いことが起こる。全く悪気はないのだが、男子が用具室にいることを、女子がすっかり忘れてしまうのだ。用具室に入る前には、いつも私が「男子を忘れないように」「男子に配慮を」と注意喚起するにもかかわらず、別の準備を並行して行っているうちに監督ともども失念するのだ。しまいには「男子どこに行った?」なんてこともある。ひどい話である。律儀に、ずっと待ってくれているにもかかわらず。「ごめん〜!!」と戸を開放し、みんなで大爆笑。

ダンスの早着替え現場は戦場である。実際のところ、本番はダンス専用のアンダーウエアを着ているし、出演に間に合わないわけにはいかないので、いちいち性を意識してはいられない。教育現場においては、難しい議論であるけれども。

今日は衣装部屋と部室の大掃除をしました。部室を掃除していると、自分たちの部室もほしくなりました(笑)。まぁでもまだ2人なので必要ありませんが。しかし、男子部員は増やすつもりなので、そのうち真剣に考えなければなりません。

平成某年11月13日　部日誌　男子部員E

ダンスにおいて互いの肌に触れることは当たり前であり、抵抗なく行われるようにならないと、活動が成立しない。男子は女子よりも筋力があるので、リフト（人が人を上げる技）をすることが多い。新入生が入部すると、男子部員が新入生に向かって「ダンスではリフトをすることがあるから、男子が女子に触ったりすることが多くなるけど、嫌だったら嫌って言ってね」などと声をかける姿が見られる。ある日、男子が女子をリフトした際、たまたま女子の足が男子の顔に近づいた。すると、こんなことを吐露した。「足が臭い」。平和なやりとりである。

毎年、男子部員の獲得には悪戦苦闘していた。こんなにもダンスブームで男が踊ることが珍しくない時代に、いまだに人目を気にして踊りを避ける学校の風潮には、「田舎者め～」と心底あきれていた。とはいえ、当事者である男子部員らは「ダンスは女子がやるもの」といったダンスに抱かれる固定概念ゆえに、男子部員獲得が困難な状況に頭を抱えていた。残念ながら翌年、初めての男子部員2人に続くものはおらず、さらにその翌年やっとのことで1人入部してくれた。このままでは男子部員が途絶えてしまう！という危機感がよぎった。そこで、男子部員と相談し、文化祭における「男組企画」を立案した。明訓の中高一貫校の利点を生かし、文化祭（明訓祭）におけるダンス部パフォーマンスにおいて、特別企画として「中高合同男組作品」を設定したのである。中学生男子を対象に出演者を募集し、男子のみで構成される作品

を用意することで、踊る男の格好良さを全面的にアピールしようと呼びかけた。その結果、中学3年生の男子5人が声を上げ、部員が練習を見てあげられない放課後にも自主的に練習に取り組むほど意欲的であった。本番の発表は大成功となり、「先輩たちのダンスはかっこいい」や「高校に入ったらダンス部に入ろうかな」の声が上がった。その結果、入部したのは3人！しかし、最後まで続いたのはたったの1人だった。男子部員獲得の苦労は、これからも続きそうである。新潟の高校ダンス界に、男子がもっと増えることを願ってやまない。

しかし、ハマるととことんハマるのが男である。踊る男は格好いい。パイオニアの2人が、それを証明してくれた。全国受賞作品を全校生徒の前で披露し大喝采を浴びた。彼らは男泣きしていた。大学進学後もダンスを続ける選択をした。

ダンス部に入部を決めた男子部員、第1号のパイオニアであるあなた方は立派です。パイオニアは後ろ指さされるのが宿命（はじめはね）。でも、そういう人がいるから新時代がつくられていくのです。自信を持ちなさい。

平成31年1月25日　男子部員のダンスノート　返信　佐藤菜美

4　最難関大学に一般で現役合格

進学校である明訓では、学業との両立は見過ごせない課題である。全国入賞の年、なんとダンス部の厳しい練習との両立を果たしながら、一般入試で京都大学医学部に現役合格する者（Ｆ）が現れた。Ｆは、自宅が市外と遠く、通学時間や隙間時間を利用して毎日２時間の自己学習時間を確保していた。模試を通常受験することが難しい大会直前の時期などには、自宅受験用に問題を持ち帰ることがあるが、かつてこんな出来事があった。合宿の練習が終わった夜のこと、私のストップウォッチを借りに来たと思えば、同学年の仲間とともに汗だくのまま体育館の中央にロの字形で机を囲い、模試を解き始めた。「眠くなる前にやりたいんです！」。ここまで自分を強く持てる人間はそう多くはないが、部活動を理由に学業不振をつっつかれることには、部全体としてプライドが許さなかった。このような風潮をうまく利用しながら、部員同士の競争意識を触発したり、朝練を部として強制しないなど、生徒同士で高め合える関係性を構築しようと工夫するようになったのは、この学年の存在が大きかったように思う。

また部日誌を通じて、日常に転がっているさまざまな疑問や不思議について表記する場を設けているが、Ｆは、その枠を利用して、以下のような投げかけを部員や私にしていた。

2週間前から人体実験を始めました。研究テーマは「髪は切ると本当に早く伸びるのか」「アー髪切らなければよかった、という後悔を先に立たせる」です。そのため、今からわたしはこんな感じです（前髪の半分だけ短く、半分は元の長さのままの状態）。バカと言われればそこまでですが、自分で確認することに意義があると思っています。

平成某年3月10日　部日誌　F

3月10日の日誌に書いた実験の結果が少し前に出たので、この場を借りて発表したいと思います。結果は1カ月で1センチ、2カ月で2センチという驚異的なものでした！（ここの長さの差）「髪を切るとはやく伸びるというのは本当」でした。仮説を実証でき、満足です。実験を始めたとき、バカだねーと私に言った人にも伝えたら、すごいねと言ってくれました。本当にそう思っているかは、気にしないことにしました。

平成某年4月17日　部日誌　F

Fはいい意味で、変人だった。

Fに限らず、ダンス部において○○オタクや○○バカは歓迎された。誇り高き変人たれ！

私は生物や歴史の授業を受けていると、「本当にサルから進化したの?」とか「○○年前に本当に

そんなことあったの?」と思います。もしかしたら、〝歴史〟なんてものはなくって、今日生まれたさまざまな年齢のさまざまな人間が、一般教養として歴史などを脳に詰め込まれているだけかもしれない。もっと、とっぴなことを言えば、私だけが意思をもった人間で、残りの何億もの人たちは精巧にプログラミングされた人造人間かもしれない。そんな私を観察する研究者が別の次元に存在していたら。考え出すと止まらないし、これが本当かもしれない。私の考えが間違っていることを証明するために研究してみたい。そんなことを思っては、「ノートをとらなくては!」とわれに返ります。

こんな自分のバカみたいな話、ダンス部に入っていなかったら絶対に誰にも言わなかったなと思います。きっと「頭のおかしい人」だと思われて終わりです。自分でも変だなと思っていたけど、実際言ってみたら、受け入れてもらったり、むしろそこが長所だねとか認めてくれたりして、私の〝変なところ〟はパワーアップしているのだなあと思います。

平成某年6月11日　ダンスノート　3年生

変人ですね。好きですよ。なぜなら私も変人だから。結局、自己愛か…(笑)

佐藤菜美　返信

Ｆは、大学卒業時、学長表彰をもらっている。偉大すぎる先輩の存在は、現役ダンス部員の大きな希望になっているに違いない。

センター試験後の過去問演習中に、ふと気づいたことがあります。それは、部活動と2次試験の共通点の多さでした。答えの分からない問題でも諦めずに考え続ける精神力、自分なりに導き出した答えが相手に伝わるよう表現を追求する体力。これらはダンス部にいなければ得られなかったものでした。(中略)

後輩の皆さんへ。今しかできないことを抱きしめて、謙虚に、でも貪欲に自分の決めた道を進んでください。その先にはきっと楽しいことが待っているだろうと、私は思います。

平成某年　学校発行「合格体験記」　F

【部日誌に挟み込んだ文献コピー】
加藤諦三「受験生の休ませ方」ＰＨＰ

5　拒食症になった部員G

部員Gは、2年生の2月ごろからマネージャーを希望して途中入部してきた。しかし、ダンス部におけるマネージャー業務が限られるため、プレーイングマネジャーに転向してはどうかとチームで話し合い、3年生になると基礎練習などには参加し始めていた。練習するほど

に、ぽっちゃり体形であった体が、みるみるうちに引き締まってきて、私も「体が絞れてきたね」などと褒めたりするたびに、Gは鏡に映る自分の体を見ながら嬉しそうにしていた。その彼女が、拒食症だと気づくきっかけとなったのは、症状が進行し始めてからすでに4カ月以上たったある日のこと、Gが部活を無断欠席したことから自宅に電話したときのことだった。母親から「Gは食べた後、毎回吐いてるんです」と。

拒食症の背景には、母親の愛情飢餓によるものがあるとされるが、Gの場合は典型的なそれであった。吐いたものを大量に袋詰めし、あえてかばんに入れ、それを母親が発見しては処理をさせるなど異常な状況が続いた。お金をもたせると下剤を買うため、母親は大金を持たせないようにしていた。Gは2人姉妹の長女で、妹と比較しては自分の本音を言うことなく、のみ込んでいた。母親には、学校カウンセラーの利用や通院をすすめた上で、怒り、否定するのでなく、褒めて、認めてやってほしいとお願いした。「一緒にお風呂に入るのはどうでしょう？」「抱きしめて接吻（せっぷん）でしょうか！」「おっぱいいかな～」などと冗談を言いながら共に笑ったり泣いたりして対話を進め、ダンス部を利用してほしいことを伝えた。

その後、Gとは面談を重ねた。摂食障害／拒食症は心の病気であることを伝え、ストレスの原因を客観視するために、ダンスノートに本音を書き出すことを宿題にしたり、摂食障害に関する文献を紹介して自分なりに勉強することをすすめた。治療に集中するなら部活どころではないと思う一方で、本人はダンス部を辞める気は全くなかった。彼女にとっての「居場所」

を奪うのは得策ではないとも判断でき、部全体でGの病気に向き合うことにした。
数日後、Gは部員に病気をカミングアウトした。1人での食事のときは症状が悪化するとのことで、夜家族が不在で1人での食事のときは、ダンス部の同学年部員が協力することにした。LINEのグループ通話でダンス部の同学年と共に会話をしながら食事をしたこともあったという。チームとの食事のときはみんなで楽しく食べ、Gが食べられなくても責めないことを部員と約束した。また、Gの考え方の悪い癖（「自分なんて」「周りに迷惑かけてばっかり」「ごめんなさい」など自己を低く下げてしまう癖）が出たら気づかせ、全員が自分の正直な気持ちを他人に伝えるトレーニングをしていく重要性について話した。自分で自分を認め自信を持つために、前向きな一歩を積み重ねていくことを共有した。そして、参考文献から抜粋箇所を部員に配布し、摂食障害について専門的な知識を交えて伝えた。

私は小さい頃から妹よりもできることが一つもなくて、父や母が子どもに対して持っている〝期待〟のようなものは、全部妹がかなえてきた。父や母も、私と妹を比べているつもりはないのかもしれないけど、私はいつも比べられている気がして、父や母の顔色ばかりをうかがって「自分が楽しいからする」というよりも「パパとママを喜ばせたい！」という思いだけで、すべてのことをやってきた。その中でも、もちろん楽しいことや嬉しいこともたくさんあったけど、やっていることそのものを楽しんでいる妹には勝てなかった。いつも言いたいことだけ言って、やりたいことだけをやっている成

績がいい妹が憎かった。高校受験も失敗して、母に「楽しみな、高校生活」と言われて、1年生の前半は本当に何の努力もしないでやりたいことをやりたいだけやりまくった。けど、それはその時一瞬は楽しいけど、後に自分に残るものが何もないことに気づいた。それで、○○の影響もあり、素晴らしい成績を残しているダンス部にマネージャーという形で入部した。その時の私の目には、ダンス部のみんながきらきら輝いて見えた。ダンス部のみんなと一緒に過ごしているうちに、みんなと踊りたい！という気持ちが強くなって踊ることにした。（中略）初めて、自分が好きなことをやっている感じがした。だから、ダンス部は私の心を変えてくれた場所なんです。

平成某年7月4日　ダンスノート　G

数日後に開催されたダンス部保護者会にて、Gの母親が総勢30名の保護者・顧問の前で泣きながら自分の娘が摂食障害であることを告げた。親もまた心身ともにぎりぎりの状態であった。ダンス部保護者には複数名医療関係者がいるため、正しい知識のもと助言をしていたようだった。

あなたが病気を克服するために、私も皆も支えていきます。この病気の原因が「心」にあることは明らかなので、自己としっかりと向き合う時間をとろう。自分の正直な気持ちを他人に伝えることは悪ではありません。互いの成長のために、気持ちを言い合うことが時には必要です。ちゃんと受け止

めるから大丈夫です。自分で自分を認めることが、自信につながります。一緒にトレーニングをしていきましょう。

平成某年7月10日　部日誌　佐藤菜美

Gのことは、衝撃的でなんとなく常に引っかかっています。でも本人だってたくさん悩んで皆に伝えたのだから、ちゃんと受け止めなくちゃ。

平成某年7月11日　部日誌　2年生

皆さんには、多様性を認め合える度量のある人間になってほしいと願っています。そのためには、人の立場になって痛みを分かろうとする心が必要だし、自分自身もそれに代わるような体験が必要です。世の中に存在している、障害や病気、弱者、マイノリティーなどの立場にある人々のことを、見ようとしなければ知ることはないでしょう。正しい知識を持った上で、大きな人間になってほしいです。

佐藤菜美　返信

結果的にはGは部活を辞めた。それは私がすすめたことだった。「やせ願望」のスイッチを押したのは、もしかしてダンス部という環境、そして私自身だったかもしれない。しかし、この出来事をきっかけに、指導者、本人や部員、そして保護者が「摂食障害」について学び、助

け合う心を知ることができた。

【配布した文献コピー】
水島広子『「やせ願望」の精神病理　摂食障害からのメッセージ』ＰＨＰ新書

6　追い込まれたリーダーH

Hは、ダンス部に入るために新潟明訓高校に入学してきた。1年生のときから抜群のリーダーシップを発揮し、歴代まれに見るほどのカリスマ的素質があった。素早い的確な判断力と、楽観的で物おじしない性格や負けん気は、リーダーとして抜きん出ていた。早くから次期主将を確約されたHのリーダーシップに対し、他の部員が依存的になりがちであったことには皆が気づいていた。問題が起こるたびに、その理由を突きつめていくと、結局「トップリーダーと依存的なメンバー」に帰着していた。

明訓は、毎年県総体が終わると1週間後に明訓祭（文化祭）がある。県総体は心身ともに追い込みが激しくなる上に、翌週の明訓祭では、文化祭のトリに約30分のダンス部によるステージ発表が設けられ、大体育館を埋め尽くすほどの観客が来場する。県総体を終え、明訓祭

を間近に控えたある日のこと、一度も練習を休んだことのないHが部活に来なかった。誰もその理由を知らなかった。その理由とは、学校の規則に反することをしてしまったためだった。

Hの謹慎期間中、私は考えていた。Hを追い詰めたのは、本人の心の弱さだけではなく、環境的要因に加え、あらゆる責任をH一人に負わせすぎていたチームの関係性に原因があると思った。本人は、今回の件について全て皆に話した上で謝罪したい、という意思を私に告げた。普段から濃厚な関係性を構築しているダンス部の仲間関係においては、本人が戻り通常の活動を継続していくためには、「なかったことにする」「真実を秘密にしたまま関係を続ける」ことは困難であると判断できた。私はそれを受け、部員全員がこの一件を自分のこととして捉え、この試練を好転させるために、「連帯責任」を利用できないかと考えた（当然のことながら、本人が真実を語るのは、部の信頼関係があるからこそ成立するものであるため、部員には、それを十分理解した上で、秘密を守るよう指導した）。

Hは部員全員に真実を告げ、謝罪した。その時、同学年の反応はというと「つらい思いをしたね」「あなたが必要だよ」といった言葉であった。これまでHに依存してきた立場なのだから、いなくては困るのは当然だ。しかしそれは、自分を守るための言葉にすぎなかった。それを見た上級生と私は、腑に落ちていなかった。なぜなら、過ちを犯してしまった仲間に対し、厳しい言葉を投げかけるわけでもなく、他学年に迷惑をかけたことに対し同学年の立場から謝罪の言葉を出せずにいたからだ。その言葉を同学年から出ることを待っていた。上級生は、こ

の学年の課題をそばで見てきた者として、言いたいことをグッと我慢していたのだ。私は、それにすぐ気づき生徒同士のやりとりを観察した。しかし、当該学年はそのことを感じ取ることができず、正しい答えを探しているような状態が続き、私はしびれをきらした。そこで、私はきっかけをつくることにした。それは、集大成を迎えた3年生に対して迷惑をかけてしまった責任をとり、私と当該学年で「土下座」をしようと切り出したのであった。当該学年はハッとしていた。そして、声を出して泣きながら謝罪をした。

昨日のミーティングを終えて、H自身はもちろんのこと、それぞれの学年で思うことはあると思います。…当事者が一番強く責任感を持つことはもちろんだけど、この明訓ダンス部に所属している限りこの問題は人ごとではないのです。…また「ゼロ」からのスタート。少しでも信頼を取り戻すべく努力します。上っ面だけではだめ。心の底からあふれ出てくる感情が相手に伝わって初めて、意思が伝わったことになります。伝えよう相手に。伝えようとしよう相手に。

平成某年6月16日　部日誌　3年生

もっと相手の表情から、言葉から、人の気持ちをくみ取ろう。その言動の裏側に隠された相手の意図を知ろうとしよう。全国に向かういま、全ての行動に責任と自覚が問われてきます。１人の行動はチームの行動。それを忘れないようにしよう。

平成某年6月17日　部日誌　3年生

多くの多くの人の力があって今の実績があるということを忘れちゃいけない。…思い切り喜んで自分たちの自信とする一方で、冷静に一歩引いて周りのことを感じる感性、謙虚さは大切にしないといけない。…忙しいとイライラして心に余裕がなくなって自分本位になってしまいがちだけれど、そういうときに、そんな自分をふと冷静に見つめて自分で軌道修正する力が必要だと思います。特に忙しいダンス部は。

平成某年6月18日　部日誌　3年生

今日も2年生なしでの練習でした。昨日、今日と2年生はどんな話し合いをしているのだろうか。そもそも今問題にしていることは話し合いで解決する問題なのだろうか。全員で共有して「よし！」とまとまることは大切かもしれないけれど、行動できなきゃ意味がないし、気づかなきゃ意味がない。

平成某年6月19日　部日誌　3年生

2年生のいない日々がだんだん当たり前みたいになっています。心配なのは、時間があった分形だけの反省になっているのではということだ。…錯覚してほしくない。心から感じねば。…何が本質で、自分はどうそれに向き合っていかなければならないのか。それは今回のことだけじゃなくて日々

の生活から言えると思う。自分はこの先どんな人間になりたいか。一度しかない人生、どのように切り開いていきたいか。

平成某年6月20日　部日誌　3年生

ついに2年生は創作の照明案作成に関わることができませんでした。1年生に指導することも、本当は自分たちの仕事ではないのに…この頃はことあるごとにむなしいのです。この気持ちを3年生が抱いていることに気づいているのか、1年生の気持ちに気づいているか、今自分たちの周りで何が起きているのかを気づき、想像しなければならない。いま、2年生に足りていないのは、自分たちの欠点や過去の失敗なんかではなくて、今現在進行形で起こっていることに感性を広げることだ。そうしたら、自分たちがどうあるべきかなど答えはすぐ出てくるはずだ。

平成某年6月21日　部日誌　3年生

今日、その2年生がダンス場にやってきてこの4日間で考えてきたことを報告しにきました。一人一人それぞれに考えたことがたくさんあることは伝わりましたが、その考えを生かして、このときのような「場」での言葉のキャッチボールをしたい。…「2年生」という塊が私たちにぶつかってくるくらいの勢いはまだまだ出しきっていないように思います。また明日からテストオフに入るわけですが、この期間のことを風化させてはいけません。テスト後にどのような行動で私たちに示してくるの

かで、神戸へのチームの勢いも変わると思います。

平成某年6月22日　部日誌　3年生

人が変わるためには自分自身の想像を超えていかないといけないと思います。心のどこかで「これは自分の役割ではない、向いていない、ガラじゃない」自分の中に新しい風を吹かせてやらないと大きくは変わりません。「え、これを自分がやるの？」みたいなことをやってみたり、人と違ったことをしてみたり、皆に発信したり、そこで自分の未熟さやセンスのなさに、恥ずかしくなったりするかもしれないけど、それを経験しないと次のステップにはいけないと思います。…ダンスはいろんな自分が出せます。いろんな自分がいてこそその人は魅力的になるし、ダンスも豊かになるし、周りに影響を及ぼします。自分の色を出す、発信するということは、そういうことだと思います。それができない限り、自分は変わったねと断言したくありません。できる限り促したいですが、難しい。あと1カ月やりきりたいです。

平成某年7月4日　部日誌　3年生

部員の1人が犯してしまった過ちを、メンバー一人一人が自分ごととして捉え、今求められる最善解を見いだそうとする姿が、このような生徒同士の対話の中に見ることができる。そもそも感受性が育っていなければ、理屈ではない微妙な違和感や変化に気づくことができな

い。日々の創造的な活動の積み重ねが、そのような人格を形成していくものと思われた。

ダンスには多様さを包括できる懐がある一方で、ダンス部活動には心身を追い詰める環境となり得る危険性もはらんでいる。生徒の生命に関わる問題に至らないよう、危機管理を怠らないことは重要な視点である。思春期という激動の時を生きる高校生の、抑圧された感情や欲求、行き場のない不安や悩みは、行動や言動、顔や体の表情で表現される。ここぞというときに問題を起こしたり、虚言が目立ったり、過剰に人目を気にしたり、周りが見えなかったり、けがが多かったり、表情が過剰であったり逆に無表情であったり、時間を守れなかったり、他人に意地悪したり、声が小さすぎたり大きすぎたり、一見よい子すぎたり、出来過ぎたりする。本人が無自覚な場合も多い。たまりにたまった膿（うみ）は、病理となり得る。経験や育ちの環境、性格などさまざまな理由が複雑に絡み合って、身体に（で）表現される。日頃の生徒観察をしながら、生徒のシグナルに気づき、少しずつ膿を出してやるのも教員の重要な役目かもしれない。しかしながら、失敗が教えてくれるものも大きい。高校生である利点は、失敗から学ぶチャンスが与えられていること、リトライする機会が保証されていることである。だから時には、生徒が失敗を起こしてくれることを期待し、待つことも、仕掛けることもある。それは、生徒にとって成長のチャンスになり得るからだ。そして、問題が起きたときに、どのような解決策を生み出し、対処していくべきかについて、教員である私自身が体験を通して学んでいたのであ

る。

かつて、私がダンス授業を担当した一般生徒のエピソードで次のようなものがある。

この生徒は、3年次の体育種目のうち、ダンスを選択し受講してくれたダンス好きの者であった。その生徒との付き合いは長く信頼関係ができており、ダンス授業を通して、生徒が互いの多様な表現を受容する姿勢を獲得していた頃であった。ダンス授業では伸び伸びと自己表現し、毎回汗だくで授業を終えていた。

実は、この生徒は、病気が原因で頭髪が抜け、ウィッグを着用していた。ある日の授業時、体ほぐし運動として、その生徒とともにペアストレッチを行いながら私は話した。「カツラ、暑くない？　この授業くらい、とっちゃえば？　全然気にしない、平気だよ」。生徒は、一瞬戸惑いながらもほほえむと「そうします」と言ってウィッグをはずし、体育館フロアのはじっこに置いた。私は「涼しくて、気持ちがいいでしょう！」と声をかけ、床の上に無造作に置かれた髪の毛の塊を見て、「おもしろ～い！」といって全員で一緒に笑った。解放的になったありのままの自分（生徒）は、仲間とともに身体表現を楽しんでいた。

後日、廊下でその生徒とすれ違うと、もうウィッグを着けていなかった。

昨今、ダイバーシティ（多様性を重視する価値観）や、インクルーシブ教育（それぞれ個々にあった教育）という言葉をよく耳にするようになった。性別、障がいの有無、性的指向や性自認、価値観など、違いや多様性を互いに尊重し、認め合い、成長し合うことが社会の目指す

姿として示されるようになってきた。前述の一般生徒であった本人に、本書への掲載許可を得るために連絡をとったとき、こう話してくれた。「あのときの爽快感は忘れません。たぶん先生に言われなければずっと我慢していたと思います。でも勇気がいりました！」。自分らしく生きるための環境は、自分を受け入れてくれるという安心感が必須である。ダンスは、自分が「人と違ってもいい」ことを教えてくれる。

私自身、個性を尊重する価値観が構築されたのは、まさに過去のダンス環境が大きい。かつて大学院入試の面接試験の前日、恩師からこう言われた。「リクルートスーツはやめなさいよ。個性が埋もれちゃうじゃない」。私は、こういったダンスの先生方の価値観が好きで、日本人によく見られる「みんな一緒」「こうあるべき」といった価値観を壊してくれた。これは「ちゃんと自分の感性を育てなさい」「自分を生きなさい」と言われているようなものだ。また、高校時代に行ったアメリカのロサンゼルス遠征でのこと、私たちが滞在したのが同性愛者が多く住むことで知られるWest Hollywoodであった。街中にはレインボーフラッグがはためき、行く先々がセクシャルマイノリティーの専門店だったりして、当時の私は衝撃を受けた。ダンス界ではＬＧＢＴ（性的少数派）の存在は決して珍しくはない。かつて大学院時代に私が所属していたコンテンポラリーダンスカンパニーにも同性愛者のダンサーがいた。「なみへい！オカマをなめんなよ！」などとよくいじられたりしながら、私の常識は修正されていった。そのようなダンサーこそ、内面の繊細さを兼ね備えていて素晴らしい表現者だったりすることも経

験から知っていた。繊細といえば私自身も、幼い頃は喘息やアトピーなどひどく虚弱体質でガリガリの痩身、クラス一ちびっ子、いじめられっ子で、とにかく自分に自信のない人間だった。「こういうもの」と割り切ることや、集団適応が不器用でよく生きづらさを感じていた。当時は、持って生まれた「融通の利かない」自分、「敏感すぎて傷つきやすい」自分を客観的に見つめる術など持たず、自分を責めてばかりいた。そのような人間にとって、常識や正論ほど自分を苦しめるものはない。不器用な私が、「自分でもいい」と思えたのは、自由で懐の深いダンスに出会えたからだ。

学校という現場において、多様性を受け入れてくれるインクルーシブなダンス環境をつくるのは、まぎれもなく教員の働きかけによるものである。教員あるいは部活動の監督は、怖くて威厳があって模範的で近づき難い存在—それは、時に必要な姿であろう。一方でそれは、生徒の発するシグナルを見落とし、問題を深刻にする原因にもなりかねない。生徒一人一人の個性や状況に応じた教員の表現—優しさや鈍感さやひょうきんさ—それは、全体を構成する大切な一人として生徒を受け入れることにつながる。時と場合によって、生徒も変わるし、教員も変わるのである。教員である私でさえ、常に善人であるわけでも完璧でもない。愚かで自信のないときもあるし、得意不得意がある。多面的で可変的な自分、不完全な教員の姿は、時として生徒の心に寄り添うことがある。もしかすると、学校という場、教員という立場は、均一化された「あるべき姿」にとらわれすぎなのかもしれない。

ダンス部活動という、心身を投じたアナログなやりとりだからこそ見えてくる、人間模様がある。自分らしく生きたいというこだわりと、社会でうまく生きていくための譲歩、その比重はいつも揺らいでいる。だからこそ、個々に応じた教育と集団に対する教育、その両面は相互に関連し合っているものであり、尊重されるべきことなのだろう。それは、学校という現場が、人との関係性の中で生きる人間のための、人間による教育だからだと思う。

第5章　創作ダンス部のマネジメント
～ダンス部活動は、アクティブ・ラーニング～

1 「ダンス部」の特殊性

① 知・徳・体を育む人間教育

ダンス部は、運動系の側面もあるが、文化系の側面も持ちあわせている。肉体的な訓練によってコンクールなどの高い目標に挑戦することもあるが、活動目的はそれだけではない。学校や地域における奉仕的な活動や、学問的、芸術・文化的領域も広く包括できる種目でもある。ダンスという好きなことを主軸にしながら、学校や地域など身の回りで起こる全てのことが学びとなり、それがダンス（好きなこと）につながっていく。

身体を手段とし、運動で表現するダンス

衣装制作（ダンスの文化的側面）

ダンス部とそれ以外の双方向を行き来しながら学びを深め、豊かな人間形成を可能にすると思われた。それは、作品創作などの創造的活動においても、踊るといった表現行為においても、鑑賞する際の審美眼や教養などにも影響する。このように、ダンスの「踊る」「つくる」「みる」といった多面的な特性は、生徒の人間形成を支援する上で、多様なアプローチを可能にしてくれるものだ。

さらに、ダンスという表現領域は、「身体を媒介としたコミュニケーション」ともいえる。ダンスでいう「身体」は「心と体まるごとの身体」である。この「身体」がコミュニケートする過程は、「唯一無二の個」としての生徒、その一人一人を尊重し、自分とは異なる他者（個）を知る機会となる。しかしダンス部に加入するような生徒層は、比較的集団活動や一体感を好む傾向がある。日本の教育が、他国と比較して、個性・創造性を伸ばす点において劣るということは頻繁に指摘されるが、ダンスの特性を生かす部活動、つまり「個」が息づくダンス部にするために、個を集団に埋没させることなく、一人一人の個性を尊重する教育活動として成立させる必要がある。

チームの中で行動したり、集団の中でルールを決めて生活するのは小さい頃からあまり好きじゃなくて、協調することに喜びを感じることはあまりなかった。自分から思い立って、やりたいと思ったことを実現するために周りに呼びかけたりすることはあっても、学校などで、やりたくないと思って

いる人にまで無理に同じことに取り組ませようとするやり方には好感をもてなかった。

ダンス部で、一人一人が尊重される集団の形があることを感じることができて、この集団の中でなら、誰かのためとか、成長のために一生懸命になれると思った。でも、いざ集団に適応しようとしてみると、今までだらしなく、好き勝手にやってきたことがあだとなって、みんなにできて、自分にはできないことがあることに気づくことができた。

平成某年12月「今年を振り返って」ダンスノート　1年生

【部日誌に挟み込んだ文献コピー】

コーチングクリニック2013．10．p．36－37「川上博士のスポーツ芸術学部　34講義目『個性と同調性』」

② ダンス部あるある

私が赴任した当初、ダンス部特有のお約束事や儀式があった。それは、「おはようございます」という挨拶である。これは芸事に携わる人間はよく行う風習で、劇場入りすると、それが朝であろうが夜であろうが「おはようございます」と声をかけるのだ。当時のダンス部は学校においても、それを行っていた。ダンス部関係者が擦れ違えば必ず「おはようございます」と言う、謎の伝統が受け継がれているのである。他の教員や一般生徒から、なぜダンス部はいつ

も「おはようございます」と言うのかと、よく聞かれた。そのたびに、「業界用語です」と答えていた。部員は伝統だからという理由で、疑うことをしないのだ。私は長く続いたであろう伝統挨拶「おはようございます」を廃止した。ＴＰＯに応じた挨拶があるでしょうと。また、明訓にはなかったが新潟の他校ダンス部によくみられる風習で、バレエの5番ポジション（片足のかかとを逆足のつま先につけ、クロスで立つ）や、ルルヴェ（5番ポジションでつま先立ち）でご挨拶をする姿がある。条件反射のように「はい、ありがとうございました！」「お願いします！」と返事をする。会話のたびに「はい！はい！」と連発するのだ。挨拶ができることは素晴らしいことであるものの、内容を理解しないままに「はい！」と反射的にお返事するのはいかがなものか。一種の刷り込みであり、疑わず、考えず、分別もなく行動することは危ういことでもある。このようなダンス部特有の文化が生み出される理由には、「強豪校」の存在が大きいと推察する。強豪校がやり始めたことは、他校はすぐに真似するのだ。また新潟県のダンス部（主に強豪校）に共通した文化では、女子は髪の毛を長く伸ばし、ショートヘアはほとんどいない。ヘアスタイルについては、私はショートヘア容認派であった。赴任から5年間ほどはショートヘアの生徒もいた。けれども、放っておけば自ら文化を作り出し、明訓ダンス部も、いつしか女子は皆ロングヘアに統一されていた。ちょうど時期を同じくして実績も上がっているから不思議だが、相関があるのかは定かではない。また、ダンス部の加入者は全国的に見ても圧倒的に女子が多く、男子はいまだに少ない。事実として明訓ダンス部において

も、男子部員の獲得に苦慮し、当事者もその偏見にさらされてきた。これは日本の舞踊教育が、女性の社会進出、女子高等教育の推進、女子参政権運動などの動きの中で発展してきたという女子体育史との関連も大きいのだろう。現場において「ダンスは女がやるもの」という固定概念はまだ根強いかもしれない。

ダンス部に限らず部活動の強豪校は、特殊な文化を持っていることが多い。ある時、明訓がバスケットボールの大会の会場になっていた。ギャラリーからのぞいてみると、強豪校とよばれるチームが、何やら不思議な儀式を行っている。円形で1人の生徒を囲い、中心の人物が物すごい集中力で何かを唱えては、皆が復唱している。異様な雰囲気である。バレーボールの練習試合では、体育館から「おーい、おーい」と声が聞こえてくる。誰かを呼んでいるのか？と不思議に思ったが、そうではないらしい。創作ダンスの全国大会では、公式練習をする先輩たちに向かって、後輩たちが「手を組むお祈りのポーズ」をしながら、全員スタンディングで熱きまなざしを送り続けるという光景を見る。皆が、その行為に疑いもなく心酔している（ようにに見える）。そのようにチーム独特の文化、つまりそれが特殊な掛け声であったり、特殊なルーティーンだったりするものが存在する。生徒主体で行われる「部活動」という場には、客観的に見ると突っ込みどころの多い、面白い現象が頻発する。それが時に理不尽で危うい方向へ行ってしまうことも否定できない。同調意識とは、安心感と絶対的自信を獲得するためのおまじないかもしれない。

県高校総体では、他県から審査員を招聘することがあるが、「新潟県のダンス部はお行儀がよい」とよく驚かれる。県民性もあるだろうが、新潟県ダンス部の場合、いわゆる強豪校は「創作ダンス」を主軸に活動しているところが多い。ジャンルの持つ文化特性も影響しているのかもしれない。それは身体性にも大きく影響すると考えている。多くがクラシックバレエやモダンダンスのトレーニングを行うであろう「創作ダンス」部員は、重心が高く背筋をピンと張る身体性が訓練によって刷り込まれている。一方、ストリートダンスは重心を低く落とす動きが特徴である。そもそもヒップホップをはじめとするストリートダンス文化には、反社会性（ドラッグや暴力）やアンダーグラウンドなイメージを併せ持っているのも事実である。そこには、ストリートダンスが生み出された歴史的・文化的背景が影響しているからだ。県によっては、ヒップホップを愛好するダンス部人口が多いところもあるだろう。ストリートダンスの持つファッション性や身体性に若者が惹かれる理由も理解できる。最近ではダンス授業における「現代的なリズムのダンス」の導入や、世間の流行も相まって、アングラなイメージは随分と軽減されただろう。一方で、生徒の安全を守る責任のある学校という現場では、ストリートダンスの持つ文化特性を理解しつつ、そこから社会一般に必要とされる「社会性」を切り離して考えることのできる柔軟さが必要となるだろう。このことはストリートダンスに限らず、学校という現場において「自由を教える領域」が共通して抱えることになるジレンマである。

③「個」が息づく集団活動

ここで確認したいのは、自由に表現するために必要な「個」としての力である。前述の通り部活動という特殊な集団活動や、学校という現場、高校生という年齢においては、同調意識が働きやすく、時に既成概念や偏見、無意識の刷り込みやとらわれを生み出している可能性が高い。ダンスという創造的活動には、これらを客観的立場で眺めることのできるニュートラルな視点が不可欠である。何を自由と捉えるのかといった議論は、簡単に答えの出るものではないが、ダンス部活動が自分にとって「自由とは何か」を考える契機になり得ることはいえるだろう。実生活で直面する秩序や統制の中で、自分らしい個人としての自由な表現とは何かについて考えていくのである。

2 組織の一員としての自覚 ―1人1役―

社会性・協調性―つまり、時間を守る、挨拶ができる、清潔感のある身なりなど、人が社会との関わりの中で協調しながら生活していくために必要な力の獲得には、「型」や「決まり事」が必要である。しかし、ルールや規則は、外から縛られるほどにあらがいたくなるのが世の常である。親から一定の距離をとりながら、自らの意思で行動を選択し決定していく高校生

期には、「なぜそれが必要なのか」といった本質的な問いと回答を自分の内側に持つことが重要となるだろう。私は教員として、一般的な正しさは示しつつも、強いることは極力しなかった。あえて、失敗してみて分かることもあるだろうし、問題を生徒同士が発見し、修正し合う関係性が必要だと思うからだ。当然、それが原因で他人に迷惑をかければ、私は叱責（しっせき）する役目を果たさねばならない。

とはいえ、私も「皆が当たり前にできること」が苦手である。対人関係に必要な技術発揮に、疲れてしまうときもある。「できて当たり前」のことが、当たり前に習得できずに生きづらさを感じている人は、少なからずいるのではないだろうか。だからといって、社会の歩み寄りに依存しすぎるわけにはいかない。できない自分を自覚するたびに、自己肯定感を下げる悪循環を断ち切りたい。だからこそ、そこに寄り添える人々の存在や環境は重要なのであろう。

新潟市民の前で挨拶する代表生徒

①　何のために部活動をするのか

今日の練習では、チアの前半部分を仕上げることを目標に活動していました。しかし、時間ぎりぎりまで使ったのに、あまり

役職（人数）	おもな職務内容
主将（1）	チームの統率、監督と部員のつなぎ役、月間・日間スケジュールの作成
副将（1）	主将の補佐、主将と他部員のつなぎ役、月間・日間スケジュールの作成
プレーイングマネージャー（1、2）	部費などの徴収、会計、けがの応急手当て
音響・照明（1、2）	選曲、PCによる音響編集、CDなど音源準備、照明計画書の作成
衣装・舞台美術（1～3）	衣装デザイン案の作成、布地・素材選び、型紙起こし、試作

明訓ダンス部の役職

進まなかったように思います。もっと効率のよい練習をするには、1年生がもっとやりたいことを言わなければならないのではないか、また、その意見が素早く通るように行動しなければならないのではないかと思います。この能力は、社会でとても必要とされる能力だし、習得が難しい能力だとも思いますが、毎日大半の時間を費やしているのだから、それくらいの能力は習得できなければならないと感じました。

平成某年8月19日　部日誌　1年生

何のために部活をやっているのか、その本質的な問いは、苦しい局面に追い込まれたときほど直面させられるものかもしれない。日誌にはさんだコピーは、経済産業省が提示している「社会人基礎力」です。部活はプロダンサーを輩出する場所ではありません。もちろん、ダンスの魅力にとり付かれ、ダンスをけん引してくれる人材を育てたいという思いはあります。しかし、部員の多く

は、いずれ組織に所属し働くことになるでしょう。今やっていることを、将来どのように生かしていきたいか、意識しながら日々の活動に取り組んでほしいです。

佐藤菜美　返信

【このとき部日誌にはさみこんだ文献コピー】
経済産業省「『社会人基礎力』とは」

②　役割と責任

明訓の場合、ダンス部の指導者は、監督（正顧問）、副顧問（一般教科教員）１、２名が配置されていた。関東の私学で見られるようなコーチやトレーナーなどはいない。明訓ダンス部は、各学年で約10人前後という少人数チームだ。リーダー学年の役職については、監督と引退した3年生との相談によって決定する。交代時期は、夏の全国大会終了を境にして引き継ぎを行う。リーダー学年の部員は、主将１名、副将１名、プレーイングマネージャー１、２名、音響・照明係１、２名、衣装係１〜３名にそれぞれ配置され、全員が必ず何かしらの役職に就くことになる。

全国大会（全日本高校・大学ダンスフェスティバル）の規定人数（創作コンクール部門）は、

最大30名であるが、明訓ダンス部は「補欠」などメンバーに入れない部員はいなかった（部員が30名を超えることがなかったという理由もあるが）。他校の多くが、大会の出場メンバーを3年生主体で構成する中、明訓の場合は全学年全部員をメンバーに入れるという選択をしてきた。したがって、高校からダンスを始めた新1年生が、入部から約2カ月で総体に出場、全国大会に行くというミラクルが起こる。当然新1年生の技術不足をカバーする、演出的戦略を練る。50～80人規模の他校チームと比較すると、必然的に競争意識が育ちにくいため、意図的なしかけが必要になってくる（それについては、後述する）。

明訓は1年生のときからコンクールの舞台に立つことができ、部員全員が選手としての活躍の場を保証されている。全国大会のメンバーに一度も選ばれることなく引退することも、スタメンは屋内、補欠が屋外で練習する差別化も経験することはない。Aチーム、Bチームがあるわけでもない。必ず1人に一つは仕事をもらうことができ、役職につかない人などいない。理不尽な上下関係もなく、うまくいかないことがあれば親が出てきて解決してくれる。またとなりで他の部が練習している状況で作品創作をしなくてもダンス専用の場所があり、巨大スピーカーから流れる大きな音の中で練習することができる。夏は冷房、冬は暖房がついて、冷たい床の上で足の感覚がなくなるまで練習することも、何重にも稽古着を着て練習することも、夜中まで練習することも、この明訓においてはない。（中略）

がむしゃらに、気合と根性で、一生懸命、われを忘れて取り組むことも大切である。しかし、失敗

の原因や自己の弱さに目を向けなければ、問題の解決の糸口をつかむことはできない。すなわち、夢や目標を達成することはできない。

　皆さんには、物事の本質を見極める力をつけてほしい。表面的なことにとらわれてはいけない。

　平成25年6月4日　県総体を終えて　佐藤菜美

　下記の図は、平成19年度・20年度については県総合体育大会（6月）の登録人数を、それ以降は全国大会（8月）の登録人数をグラフにまとめたものである。平成21年度は、初の全国入賞を果たすものの部員が10名と激減し、3年生引退後翌春までの間、たった2人となった。その後2年間は、どこかの学年が欠けている状態であり不安定な時期を過ごした。

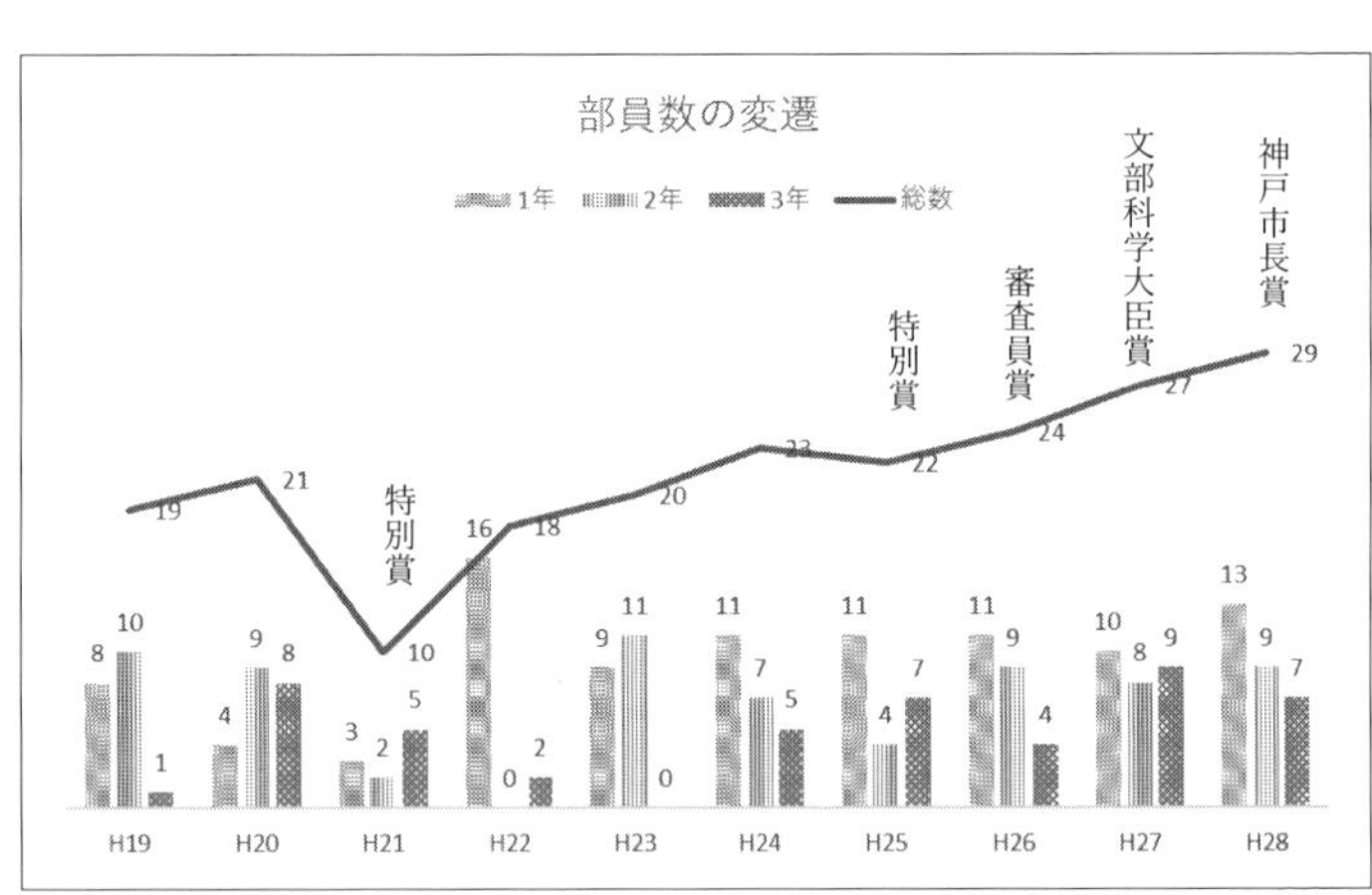

※　平成19年度・20年度については県総合体育大会（６月）の登録人数、それ以降は全日本高校・大学ダンスフェスティバル（８月）の登録人数を記載

4年ぶりの全国入賞となる平成25年度からは、ダンス部入部を進路選択の基準にして明訓を選ぶ中学生が徐々に増え始め、志があり身体的スキルも比較的高い人材が集まるようになる。また、明訓は中高一貫校であるが、中学部にもダンスクラブ（同好会程度）が存在する。その中学部にも同様の傾向がみられ、平成23年度ごろから一貫生が高校進学後もダンス部に入部し、他校から入学した高入生とともに切磋琢磨する好循環が生まれていった。

一方、実績が伴うほどに難しさも浮上するものだ。

最近のダンス部を指導していて感じることがあります。それは、明訓ダンス部がブランド化しているのではないか、という疑念です。高い志や憧れを抱き、入部してくれることはとても嬉しいことだし、ありがたいことです。しかし、それを身にまとっていることに天狗になってはいないだろうか。果たして皆さんは、それにふさわしい人間であるのだろうか。必要な能力は備わっているのだろうか、あるいはそれが培うよう相応の行動を起こしているのだろうか…。

たとえば、SNSなどで「自分がいかに充実しているかアピール」し、皆が自分に興味を持っているわけでもないのに、いったん立ち止まって心の制御もせず、自分を客観視もせず、ただ直感的衝動的に感じたことを発してはそれを顧みることもしない。そんな現状があることは否定できませんね？疑問さえも抱いていないのではないでしょうか。自分を注目してくれている快感と、他人より優れているという勘違いと、自分の感覚や世界が全てであるという錯覚に、気がつかないまますますエス

カレートするありさまです。そのような人に、物事を深く考えたり、さまざまな角度から物事を考える力が身につくでしょうか。自分やチームの問題を見据えることができるでしょうか。それは、ブランド化する明訓ダンス部にすがりついているだけでしょう?

平成某年11月　秋季発表会を終えて　部日誌　佐藤菜美

明訓ダンス部では、チーム内における濃密なコミュニケーションを図ることを重要視してきた。あくまで個人的な感覚ではあるが、意思疎通が図れる最大部員数は多くて30人前後（各学年10人前後）が限界であろうと思われた。結果論にすぎないが、指導者が生徒一人一人の状況に目を配りつつ、クリエイティブな活動を行うに適した人数、あるいは指導者と生徒、生徒同士が互いに信頼関係を構築するための人数としては、このくらいが限界だろうと考える。

③　小さな社会

部活動は小さな社会である。残念ながら実社会に出れば、時に理不尽な出来事に遭遇する。昨今の働き方や生き方は多様であるし、生徒の進路選択は本人の自由に委ねられるが、その多くがいずれ組織人として働く可能性が高い。多様な価値観を持つ人々と関わらねばならない。社会性を持たずして個人の正義と理想を主張するだけでは、むしろ「生きづらさ」を感じてしまうだけである。バランス感覚と柔軟さは、持っていた方が生きやすそうである。明訓ダンス

部では、日本社会やスポーツ集団ではよくあるタテ社会、つまり先輩・後輩の上下関係や学年の役割については、最低限度の節度を持つよう指導していた。下級生にしかできない下積み経験や、上級生としての責任ある立場、言葉遣いや立ち振る舞いなど、その学年だからこそ味わえる体験があることは事実だ。時に我慢を強いられることもあるだろう。「理不尽さ」が果たして教育的ではないのか、理不尽を徹底的に取り除くことが生徒を守ることにつながるのかということの是非は、教育者として常に葛藤がある。そのような中で、明訓ダンス部の指導では、多少の理不尽さは見過ごせても過度に権力をふりかざすような関係づくりに走らないように配慮はしていた。感謝や敬意を行動に示すことが、つまりどのような振る舞いなのかを体験によって知ることには意味があるだろう。心が行動に伴うことが理想だが、たとえそれが形だけであったとしても、行動できれば学習としては充分であるような気がしている。

2年生には、リーダー学年としてのプライド、センターとしてのプライド、チームに意見できる自負が不足しているように感じます。自分の練習にばかり時間を割いていてはいけないし、意識の低い1年生にはガツンと言える気迫が必要です。（中略）持論なのですが、威厳や自信などというものは、最初は箱だけでいいと思うのです。まず外見です。人から見えるところだけきちんとしておくのです。まずは、部下に自分の大きさを知らしめる必要があります。中身はあとからもっと実践を積み重ねる中で、埋めていってても遅くはないと思います。最初から中身も外見もとなると、小さいところか

らのスタートになってしまい、結局なめられてしまうと思うのです。から元気だけでやっていくことはできないけれど、時にはつらくて弱いちっぽけな自分を押し殺し、頼れる大きな先輩を演じることも必要だと思います。いずれそれが、本物になってしまえばいいのです。

平成某年12月25日　部日誌　3年生

ダンス部の一員としての振る舞いを学ぶ場として、象徴的なのは合宿である。春季（5月GW）と夏季（7月末）の年2回にわたって実施され、いずれも2泊3日行われる。

春季合宿のねらいは、県総体に向けた作品創作と新入部員に明訓ダンス部の一員として自覚を持つことである。3年生の集大成に懸ける意気込みと大会を間近に控えた焦燥感とでピリピリムードの漂う中、中学校を卒業したばかりの初々しい新入部員が、同空間に同居することになる。入部して間もない1年生も大会メンバーとして出場させる明訓の特性柄、短期間でチームの結束を強める必要がある。この合宿で、ダンス技術はもちろんのこと、チームとしての振る舞いについても徹底的に基礎固めを行う。1年生の指導係は主に2年生である。3年生は、チームリーダーとしての務めのほか、創作作品の作者として濃密なミーティングを行う。

合宿の醍醐味は、体力的な追い込みや表現の追求だけではない。寝食を共にし、身の回りのことを協働して行うことに、大きな意味がある。食事の配膳や準備、就寝時の布団準備、洗濯や掃除、風呂場や洗面所などの共用スペースの使い方など、普段親任せの生徒も合宿となれ

ば主体的に動かねばならない状況になる。そういった環境が、生徒の主体的な学びを可能にする。なお、学校外に宿泊するような場合、部屋割りは、監督と主将との相談によって決める。関係が希薄な生徒同士をあえて同じ部屋にしたり、いつも一緒にいる者同士を離したり、次期リーダーには現主将と同室にしたりなど、あらゆる策を練る。そこで新しい対話が生まれることを願い、コーディネートするのだ。

3　信頼関係を構築する　―コミュニケーション―

ダンスをはじめとする創造的活動には、自由に意見し合える関係性が必要不可欠となる。けじめとしての「社会性」、創造的活動を行う上での「自由と平等」この両者のバランスは、指導者が意識的に環境づくりを行わないと実現できない。

実生活において誰彼構わずに本音で対話をしていたら、関係性を維持するのは難しい。しかし同好の生徒で構成される部活動では、他者との深い関わりを可能にする。特に傷つくことを恐れ保守的になりがちな高校生期の人間関係において、主体的に言動を起こしていく能力やコミュニケーションの力を持ってもらいたいと願っていた。互いの異なる個性や能力を、直接的な対話によって学ぶ場を大事にしていた。ミーティングは幾度も重ね、発信―受信の双方の

力を構築していく。練習では生徒同士で見合うことで、自ら課題を発見し、伝え合う環境づくりに努めていた。部日誌や個人のダンスノートは、部員と、監督と、自己の心身との対話を図るツールとなり活用されていた。また、不定期で発行される「ダンス部たより」は、部員のみならず保護者とのコミュニケーションを可能にする。

〇〇は、バトンをやっていたらしいです。いろんな経験をしてきた人が集まって、いろんな個性が出せると面白いと感じました。これまでの経験を今いる皆でもっと共有していきたいです。たぶんまだお互いのことを知ることができそうです。

平成某年7月7日　部日誌　2年生

①　ミーティング

大会や行事が終わると、必ず振り返りを行っていた。1人ずつ皆の前で話すこともあれば、学年ごとに振り返りを行い代表者が発表することもある。次回に向け進展するために課題を共有することが大事になる。時にチーム全体や学年あるいは個人の問題が見過ごせない状況になり、必要に迫られて行うミーティングもある。そのようなときは、けんか別れで終わるのではなく、必ず前向きな方向に向かうための対話であることを共有した上で、本音で対峙(たいじ)するよう仕掛けていた。人ごとではなく、自分ごととしてチームの問題と向き合わせるのだ。

人との関係は一度壊れたら元通りには戻らないと思います。前より良くなるか、悪くなるか。相手の言葉を素直に受け止められたり、指摘したりできるのは、お互いが信頼しているのはもちろんだけど、相手への尊敬の感情があって成り立つのだと思います。どんなことも言い合える仲は、〝お互いを意味もなく傷つけ合う〟こととは違います。親しき仲にも礼儀が必要です。

平成某年6月11日　ダンスノート　3年生

関係構築のために、よく実施していた手法がある。それは、部員一人一人の長所と短所、尊敬するところと改善すべきところなどをシートに書き出し、本人を前にして直接伝えるという手法だ。これは、クラスの生徒にも実施したことがある。マイナス面を書き出す際は、人権を否定するのではなく、あくまでチームの関係性をよりよくする上で改善すべきことを伝える。これを、学年関係なく全員分行う。後輩から先輩の短所を指摘するのは勇気がいることだ。彼らのシートをいったん回収して眺めてみると、オブラートに包みすぎて、肝心かなめの改善点が定まらないコメントが多い。「時々口調が強すぎるなと思うこともありますが、でもそれは私たちを思ってのことだと思うので…」といった具合に。空欄なども目立つ。相手に遠慮し、自分を守っている段階である。それを指摘し、再度返却、記入させる。直接的な対話が終われば、用紙を切り取り匿名のまま本人に渡していく。手渡された紙片をダンスノートにスクラップする生徒もいた。

この手法は、私が大学時代に受けた心理学講義で体験した「ジョハリの窓」注）を活用したワークである。自身の長所を確認し自信を得るとともに、自己の課題を自覚し修正する機会として有効である。

注）ジョハリの窓（コトバンク）
・ジョハリの窓とは、自分をどのように公開し、隠蔽（いんぺい）するか、コミュニケーションにおける自己の公開とコミュニケーションの円滑な勧め方を考えるために提案されたモデル。
・米心理学者ジョセフ・ルフトとハリー・インガムが発表した「対人関係における気づきのグラフモデル」のこと。
・ジョハリの窓には、「公開された自己」(open self)、「隠された自己」(hidden self)、「自分は気がついていないものの、他人からは見られている自己」(blind self)、「誰からもまだ知られていない自己」(unknown self) があるとしている。
・これらを四つの面として捉え図解し、誰からもまだ知られていない自己の面が小さくなれば、それはフィードバックされているということであるし、公開された自己が大きくなれば、それは自己開示が進んでいるととることができる。

今日、自分たちの学年について皆で話し合いました。自分はいかに個人主義であったか気づかされました。そして、他人と接することを煩わしく思ってしまういんうつな自分の存在にも気づきました。おそらくそいつが2年生に頼ること、1年生に接することを妨げていると思うのです。それは逆に他の1、2年生が自分に頼り、接することの妨げになっていると思います。今の自分には他人に関

心を持って気遣い、発信することが必要だと感じました。本当の意味での「他人に頼られたければ、他人を頼りなさい」という言葉を理解した気がします。

平成某年10月25日　部日誌　2年生

皆さんに求めるのは、高い次元での「依存」です。甘えきって、自分のやるべきことから目を背けたり、自分の内だけに問題をとどめておくことは、このレベルではありません。あなたが上記に述べている通り、互いの成長のために高度依存を実現させてほしいです。明訓生の気質として、個人主義は多いと思っています。他人に興味を持ち、見えないものを想像し、発信する―それが自分の成長につながるはずです。

佐藤菜美　返信

合宿での創作ミーティング

② 部日誌

部日誌は、1日1人が担当し、順番に回していく形である。毎日の練習内容やその感想、最近感じていることなどを記載し、監督に提出する。監督は返信後、その日の練習終わりに記

載者に返却すると、記載者から次の担当者に手渡される。部員が約30名いるとすれば、次に回ってくるのは１カ月後となる。

１年生の頃は、枠を埋めるだけでも一苦労である。日頃から何かを感じ考えていない限り、ネタ不足に困って、それを文章で表現できるだけのスキルも必要になるからだ。２、３年生になると、その枠もページもはみ出してしまうほどになるから、面白い。はみ出すのは、生徒だけではないが。

生徒は約１カ月ぶりに回ってきた日誌に、ワクワクしながら目を通す。全員分一通り読み終えるのにそれなりの時間を要しながらも、仲間の考えや価値観に大きな刺激を受けながら、自分の内面をアップデートしたり、修正したりしていく。この人はこの気持ちをこんな言葉で表現するのか、といった発見もある。そして、自分なりの新たな発信を試みる。また、生徒にとって監督の存在は大きく、どのような返信がくるのか内心ドキドキしている。監督自身も、生徒から投げかけられるさまざまな問いや疑問に返信するたびに、迷ったり試されたり主張したりしながら自己を発信している。

どうやらこの部日誌を、保護者ものぞくことがあるらしい。部屋の片付けなどの際に部日誌を発見すると、こっそり見ているのだ。保護者との宴会でそのことが判明すると、「私と生徒との秘密の会話なんだからやめてくださいよ～！」などと笑い話になる。一方で、指導者がわが子をしっかり見てくれていて、子どもの考えていることが分かると保護者は安心するの

だ。それにしても、「のぞき」はほどほどにしてほしいのが本音である。

また、気になる文献のページや新聞・インターネットのニュース記事、個々のダンスノートで書かれた魅力的な内容などは、部日誌にはさみこまれる。「こんなのに行ってきました！」「こんな記事がありました」など生徒からのそれも行われる。みんなとシェアしたい魅力的な話題をどんどん取りためていくのである。普段から知的な好奇心を持って情報を集め、考えを深めていれば、ネタに困ることはない。教員自らそれを楽しんでいた。

このように、部日誌は効果的なコミュニケーションツールとして活用されていた。

初めて日誌を渡されたときは、「この四角の中をいっぱいにしなきゃならないのか」と思いました。しかし、怒られた日も褒められた日も、菜美先生がどんな返信を書いてくださっているのかがすごく楽しみでした。全国後には、もう日誌に触れることはないんだと思うとさみしいです。

平成某年7月14日　部日誌　3年生

交換日記しますか？（笑）

人は誰しも、人に認められたいという欲求を持っています。だから、普段から皆さんをできるだけ公平に観察したり、コミュニケーションをとるように心がけているつもりです。そして、この日誌を通して一人一人がどのようなことを思っているのかを知り、そこから学んだり負けられないと思った

り…それこそが日誌の意義だと思います。

皆さんの学年はとにかくよく書くなと感じています。思いがあふれてくるという感じでしょうかね。私もそういうタイプですが、かつてはそうではありませんでした。やはり、本来文章はたくさん書こうと思って書くものではなく、思慮が深くなればなるほどに書きたい（伝えたい）ことがたくさん出てきますよね。ダンスと同様に、「こういう言い回しでは人には伝わらないかな」と常に自己に問いながら書いていくことが大切だと思います。もちろん受け取る側の経験値や考えの深さにもよるわけですが。

佐藤菜美　返信

最後の日誌になってしまいました…

この日誌を通して、文章を構成する力、自分の言葉で気持ち、考えを伝える力などは養われたと感じています。他にも、相手との意識の共有は勉強しているだけでは決して力はつかないと思うので、本当に感謝しています！　1、2年生も日誌を大切にしていくと成長できるよ!!

平成某年7月15日　部日誌　3年生

学年が上がるほどに、部日誌への思いは強まっていく。ある日、3年生が最後の日誌を提出しにきた。「ありがとうございました」。泣きながら、私に日誌を渡すのだ。きっと書いてい

るうちに、これまでの部活動を回想したのだろう。私ももらい泣きしてしまった。でもよくよく考えたら、まだ全国大会終わってないよ！

これが最後の日誌なんですね…この日誌とともにきた歩みも最後。自分はダンス部に入って良かった。ダンスに出会えて良かった。どれだけの時間か分からないくらいダンスをして、これからもずっとダンスをしたい。それって「献身」だと思うし、つまり「愛」なんだと思う（何かの歌の詩みたいね）。私は、ダンスを愛しています。そうしたら、どれだけの時間か分からないくらい一緒にいて、これからもずっと付き合っていきたい仲間ができた。みんなのこと本当に大好きだよ、愛しています！（笑）。みんなに会えて幸せでした（おい、死ぬなよ）。このメンバーでたどりつきたい場所があるんです。だから力を貸してください。絶対にたどり着きたい。

平成某年7月30日　部日誌　3年生

まるで四季が過ぎ去っていくように、まるで桜がはかなく散るように、まるで地面に落ちた雪が解けてなくなるように、一瞬にして終わる形なき瞬間芸術―ダンス。はかなく悲しみや寂しさを伴いながらも、それは美しい…。知れば知るほど、考えが、人生が奥深くなっていくような気がしますね。

泣くなよ（笑）もらい泣きするじゃないー。ダンス部に入ってくれてありがとう。あなたの人柄がつくる皆の輪は、愛にあふれ、皆の心を動かします。踊りでも、生きること自体も、伝えたいことで

いっぱいなんだと分かります。ちょうど2年前でしょうか、人には言えない悲しみを抱え、あの頃のあなたは消化しきれなくなっていましたね。いまや現実を冷静に受け止めつつも、癒えない傷を埋めるように、前向きに生きているその姿に感服します。
ダンスはあなたの人生そのもの、そう考えたら、少しは自分を肯定できるのではないだろうか。この作品も、あなた自身がたくさん詰まった作品になったね。熱くて涙もろい、寂しがりやで、人目を気にする小っちゃいやつだけど、絶対になくてはならない存在です。あなたが必要です。

佐藤菜美　返信

③　ダンスノート

一人１冊用意される。用途は主に、行事や大会の前後の、抱負や振り返りの場になる。また、舞台や美術館などの芸術鑑賞を終えたあとのアウトプットの場にもなる。加えて、芸人でいうところのネタ帳であったり、自己との対話を図り、内面を吐き出す場所であったり、監督との秘密の交換日記（お悩み相談所）になったりする。

よい原稿は、コピーをとり部日誌に挟みこまれることもある。部員が増えるのは喜ばしいのだが、十分に応答するのに時間がかかりすぎる。私もつい面白くなって、書きすぎるから大変だ。生徒は返信を待っているのだから、ついやってしまいがちである。自分を見てくれている、この安心感が真情の発露となる。

ダンスノートが義務化したり、形式化しすぎたり、記述に遊びや本音が見えなくなってくると、監督の感性センサーが働いて警報が鳴る。

正直なところ、ここ数年のダンスノートは面白くありません。ただチェックするだけの日々です。以前から、なぜだろうと考えています。そもそも、当初のダンスノートの意図は、ただイベント前後の感想文を書き記すだけの記録用紙ではありませんでした。日々生活している中で、印象に残った出来事や言葉、風景などをメモしたり、スクラップしたりして、良い意味で汚してほしいのです。時にはキャンバスになったり、時にはパッチワークやスクラップブックになったり、時には言葉の文集やポエムの手帳になったり、時には事務的な記録用紙になったり、自分の性格的傾向を分析する研究ノートであったり…とその活用はさまざまであってほしい。すなわち、これが作品のネタ帳になるような用途として活用してほしいのです。また、舞台鑑賞後や、イベントを終えた後のあふれ出るような感情を吐き出す場所にもなってほしいし、私との交換日記（相談ごとや内緒話をする場所）かもしれないし…。つまり、自己成長のためのネタ帳です。

（中略）やはり、私はこのノートを通じて皆さんとコミュニケーションをとっていたはずでした。しかし、どこか一方通行で、決意表明が書かれているだけのものとなってしまいました。それは、部活動においても言えるなと感じています。つまり、私は君たちとの距離を感じているのかもしれません。かつては、たくさんの「なぜ」が散らばっていました。また、たくさんの「面白いこと」や「ふ

しぎ」が詰まっていました。それを見て、よくコメントをしたものでした。「先生はどう思いますか?」何てことはよくあって、こちらも鍛えられたし、何より楽しかった。また、イベントがなくても、「ノートを見てもらってもいいですか」なんて個人的に来ることもしばしば。ダンスノートが自分の内面と向き合う居場所になっていたのでしょう。あふれ出す感情がそこに確実にあって、誰かに分かってもらいたい、他人はどう思うのか知りたい、疑問や好奇心があったからだと推察します。しかし、皆さんのノートはそうではありません。それは、現状や日常に疑問を感じていないからでしょう。また、自分中心で他人への興味が不足しているからでしょう。きっと、現状に満足していて心が満たされていると勘違いしているからでしょう。だから、日常にあるさまざまな「なぜ」や「おもしろい」や「ふしぎ」が見えてこないのではないでしょうか。

（中略）…書きながら、自問自答しています。ただの私のノスタルジー（過去を懐かしむこと）だろうか、と。また、「あふれ出す感情」そのものがないのに、「出せ」と強要する私もなんだか違う気もします。だとすれば、私の力不足なのかもしれません。皆さんの心を育ててあげられていません。

平成某年　部日誌　佐藤菜美

【このとき部日誌にはさみこんだ文献コピー】

北川達夫・平田オリザ『ニッポンには対話がない　学びとコミュニケーションの再生』三省堂

4　表現力や感性を磨く　―感受性―

自己の内面を自身の身体を用いて表現する「ダンス」には、豊かな感受性を育む機会が必須である。環境や人との出会いによって影響を受けながら磨かれていく高校生期の「こころ」に対して、教員がどのようにアプローチするかは、生徒の将来を左右するといっても大げさではないだろう。表現（内的なものを外に伝えようとする）以前に、身の回りで起こるさまざまな事象に対して、気づいたり感動したり疑問に思ったりする感性が育たなければ、表現力を伸ばすことは難しい。とかく感受した内容や出力された表現に対し、教員が否定的になったり、指導者の嗜好（しこう）に向けようとしたりしがちであるが、極力「多様性」が生み出されるような雰囲気づくりを大切にしていた。この「多様性」を生み出すしかけや「個」を際立たせていく作業の具体的な方法は、さまざまな場面で意識的に行われる。

①　孤独な時間

高校生は「みんなで」一緒に何かを行うことが好きである。しかし、表現芸術やダンスの深みを知るためには、孤独な時間も大切である。周囲とコミュニケーションをとる中で、自己理解が深まることは大いにあるものの、依存関係になりがちであることも否めない。誰にも頼

ることができない孤独な状況によって、自分の頭と心と体を「思考させる」ことを、常日頃から癖づけておくことは、自身の感性を育てることにつながると思われる。

作品の踊り込み練習においては、部分練習や通し練習を地道に行う中で、表現のディテールにこだわりながら細かくつめていく。この作業が、各学校の色をつくっていくといってもよいだろう。一糸乱れぬ圧倒的な集団美には、身震いするほどの感動を得るものである。比較的高校生のダンス作品には、このユニゾン（集団でそろえて踊る）の演出が多く取り入れられる。一方、ユニゾンは、良くも悪くも個が埋没しがちである。個々の技術力を高め、その人ならではの味わいを際立たせるような演出や、バラバラの美しさも大切にしていた。

技術の習得過程において互いに見合って指摘する作業だけでなく、自分の体とじっくりと向き合う時間を確保する。振付を考える際も、みんなで考える前にまず個々の案を出すようにするなどである。またさまざまな活動を通してインプットした後は、アウトプットを怠らない。個々に1冊所持しているダンスノートを活用し、感受したものを「文章」によって表現する。自分の思いを表現するためにさまざまな語彙（ごい）を駆使して文章をつづるわけだが、そう簡単にはいかない。このもどかしさに直面することも非常に意義深いものがある。この作業を繰り返し行っていると、部日誌やダンスノートは文字でいっぱいになる。感じることや伝えたいことがあふれすぎて、枠をはみ出してしまうほどである。この「伝えたい」という思いが生まれるかどうか、が表現の原点である。

② トラウマを強みに

その一つとして、次のような取り組みもある。それは「過去のトラウマと向き合う」ことである。個人差はあるが、大なり小なり傷ついた体験はそれぞれに持っている。両親の離婚や不仲、親や大切な人との死別などといった家族関係や、いじめや仲間外れなどの友人関係などさまざまである。表現芸術においては、そのような過去の傷は大きな武器となる。年頃の生徒にとっては、そういった過去の傷にはふたをしていることが多い。私は、このふたをあえて開ける作業をすすめる。それは、本人にとって非常に勇気のいることであり、恐怖でもある。だからこそ、サポートが重要になるし、ダンスがシェルターの代わりになる。しかし、そのようなどん底体験にこそ、表現の原点がある。伝えたいが伝わらない(伝えられない)といった痛みが、だ。

最近はとてもつらいです。家庭のことや人間関係。何もかも全て消えてしまえばいいと思ってしまうときがあります。そんなときは練習終わりに1人で海に行きます。夜の海は静かです。練習自体は大詰めにきていて体力的にもつらくなっています。先輩方との最後のイベントへ向けていきたいのに、日々さまざまなことがありすぎます。明日からは合宿なので頑張りたいです。とても自己中心的になってしまいました。最近疲れているのでしょうか。

平成某年7月29日　部日誌　1年生

私もつらいことがあるとよく海に行きました。分かるよ、いいんじゃない。気をつけてね。「無」になれる場を大事にしてあげよう。それは自然を眺めている時間や好きなことに夢中になっている時間でしょうか。

人は生きているとさまざまな悲しみや苦しみと出合います。その渦中では、希望を抱きにくく、逃げたり投げ出したりすれば今の苦しみから解放されるのではないかと思いがちです。でもそんなこともないのです。逃げたからといって、すぐに状況が変わるということもないのです。悲しいのだけれど。今、あなたは最大の痛みを前に、大人になろうとしているところだと思います。大切なのは、考え方や生き方は一つではないということを知ることです。親も先輩も仲間も、一人の人間であってそれぞれの考え方や感じ方は異なるし、それは変わっていくものでもあります。「絶対」ということはないのです。永久とか永遠とか絶対だとか、それを求めがちではあるけれども手が届くことはないのかもしれません。

「大人になる」ということの一つとして「孤独を受け入れること」があると思っています。これは究極の悲しみを受け入れることだとも思います。簡単ではないよね。たぶんこれができるときは、人生の最期ではないでしょうか。だから私もまだまだです。傷が完全に癒えることはないかもしれません。しかし、その痛みを知っているからこそ得られる喜びや幸せがあります。

自分の痛みやつらさにのまれているうちは、それこそ自己中心的で子どもっぽいのかもしれません（ときどき私もなります）。その痛みを他人のため、世の中のために生かせたとき、それが自分の喜び

と感じられたとき、少し前に進めるかもしれませんね。時間はかかります。かかってもよいです。でも今の苦しみ痛みを無駄にしないでほしいです。まずは現実は現実として受け入れる。でも、自分の人生を大事にするために、好きなこと、肯定的な前向きな事実を大切にする。あなたの救いはきょうだいが多いことだと思います。横のつながり、同士としてのつながり、ガッチリね。そして、好きなこと、ダンスに出会えたことですね。今日のオーディションはあなたの勝ちです。

佐藤菜美　返信

その傷やトラウマが、作品や踊りによって昇華されると、過去のマイナス体験もまるごと肯定することができるのだ。むしろそれが、自分の人生にとって必要なこととして捉えることができるようになる。監督目線で言い換えると、過去の傷をエネルギーへと変えられるように、作品テーマを方向付ける。作品テーマを絶望で終わることは極力しない。絶望の中にも、一筋の光や問題の主張という形で方向付ける。これは、「教育活動である」ということが大きく影響しているかもしれないし、私自身の生きざまや価値観、舞踊観が投影されているともいえる。

最近、創作の話し合いや作品づくりを通して、少しだけ自分の心のつかえというか、重たいものがとれたような気がします。私はずっと小さい時から、〝いつも笑顔だね〟と周りから言われることが

多く、今でも自分自身では笑っているつもりがなくても、顔は自然と笑顔になっているようです。でも、ダンス部に入って、笑顔でごまかしたりするのでなく、本音も涙も含め、少し違う顔になることもできるようになった気がします。今日の練習では、創作の〝ただ単にきれい〟になっていたところを少し作り変えました。私たちはまだ16、17年しか生きていないけど、その中で自分の汚い部分、つらい思いがそれぞれにあったはずです。風はさわやかに元気づけてくれるときはあるけど、時に頬を刺すような冷たさや強さを持っています。美しさ、きれいさの前に私たちが心で感じた痛みなどを自然に重ねてみます。

平成某年１月27日　部日誌　２年生

笑えないことも、笑いすぎることも、考えないことも、言わないことも、嘘を言うことも、いずれも自分を守る無意識の術だったのでしょう。悲しみと向き合うことは恐れだけれど、根本的なことが満たされなかったり、一人で抱えてしまったりすると、大人になってもそれが悪さをしてくるものです。

佐藤菜美　返信

大人になることへの不安

ところで、「良い作品」とは何だろうか。それは、人の心の

琴線に触れることではないだろうか。人間の感覚に訴えかけるものであったり、創造的な挑戦と新しさであろうか。外側の枠組みを取り繕って、感動を誘うための形式を整えることは可能だろうが、個人的には、人を感動させるための技術的な意図が、全面に出るのは好きではない。既存の形式をいかに超えるか、というところに創造性が問われるところだ。一つの答えに向かって観客の心を誘導するよりも、今の時代を生きる作者自身の等身大の叫び（ごく個人的なこと）をとことん追求した結果として、普遍的なテーマにたどり着くようなプロセスが、心に響く作品を生み出すのではないだろうか。だからこそ、今の自分自身が叫ぶ理由のないものはテーマに選ばないし、目の前の生徒が叫びたいことを重要視していた。

③　謎と好奇心

また、美術館や劇場での芸術鑑賞、図書館や博物館での調べ学習は、折を見て行っていた。大会やイベントが落ち着き、次の大会に向けて新たな創作作品をつくるような時期には、創作のヒントやきっかけを得るために、学校外へ出かける。そのような外出を「旅」と呼んでいた。また、創作活動には欠かせない「遊び心」を触発させるために、さまざまなイベントを企画した。普段は土日も含めて学校と自宅の行き来が多いダンス部の生徒にとって、「私服」を着る機会はあまりない。そこで、ペアで互いに相手の服装をコーディネートしたり、何かのテーマを設けて私服を着て出かけるなどの課題を課した。また、大雪のために公共交通機関がストッ

プレ練習ができない日には、「必ず雪遊びをすること（かまくらや雪だるまをつくれたらなおよい、宿題もやること）」の課題もあれば、芸術的な写真を撮影してこい（誰かと一緒に活動してはいけない）だの、海を見てこいだの、アイスリンクに行ってスケートを滑ってこいだの、ワクワクするような仕掛けを工夫していた。

今日は、自然科学館に行ってきました。私は中学に入るまでに何回も通いました。自然科学館大好きです‼　懐かしさと楽しさで、題材探しということを忘れそうでした。今回見たプラネタリウムは「地球ミュージアム」という作品でした。宇宙の始まり、地球の内部構造、地球上の生物同士の関わりなど、全てがつながりあっていることが分かる作品でした。全く関係のないように見えるのに、何千年も前から互いの関係があるんだと思うと不思議です。

平成某年１月13日　部日誌　１年生

昔はよく「私はなぜ私なのか」「なぜ私は地球という星に人間として、日本人として、新潟県民として、両親の娘として存在しているのだろう」と考えたものです。子どもは哲学者ですね。皆さんも一度は経験あるのでは？

幼い頃、しんしんと空から降り続く雪を、雪の上に寝転がりながらひたすら眺めたものです。別の世界に吸い込まれていくような錯覚に陥りながら、顔の上で解ける雪や、口の中に入ってくる冷たい

感覚を味わっていました。また雪を近くでよーく見てみると、雪の結晶の形が見えたりして感動しました。時間を気にせず、自分の世界に没入している感じは、子どもならではですね。作品をつくるときは、そういった幼い頃の純粋で繊細な感覚を引き出しから出していく作業ともいえるかもしれません。考えても仕方のないこと、と言われてしまえばそれまでのことですが、「なぜ」をさまざまな事象に投げかけてみることは大切です。芸術家は哲学者でなくてはね。社会生活を過ごすためには、「これはこういうもの」と割り切る考え方は必要です。きりがありませんからね。しかし、それだけでは人間らしくない。せっかく考える力をもらったのですから、味わいたいものです。

そういえば、私が中1で初めて英語を習う頃、「is,am,areはbe動詞」の概念が分からず、母親の前でひたすらに泣いていた記憶があります。皆さんは優秀なので理解できるかもしれませんが、「isはbe動詞」、つまり「x=3」も理解できないのです。xはxであって、3は3なのに、xは3ではないという考え方です。当時、母は困り果てたでしょうね…私自身も、「なぜ」にとらわれてしまい前に進めず、つらかった記憶があります。

大人は「こういうもの」と割り切るのが得意です。その方が合理的ですからね。私のこの感覚やエピソードはコンプレックスとして長きにわたり封印されていましたが、あるとき養老孟司の本を読んだときに、養老さんの過去のエピソードとして、私と同じような記述があったのです。一気に安堵した記憶があります。私はバカか天才か…?果たして…

大人になるほどに、忘れてしまっているもの、こういうものと決め付けているものってたくさんあ

りますよね。芸術家が時間のゆっくりと流れる田舎や自然の多いところで暮らすのは、子どもの頃の感覚に近づくためなのかもしれませんね。子どもの頃の感覚というのは、五感を研ぎ澄ますということでもあると思います。子どもは知的好奇心が旺盛で、何事にも疑問をもちます。自己中心的で自己主張が激しいのも特徴です。いい年こいて社会性がないのは考えものですが、作品をつくるとき、表現するときくらいは子どもに帰りたいものです。あるいは、帰れる大人でありたいものですね。子どもの目になれば、物事を見る目も変わるかもしれませんね。

佐藤菜美　返信

④　正解はない

ある年、山海塾という「舞踏」と呼ばれるジャンルの舞踊公演に、生徒を連れて見に行った。舞踏は、日本のコンテンポラリーダンスと呼ばれ、全身を白塗りにして動く姿で知られるが、この山海塾は世界的に活躍する舞踏のカンパニーである。これを鑑賞したあと、眠そうな顔をしながら「正直よく分からなかったです」との感想を述べる生徒とは逆に、私は感動していた。こうなることは、想定内であった。

「一つ、空に向かって手を上げた」とする。その手の先に、あなたが何を見るのか。これは人生のさまざまな体験によってその景色は変わっていくものだと考えられる。皆さんは今、それが単純なも

のであるかもしれないが、月日の経過とともに奥深いものになっていくといい。今回はまず、同一の現象を見ても、受け取り方や感じ方に大きな違いが生まれることに気づいてもらいたい。また、シンプルな現象の中にも哲学的な意味合いを読み取ろうとすることは可能であり、それは日常のことや人に対して、何を思考するかによって鍛えられる（感動体験も含む）。作者やダンサーに主張やねらいがあったとしても、芸術は決して正解を求めているわけではない。だからこそ、観客の内面を豊かにしてくれるものだと思う。こうして、思い感じたことを新鮮なうちに書き連ね、他人の感じ方と照らし合わせていくことも自己を深めるチャンスだろう。今、皆さんが必死になっている勉強（歴史や古典、現代文など）も点が線となってつながるときがあるでしょうね。楽しみだ。

山海塾「降りくるもののなかで—とばり　TOBARI」を鑑賞して　平成25年7月19日　佐藤菜美

芸術鑑賞をするとよく正解を求めたがる人がいる。生徒には、「受け取り方は人によってさまざまであっていい」ということを教えてあげないと、あらかじめ決まっている正解を求めようと他人に依存的になる。ダンスや芸術がすべき役目は、そこではない。当然ながら作品には、作者のメッセージが込められている。それを想像することに意味があるのだ。作品を、自分の好き嫌いで切ることもできるし、好みの軸を知ることも大事だろう。一方で、いろいろな作品を知ることは、多様な生き方を知ることでもある。高校生という若くて柔らかい感性のうちに、表現の多様さに触れさせたい。それらを通して、自分の感性で受け取ったものを肯定す

る習慣をつけていくことが必要であると考えていた。それはつまり、現時点での自分を肯定するということだろう。

⑤「感情」と「理性」のてんびん

指導する上で、「感情」と「理性」の比重について、高校生期特有の難しさがあることは常日頃から感じていたし、日々葛藤していた。筋肥大の構造（過負荷の原理）と同じように、高校生の「こころ」は負荷をかけた分、その回復するエネルギーも大きく、精神的にも強くなる（当然個人差はあるが）。適切な動機づけのもとにサポートすれば、本来持っているはずのレベルを超えて爆発的な力を発揮するのが、この高校生の不思議なところでもある。また、美しいものや不思議なもの、難しいことに対峙させ、喜怒哀楽などの多様な感情や心揺さぶるような体験に触れさせると、驚くほどの変化があるものだ。ストレス耐性を獲得し、いろいろな価値観や感情に触れさせる時期として、「高校生」はまたとない機会となる。よって、時に生徒たちに対して心理的に追い込むようなアプローチを意図して行うのはこのためである。

何度も落ちるだろう、無理だろうと言われても、私たちは諦めませんよ、先生。

平成某年11月10日　部日誌　2年生

ほう。

佐藤菜美　返信

とはいえ、他の強豪校と比較すると、私の指導スタイルは客観的な見方、理性を働かせることに重点を置いていた方だった。根性を鍛え、絶対的な正しさを示す監督主導の指導スタイル（コーチングよりもティーチング）は、多くの種目で見られる傾向ではある。指示されたことや大人が決めた正解に向かって一心に力を注ぐことは、生徒によっては楽なことでもある。また賛否があるかもしれないが、そのような生徒やチームはここぞというときに強い。迷いがないのだ。また悲しみや喜び、悔しさなどの感情にも正直である。このことは、外発的な動機づけによってある程度のレベルまでは引き上げられるということを教えてくれる。短期で結果を出せる生産的で合理的な手法なのかもしれない。結果とは、競技成績や技術発揮だけではなく、それを裏付ける生徒の自信が獲得されているということでもある。監督という絶対的存在に依存しているからこそ得られる自信であるとも言い換えられるかもしれない。いずれにせよ、根性論を完全に否定しきれない部分があることは、日々の指導実践の中で感じていたし、それ故に葛藤していた。よって、時と場合あるいは生徒の性質に応じて、「感情」と「理性」の比重を変えるように努めていた。

どの作品においてもいえることですが、気持ちと技術の両方が必要です。私たち、伝える側が作品にのみこまれてはいけません。しかし、淡々と技をこなすだけでもいけません。まだ、私たちはこなすことに熱くなっている気がします。皆集中して、どんどん自分に入り込んでいくと、周りが見えなくなるので、少し自分と周りを客観的に見て、冷静になるべきです。

平成某年5月30日　部日誌　2年生

その通りですね。技術や表現を確実に狙っていく感覚で、少し冷静に踊りと向き合いましょう。お客さんとの対話を忘れないでほしいです。一方通行にならずに。

佐藤菜美　返信

なぜあえて時間と手間のかかる方法で生徒と向き合うのかといえば、喜怒哀楽といった単純な感情のみならず、複雑で幅のある「こころ」を育てたいと思っていたからである。育てたいといえば偉そうだが、そのような心を持つ生徒と対話する創造的なプロセスは、私自身が楽しいのである。感性を働かせて違和感や疑問に気づき、物事の本質について思考する力を育てることは、明訓生の良さを引き出すことになると考えていた。何より、新たなものを生み出す創造的活動には、感受性豊かな心と思考する頭の両方が必要であるためである。

自分はダンス部に入って泣くことが多くなりました。それは、自分が入部当初よりも弱くなったというわけではありません（いや、むしろ確実に成長しています！）。心が柔軟になったのだと思います！ 心動かされるものをキャッチできる感受性や深く考えること、本気、などダンス部に入ってから磨くことのできたものだと思います。

平成某年10月25日　部日誌　2年生

5　生徒主体の稽古と作品創作　―長所を生かす―

明訓は進学校であるため、学業成績の比較的優秀な生徒が多く集まる。つまり、「国立大学に合格したい」「模試やテストで高得点をとりたい」「部活と学業を両立したい」という風潮が学校全体にあり、当然のごとく生徒に対する学業面の負荷は大きい。また、教育熱心な保護者も多く、保護者会や学校行事には積極的に参加する傾向がある。経済的に恵まれた家庭も多い一方、当然ながら生徒はそれぞれに過去の傷つき体験を大なり小なり持っている。

ダンス部には、もちろん個人差はあるが、頭脳明晰（めいせき）で物事を論理的に考えたり、思考を深めたりするのが好きな生徒も多くいた。一方で、抜群の身体能力やフィジカルに強い先天的運動センスを持つ生徒はまれで、感覚で運動を捉えることは苦手な傾向がある。運動習得につい

ては不器用な方で、やや時間がかかる節もある。

また、理屈が先に立つため挑戦を避けるところがある。失敗回避やリスク管理の面においては長けるが、「冒険はしない」「守りに入る」という性格も否めない。頭でっかちに考えがちな傾向を踏まえ、日々の練習に「遊び」の意識を持たせることを心がけた。

例えば夏季合宿では、チームの結束を高めるためにレクリエーションを企画する。そのようなときは、監督モードから遊びの首謀者にモードチェンジする。ダンスから離れ、学年縦割りのチームを結成し、バレーボールやリレー、鬼ごっこなどを行う。どんなに疲れていても、遊びとなれば別腹だ。またダンス以外の運動を通して、普段見られない生徒の一面を知り合う機会となることも有意義だ。また、夜の学校を存分に楽しむのも魅力の一つ。内緒話だが、グラウンドにこっそり出て、人工芝に寝転んで、流れ星の走る満天の星空を見せたこともある。興奮した生徒は、夜分遅いというのについいやかましくなり、私に叱られる。

①　テーマを深掘りする

また、表現領域であるダンスにとって、物事を多面的に捉え、単純ではない複雑で幅のある感情は大きな武器になる。その意味で、量的なトレーニングによって鍛錬を積むことも必要ではあるものの、明訓の生徒の特質である「論理的な思考」を十分に発揮できる指導スタイルをとっていた。特に表現的（芸術的）要素の強い創作作品では、生徒の長所である「熟考する

力」が生かされる。テーマの掘り下げに徹底的な時間を割き、物事を多角的に見る力を伸ばしていた。

創作ダンスの最高峰である全日本高校・大学ダンスフェスティバル（神戸）では、出場にあたって、作品調書（タイトル、作品解説、メンバー、音響、照明計画書など）を大会本部に提出する。ダンス作品の創作には、それを構成する全ての要素を用意しなければならない。ダンス作品の構成要素とは、動き・振付、テーマ・題材・タイトル・（作品解説）、空間構成（フォーメーション）、展開・ストーリー、音響、衣装・ヘアメイク、舞台美術（小道具、大道具）、照明（照明計画書）などである。これらの要素を作成するために、さまざまな手法をとっていた。

② ブレーンストーミングを活用した創造活動

協同・創造の技法に「ブレーンストーミング」というものがある。アイデアを出すための方法として広く用いられているもので、「メンバーの発言や発想から、相互作用や連鎖反応によって、新たな発想が連想される」（全国大学実務教育協会：２０１４、p. 32）。作品創作時は日常的にこの手法が取り入れられる。「とにかく思いつくままに意見を出してみよう」「できる・できないはおいておいて、自由に妄想してみなさいな」などと声をかける。批判はしないで「まずやってみる」ことが基本である。創作ノートやホワイトボードを活用して、可視化し、

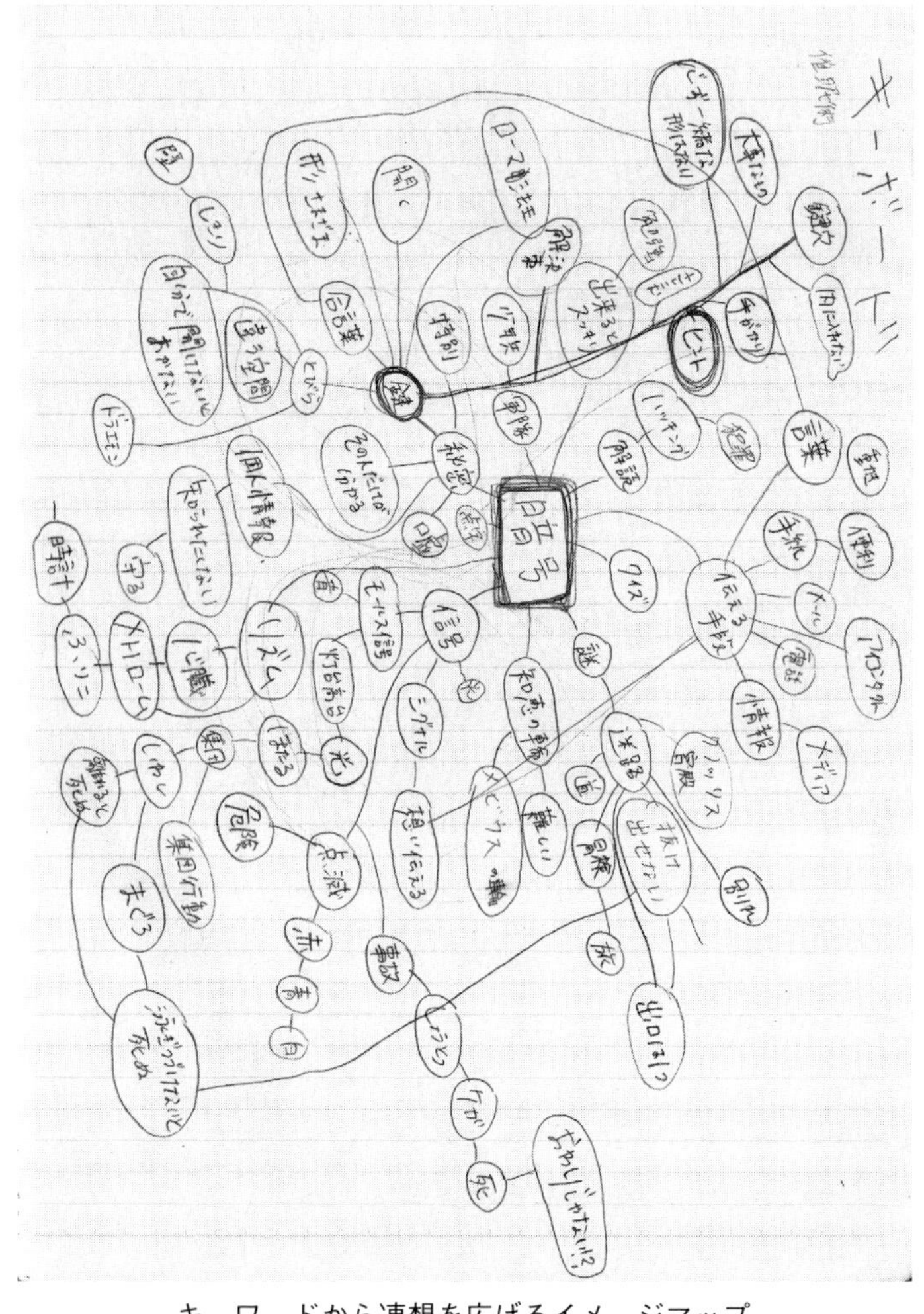

キーワードから連想を広げるイメージマップ

皆で共有できるように記録を残しておく。

③　作品解説書と言語表現

全国大会の提出書類であるA用紙とよばれる作品解説書がある。これはテーマを深める手段として、その効果を発揮する。ダンスは本来、言葉や文字で語ることを本質としないが、この作品解説を吟味する過程には、大いに教育的な意義があると思っている。レポートや論文を書くときのように、自分の主張や問いを明らかにするために、必要な情報を集め、それを説得力のある表現に落とし込んでいく。国語科教員をはじめ、他教科教員の指導を仰ぎながら、足りない語彙力や知識、表現力に直面しつつも、テーマの核が見えるまで何度も推敲する。群舞および共作だからこそ、この作品解説書によって作品テーマの中核を共有することができ、それをもとに自分なりの解釈を深め広げることが可能である。A用紙は、「40字」と呼ばれるプログラム掲載用の作品解説文と、「300字」と呼ばれる審査員の手元に渡る作品解説文がある。このA用紙の作成には、徹底的に時間を割く。

ここ数日はずっと作品解説をやっています。現代文が得意なわけではないので、できるかな?!と思ったけど、自分の思いを文章にするのって楽しいな!と思います。それと同時に、ダンスと共通する部分もあるなと感じています。「言葉」、たかが一文字、されど一文字。長い文章の中で、ひらがな

一つでも変えると文章全体のニュアンスが大きく変わってきます。ダンスも同じで、ターンでも、足を前にかけるのか、後ろにかけるのか…小さな違いだけど、自分の伝えたいことをより明確に表現するにはどちらがより伝わりやすいのか…。私たち作品解説班と創作班、一見やっていることは違うようにみえるけど、向かっている先はただ一つ！　自分の言語能力と語彙力の低さにもどかしいことが多いけど、みんなで良い作品を作っていきましょう！

平成某年4月15日　部日誌　3年生

私の思い込みで作品解説はもっと詩的なものだと思っていたけれど、必ず入れたい要素や文の構成、その文から感じる印象などたくさんのことを考えながら計画的に進めなければいけなくて、想像よりもずっと大変でした。先輩と3人で考えていましたが、「国語よりずっと語彙力がつくね」と話していました。

平成某年4月14日　部日誌　2年生

コンセプトやフォーメーションをホワイトボードに書き出す生徒

④ ＫＪ法による発想

かつて、テーマを深掘りするために、いわゆる質的研究の分析方法で用いられる「ＫＪ法」注）を用いたことがある。この手法を用いた作品（「Media-Confusion／／」第27回ＡＪＤＦ審査員賞）は、「新聞紙」を小道具として使用しているが、当初、意味性はあまり追求しすぎず、新聞紙が生み出すさまざまな身体表現の面白さを構成する形で作品化した。つまりこの時点では、深く考えすぎずに、新聞紙の使い方を工夫したり、新聞紙になってみたりして、やりたいことをどんどん出していく過程は面白く、作品化するのに苦労しなかった。しかし、ＡＪＤＦではテーマ性の追求作業を無視できない。いざテーマを追求してみようとすると、「新聞紙」というキーワードから、ありきたりに「情報化社会」を連想することはできた。しかし「情報化社会とは」という曖昧でつかみどころのない問いに対し、その概念を深めていく作業に苦戦したのだ。

動きからイメージを連想する

そこで、作品を客観的に眺め、そこから連想される単語を抽出し、それらを、意味やイメージが類似する語で、また「能動・受動・擬音・擬態・名詞・形容詞」などの単語の種類でカテゴライズした。キーワードは、大量に抽出され、それらを次

のような単語で分類した。「高速・混沌（こんとん）・翻弄（ほんろう）・困惑・焦燥・依存・同化・浮遊・エネルギー」。すると、情報であふれかえる現代社会の具体的な姿が浮かび上がってきた。このように、テーマありきの創作法ではなく、曲や小道具にインスパイアされて生み出された動きから、テーマを追求していくという手法をとることもあった。

注）ＫＪ法（デジタル大辞典）
文化人類学者の川喜田二郎が考案した発想法。ブレーンストーミングなどで思いついたことや調査で得られた情報などをカードに記すことから始め、類似のカードについてグループ分けとタイトルづけを行い、グループ間の論理的な関連性を見いだし、発想や意見や情報の集約化・統合化を行う。

得られたキーワードを付箋に書き出し、模造紙に貼る

⑤　ＰＤＣＡサイクル

また毎年開催していた自主公演では、観客、保護者、卒業生からアンケートを収集している。その膨大な量のアンケートは、学校内のパソコン教室を借用して、専門教員から指導をもらいながら全部員が協働して入力作業を行い、集計していた。入力されたデータをまとめ、生徒やスタッフが閲覧できるようにする。パフォーマンスや企画が、観客にどの

ように受け止められたのか、スタッフは運営面でどのような気づきがあったのかを知る機会となる。その客観的な評価をフィードバックし、得られた課題を日々の活動や次年度に生かしていく。自主公演では、このようなPDCAサイクルを体験的に学んでいた。

⑥ 主体的マネジメントと実践力

月間スケジュールや当日の練習内容は、主将・副将を含む最高学年に委ねていた。監督である私は作成された案に対して助言し、その後修正されたスケジュールを部員全員分印刷し配布する。当日の練習内容は、毎日昼休みの時間を用いて監督・主将・副将とともに15分程度の情報共有を行っていた。短期的あるいは長期的な目標設定も、節目のたびにチームで共有し、課題克服のために自ら考える姿勢を持つよう指導していた。

練習内容は、ストレッチ、バーレッスン（クラシックバレエの基礎練習）などを含む基礎練習をはじめ、作品創作や踊り込みなどが中心だ。柔軟性を高めるストレッチは、新体操や体操競技などと同様に、わりと高い負荷をかけて日常的に行っていた。前後左右の開脚や長座で脚部や股関節の可動域を広げたり、つま先や足の甲、背中や胸・腹、首や肩などあらゆる身体部位のストレッチを行う。高校からダンスを始めた初心者生徒は、初めは当然ながら膝も曲がりっぱなし、開脚も90度が精いっぱいで上体が後傾し、腰が入らない状態である。悲鳴を上げ脂汗をかきながら行う姿は珍しくない。しかし早い子は1年もすれば、開脚状態で前傾して床

にピタッとつくようになる。

また、基礎練習は、列で一方方向に流れながら行うもので、赴任当初に私が作成したものである。ウオーキング系、ランニング系、ステップ系、ジャンプ系、ターン系、キープ系、アクロバット系、複合系などの要素を取り入れ体系的に構成した。シーズンに応じて筋力トレーニングや卒業生によるダンスワークショップも行う。また多様なダンスジャンルに触れさせるため、創作ダンスに限らずチアダンスやヒップホップなど、年間を通してさまざまな作品を作り発表する。

最近、筋肉痛です。動くときに少し痛いのですが、我慢してやっています。筋肉痛はなぜ起こるのでしょうか。

平成某年7月18日　部日誌　1年生

強い負荷を筋肉に与えると、一時的に筋が傷つきます。傷んだ筋肉を再生させ、修復させようとするときに筋肥大（筋肉がつく）が起こります。傷んだ筋は硬くなりやすいので、ストレッチや軽めの運動をクールダウンとして取り入れることは効果的です。

佐藤菜美　返信

指導し合う２名の生徒

【このとき部日誌に挟み込んだ文献コピー】

コーチング・クリニック２０１３．10「特集コンディショニングのウソ？ホント？　スポーツ医学編」

基礎練習や踊り込み稽古における技術指導や作品創作は生徒が主体的に行うよう仕掛ける。当然ながらその過程では、専門的な手法や知識が必要になる。各分野における正しさを示し軌道修正しながらも、意思決定は生徒本人に、つまり「自分で決定した」という自覚を持たせることを大切にした。分からなければ監督や先輩に聞く、その対話が当たり前に行われる空間である。

何だか久しぶりに自分の体としっかり向き合えた時間でした。自分の体と仲良くなる方法って、ナルシストになることだと思います。「この角度がカッコいい！　イケてる!!」みたいな感じで、研究していると、そのうちそういうふうに踊れるようになってくる。魅力的だなと感じる人って「私を見て！」って全身から発信している人だと思います。だからみんな、自分の体や相手の体を常に追求する意識を持とう。その中で、自分にはない相手の良いところや、逆に自分の良いところを見つけて、

伝え合う。こうすることで、チーム自体の技術力も、チームワークもグングン伸びていくと思います。
みんな、ナルシストになろう!!

平成某年5月20日　部日誌　3年生

1年生から「表現ができなくてどうしたらいいですか?」と質問を受けました。私なりの方法を1年生に向けて。まずは、自分たちの題材としているテーマを、自分なりに解釈して、それを自分の経験で感じた気持ちや感情に重ね合わせてみる。そしてそれを、例えばこういう感じと置き換えてみる。この気持ちは沼にはまって身動きが取れない感じとか、この楽しかった気持ちは雲の上を歩いているような感じ…とか。言葉では伝えられるのに踊りで伝わらないジレンマに最初は苦しむと思う。だけど、そこがダンスの面白いところ! ダンスでしか伝えられない感動や思いが必ずある! 少し視点を変えれば、言葉よりもずっと深いものに、面白いものになる! だから私はダンスにゾッコンなんです!

平成某年5月21日　部日誌　3年生

テーマの中核を共有し、イメージトレーニングを行う

ちなみに監督の怒りスイッチは、主体性を失い受動的になった瞬間である。監督主導のトップダウンによる組織運営も、成果を上げるには効果的であるとは思うが、明訓の生徒にはそれは不適であると考えていた。

6 競争意識を触発する ―競争―

そもそもダンスの本質は勝負を競うものではない。ダンスという文化は、結果だけに注目して、その価値を判断できるものでもない。なぜなら、ダンスは表現行為であり、それは「人が生きる」ということに通じているからだ。特に創作ダンスにおいては、自分にとって正しいと思うもの、美しいと思うものに従って、プロセスを含むまるごとが「作品」という分身になって生み出される。他人の評価軸に従って（迎合して）生み出された作品は、そのような作者の生きざま（今）を表すことになるし、その逆もそうである。

私は大会を終えてから、なぜ自分は踊るのだろうかと、何のために踊るのだろうかと考えていました。精神的に打ちのめされたので、原点回帰しました。私が踊るのは、伝えたい、叫びたい気持ちがあるからです。誰かに知ってほしい、分かってほしいからです。そこに行き着きました。ダンスは手

紙であり、叫びであり、思いの丈なのです。コンクールでは、形式的な点取り合戦を見せつけられて、気持ち悪かったのです。実力の伴わない私が言っても、ただの負け惜しみなのですが…悔しいです。

平成某年12月25日　ダンスノート　３年生

しかしながら、教育活動において競争は生徒の成長に大きな影響を及ぼす。ダンスにおいて「競争」の側面を持つものは、コンクールや大会であろう。また、作品のポジションを決定するオーディションをはじめ、部内で行われる審査式のソロ発表会や学業成績の部内競争大会など、生徒の競争意識を触発するイベントを実施し、教育的なしかけを演出していた。

①　コンクール・大会

ダンスにおいて「競争」の側面を持つものは、コンクールや大会である。これに向かうまでの作品創作過程において、生徒の主体性は欠かせないが、高校生に責任の伴う大きな決断を全て委ねることはできない。当然ながら作品に関わる重要な決定は、私自身が行っていた。そこで大切になるのが、監督自身が自分の生き方に対してどのような価値観を持っているのかということである。その価値観は、作品や踊りのメッセージに表れ出るものだと思うからだ。それは、年を重ねるごとに変わるものもあるかもしれないし、変わらないものかもしれない。そこに絶対的な答えなどないわけだが、そういった曖昧で不安定な人間が、そのとき出会う生徒

とともに監督の生きざま（今）と擦り合わせながら生み出されていく作品には意味があると考えていた。その作業が、その後生徒が生きていく上でのぶれない「核」や「こだわり」となり、生涯にわたって残り続けると思われる。その意味で、多様なタイプの作品創作を通じて、自分なりの価値観を蓄積していく作業は意義深い。とはいえ、芸術家目線でのんきに理想論だけを語っているわけにもいかない。なぜなら、競技実績（結果）は、形に残るものであり、現実問題として大学受験に影響するのだ。それは、教員として外せない視点であると思っている。結果のいかんよって、生徒の進路の選択肢が変わるわけだから。芸術家の視点と教員の視点、この両輪がせめぎ合いながら、幾度もの決定を重ねていく。

ダンスは総合芸術といわれる。身体を媒体とした生の肉体による表現である。そこに音楽、衣装・ヘアメーク、照明、美術など他の芸術が総合的に合わさって一つの芸術をつくり出す。等身大の自分、生身の人間は舞台に上がれば隠すことはできない。その人が普段何を考え、どんな人生を送ってきたのかが全て出るのが舞台である。

そんなダンスにとって、コンクールで受賞（勝つ）ことは本来の姿ではない。コンクールに出場するということは、評価する側、すなわちそのコンクールがどのような点を評価するのかについて考えなければ受賞（勝つ）ことはできないからだ。そこに表現者としてのジレンマはつきまとうのだが。

しかし、神戸の大会は質の高い、そして新しく独創的な作品がたくさん生まれる大会にしようとその

評価基準を模索していることも確かである。出場する私たちは、それに媚(こ)びるわけではなく、けれども自己満足のアートパフォーマンスになるのでもなく、そのコンクールで通用する私たちの表現手段を追求していく必要があると思われる。それが結果的に自己を成長させてくれるのも事実である。

平成25年6月4日　県総体を終えて　佐藤菜美

②　オーディション

作品内のポジションや主要な役を決定する際は、事前に設定した日にオーディションを行う。技術力と表現力のバランスを見ながら、少人数ずつ審査する。同レベルと思われるメンバーを再度フロアに呼び、競争意識を触発しながら、見極める。時に私の下した結果に納得がいかず、オーディションの後に体育教官室に訪ねてくる生徒もいた。その際は、選考基準の説明や本人の課題などを明確に示すことになるわけだが、それは監督の采配に責任を強く感じる瞬間でもある。教育現場である、ということは常に曖昧さをはらんでおり、単純に結果主義で判断するのか、あるいは「3年生だから、努力しているから」などの教育的配慮を判断基準にいれるか否かは、葛藤するものだ。たしかに、集大成として踊る3年生の表現や一つ一つの判断には、最高学年の覚悟が見える瞬間がある。そのことを踏まえ、演出的戦略として「ここはあなたに任せたよ」というシーンを、作品内に設けるようにしていた。

ダンスや表現芸術において、「技術」への比重の置き方については、価値観が分かれるとこ

ろだろう。

自分はやっぱりオーディションのあの燃えている雰囲気が好きだなぁとオーディションをしているときに思います。普段の練習でも競争は始まっているのですが、一番露骨に全員がライバルになるのは、このオーディションです。この1回にかけている思いが、みんなからブワッと感じられるのが、たまらなく自分を奮起させてくれます。

平成某年1月30日　部日誌　1年生

この作品において、各シーンで「ここは頼みましたよ」というメッセージを私なりに込めたつもりです。皆さんには届いているだろうか。努力なしに栄光を得ようとするのは違うと思うが、「努力」というとつい「苦しいもの」と等しく考えがちです。しかし、ダンスでいう努力とは、「こだわり」に尽きると思います。もっとこうしたい、こうなりたい、理想やまだ見ぬ画（え）、世界にたどり着くために、何をするか。これが努力といってもいいかもしれません。

平成某年5月24日　部日誌　佐藤菜美

③　ソロ発表会

もともとこの発表会の目的は、競争意識を触発するためというよりも、誰にも頼ることの

できない孤独な作業を通じて、自身の情操を育んでほしいというのが狙いである。その本来の目的を達成する過程が、必然的に競争意識を触発することになる。

ソロ発表会で踊る作品は、自作自演である。衣装、選曲・音楽編集、振付、タイトル、踊り込みや表現の追求も、全て一人で行う。他人との相談は一切なしである。普段は、群舞という「みんな」の安心感のもとで踊ることが多い。しかしこの企画では、自分一人にすべての責任がある。観客全員の視線が向けられる「ソロ」は、すべてが丸見えになる。この厳しい状況を体験することはとても意義深い。この時期は、私自身も部から距離をとる。事前の情報をできるだけ入れないように努めるのだ。この人は時間をかけて頑張っていたなどといった教育的な配慮は一切排除した、結果がすべての発表会である。

会場は普段練習しているダンス場で行い、発表順は学年関係なしにくじ引きによって決定する。司会進行も上演の運営も、すべて生徒が行う。

審査は、監督と副顧問および引退した3年生によって行われる。10点満点で審査され、その合計点で順位が決まる。各作品（ダンサー）への講評は、講評用紙をもって本人にフィードバックされる。また、後日監督から個票（個別に点数と講評が表記されたもの）が返される。ソロ発表会は、生徒にとって自信につながる契機となったり、課題に直面するきっかけになったりと、多くの学びを得ることができる。

本番は、過度に緊張してしまい実力を発揮しきれない生徒もいれば、群舞では見られない

新たな一面を見せる生徒がいたり、圧倒的な技術でアピールする生徒もいれば、独創的な切り口と表現で存在感を示す生徒など、非常に多くの発見がある。それを鑑賞することによって、評価する立場を経験することにもつながる。作品を自分色に染めることができるのが、ソロ発表会の魅力だ。普段は共作であるため、妥協や他者意見をのむことも多い。この発表会から生み出されたソロ作品が、その後に控える大会作品の原案になることもよくある。このソロ作品の曲が良かったよね、テーマの切り口が面白いよね、といった具合に個々の発案の良いところ取りをしながら、次の作品へと発展させていくこともある。

④　外部団体との関係

県内の他校ダンス部の存在は大きく、互いがライバルであり同志でもあることを自覚している。明訓高校ダンス部は、新潟県高等学校体育連盟ダンス専門部に所属している。年間2回実施される「ダンス部の生徒のための講習会」には、舞踊専門の大学教員や国内外で活躍するダンサーなどを講師として招聘している。生徒にとって、作品創作力や技術力の向上のための研鑽（けんさん）の場となっているだけでなく、普段活動を別にしている他校ダンス部との交流も、大きな刺激となっている。また、それらの講習会との抱き合わせで指導者向けの講習会も実施されており、ダンス部顧問教員も自ら踊り学ぶ場となっている。このように、学校を超えて生徒や顧問教員が切磋琢磨し合いながら、共に学びあい高め合う環境があることが、新潟県高校ダンス

部の強みといえるだろう。

新潟は踊り文化が盛んな県である。中でも新潟市芸術文化会館を活動拠点とする日本で唯一の劇場専属コンテンポラリーダンスカンパニーである「Noism」の存在は、大きな影響力を持っている。プロの踊りを気軽に間近で鑑賞することができる。行政も、踊り文化の価値循環のために、高校生向けに事前申込制度や特別割引価格を設定したり、新潟市踊り文化推進事業の一環として高校生ダンス部員対象の「ワンデイスクール」を実施するなど工夫している。そのような新潟の豊かな土壌でその恩恵を受けながら、ダンスと向き合うことができているといってよいだろう。

ニュースアイ NEWS EYE

県内高校ダンス部 躍進

全国大会で1、2位独占も

県内高校ダンス部のレベルが上がっている。近年、全国大会ではほぼ毎年、複数校が入賞。昨年は新潟明訓高が全国大会で最高賞、新潟中央高が2位となり、上位を独占した。学校の枠を超えて合同講習会を開き、プロを講師に招いてレベルアップを図ったことなどが実を結んだ。中学の体育でダンスが必修となって以降、裾野は確実に広がっているだけに、競技関係者は県全体の底上げを目指す。（報道部・田中伸）

合同講習で切磋琢磨

県内の高校ダンス部は、長く新潟中央高が引っ張ってきた。同校は「ダンスの甲子園」といわれる「全日本高校・大学ダンスフェスティバル」で、1995年から2004年まではほぼ毎年、入賞を果たした。

09年以降は複数のチームが入賞するようになる（=表参照=）。昨年8月のフェスティバルでは、新潟明訓高が同校初の最高賞を受賞。新潟中央高が2位入賞を果たした。

フェスティバル以外でも、昨年11月に東京で開かれた「全国中学校・高校ダンスコンクール」で、新潟中央高が5位、新潟清心女子中学・高校が6位に食い込んだ。県高体連ダンス専門部委員長で新潟中央高ダンス部顧問の古田祐子教諭は「名校が切磋琢磨する中で、本県のレベルは着実に上がっている」と胸を張る。

昨年6月現在、県内のダンス部は同好会を含めて23。部員は約570人いる。10年ほど前までは学校間の実力差が大きかったが、専門部が年2回開いている合同講習会の講師に、新潟市のプロの舞踊団「Noism（ノイズム）」のメンバーを招いたあたりから状況が変わってきたという。

古田教諭は「ノイズムなどの指導は生徒だけでなく、指導者も参考になる」と強調。新潟明訓高ダンス部の長谷川茉莉部長(17)は「講師の踊りを見て、部員一人一人の感性が広がっていく。講習会で他校の練習を見ることも刺激になる」と話す。学校の枠を超えてレベル向上に取り組む姿勢が、県勢を全国トップクラスに押し上げた。

プロから刺激 指導者も向上

指導者の層もだんだん厚くなってきた。近年では大学でダンスを学んだダンス部OGの指導者が増えている。新潟明訓高ダンス部顧問の佐藤亜美教諭と新潟清心女子中学・高校ダンス部顧問の辻尚沙美教諭は、いずれも新潟中央高ダンス部出身。佐藤教諭は「大学で吸収した知識や表現力が部員に浸透してきた。専門性を身に着けた人が新潟に戻ってくる意義は大きい」と語る。

全国大会での入賞が続く県勢だが、入賞するのは新潟市内の学校ばかり。他地域の学校の底上げが課題だ。古田教諭は「専門知識を持った教員が増えれば、新潟のダンスはさらにレベルが上がる」と指摘。辻教諭は「全県でダンスが盛んになってほしい」と願っている。

第21～25回のフェスティバルの大会会長を務めた筑波大学の村田芳子教授（ダンス教育）は「新潟の場合、ダンス部の生徒が大学で専門的に学び、再び新潟へ帰って指導する良い循環ができている。新潟では今後、さらに有力校が出てくる可能性がある」と期待している。

昨年の「全日本高校・大学ダンスフェスティバル」で最高賞に輝いた新潟明訓高ダンス部。上位入賞を目指して練習に熱が入る＝新潟市江南区

全日本高校・大学ダンスフェスティバルの県勢の入賞校

開催年	回数	
1993	6	新潟商業高
95	8	新潟中央高
96	9	新潟中央高
97	10	新潟中央高
98	11	新潟中央高
2000	13	新潟中央高
01	14	新潟中央高
02	15	新潟中央高
03	16	新潟中央高
04	17	◎新潟中央高
07	20	新潟商業高
08	21	新潟中央高
09	22	新潟中央高、新潟明訓高、新潟商業高
10	23	新潟中央高、新潟商業高
11	24	新潟清心女子高、新潟中央高
12	25	新潟清心女子高
13	26	新潟明訓高、新潟中央高
14	27	新潟明訓高
15	28	◎新潟明訓高、新潟中央高

※◎は最高賞、高校の部のみ

県勢07年から連続入賞

1988年に神戸市で始まった「全日本高校・大学ダンスフェスティバル」の県勢入賞校（上位12校前後）は表の通り。昨年は高校の部で県内6校を含む95校が出場した。

県勢の初入賞は第6回の新潟商業高。以降、新潟中央高が14回、新潟商業高が3回入賞。第17回は新潟中央高が県勢初の最高賞に輝いた。

第22回は新潟中央高、新潟明訓高、新潟商業高の3校が入賞。県勢の連続入賞は07年から15年まで続いている。

取材メモ 胸を打つ表現 魅力伝えたい

「ダンスほど熱中するものはなかった」。目を輝かせて話をしてくれた男子部員の言葉が印象に残っている。そこまでダンスに打ち込むからこそ、観客の胸を打つ表現が生まれるのだろう。

各校のダンス部は、大会だけではなく地元のイベントにも出演し、地域おこしにも一役買っている。しかし、ダンスは高校スポーツの中で、注目度が高いとはいえないようだ。若者の間ではダンスが流行しているとか。県内の若者に、全国トップレベルがあることと、ダンスの魅力を知ってほしい。

新潟日報2016年2月5日付朝刊

【部日誌に挟み込んだ文献コピー】

村山賢『そこにある、Noism』新潟日報事業社

⑤ 学業との両立

前述したとおり、明訓は進学校であるため、学業面の負荷は大きい。明訓生にとって、学習と部活動の両立は、切実な課題だ。毎日朝礼前の15分間を使って小テストが行われる。授業進度も早く、授業内の理解不足が蓄積すると痛い目を見る。週末や長期休暇になれば、膨大な課題が出される。休日には模試が入ることが多く、長期休暇中は講習がある。各コースによって、研修などの日程も異なるため、部活動を運営するには難しい環境であることは否めない。そのような明訓の環境の中で、「好きなこと」と「やるべきこと」の相乗効果を得るには、生徒の主体性に任せているだけでは実現しないだろう。ダンス部として、それを実現させる仕組みづくりは不可欠だ。また、学級担任あるいは各教科担当教員と、部活動顧問とが日常的に情報を共有しながら、複数の目と立場で支援することが生徒の成長を促すことにつながると思われた。模試や学期末の成績には、極力目を通すように努め、要注意人物を把握しておくようにする。

ダンス部の中には、学年トップクラスの成績を残す生徒もいれば、下から数えた方がはやい生徒もいる。前者の場合、いわゆる「良い子」や完璧主義者が多く、自ら追い込みすぎる傾

向が強いため、プレッシャーのかけすぎは注意である。力の抜き方を教えることの方が必要だったりもする。一方、後者は学習に対する苦手意識が強く、方法が分からないため習慣も身についていない。はなから諦めている場合も多い。教科によって異なる学習の仕方を具体的に示しながら、小さな成功体験を積み重ねることが重要だ。しかし、諦めも早く、甘さも否めない。そのような生徒には、監督という立場をうまく利用してアプローチする。運動部に所属する彼らにとって、一番の恐れはやはり「監督」である。学級での素行の悪さや学業成績の不振を監督に知られることを最も恐れる。その状況を利用しながら、学級担任とタッグを組んで真っ向勝負する。

また運動部に所属するような生徒は、基本的には「競争」が好きだ。学業不振によって好きなダンスに傷がつくのはやはり誰も望まない。そのような風潮を利用しながら、ゲーム感覚で競争を楽しませる。また、大会などが落ち着き、次年度の準備が始まる秋季には、個人面談を開始する。この秋季は、最も「部活を辞めたくなる時期」でもある。ダンス部の夏の繁忙期が落ち着くと同時に、学校全体の風潮が進路選択やそれを見据えた学習ムードへとよりシフトしていくからだ。この時期に、生徒は一気に不安をあおられる。そこで面談を通して、進路や学業面における不安や課題について、一対一で話す。目標が見えれば、学業に対しても前向きに取り組むことができる。また、先輩による学習面における体験談は最も説得力がある。受験を終えた先輩らには、学習との両立を実現するためのコツや、いずれやってくる受験を見据え

て今やるべきことなどを、具体的に示してもらっていた。

今、受験を終えて感じていることは、すごくあっという間に時間が過ぎていってしまったということ。2年生はこの春から、1年生はあと1年とちょっとしたら受験生になる。受験生である時間は長いようでとてもあっという間に過ぎてしまうから今から時間を大切に過ごしてほしいと思う。

学習風景をダンスムービーに

具体的には今の生活を一度見直してほしい。部活動と勉強の両立はダンス部に入った時からの全部員の課題であると思う。すでに自分なりのやり方を見つけて実践している人もいれば、まだ見つけられずに悩んでいる人も多いと思う。私も現役時代、勉強との両立に悩み、質の悪い勉強時間を過ごすことが多くあった。私の場合、夜は疲れてすぐに眠くなってしまい勉強に集中できなかったため、高校2年生の秋ごろから夜は眠くなったらすぐに寝て、朝早く起きて学校で勉強する習慣を身につけた。その習慣を早めに身につけておいたことが受験生になってからの生活リズムの維持にもつながったと思う。習慣にしてしまえばいろいろなことは続けやすいと思う。みんなもいろいろな方法を試してみて自分なりのやり方を見つけてそれを

良い習慣にしていってほしいと思う。

受験生になってから気づいたことは基礎がとても大事だということ。特に理科は基本的なことが分かっていなければどの問題も解けないことを痛感した。私は毎日基礎固めとしてセミナーの問題を解くことから始めた。1、2年生は今勉強していることをしっかりとその都度身につけていくことが大切になってくると思う。テスト期間や朝テストをうまく利用して基本を抑えることを意識してみよう。

それから、自分自身や自分の将来についてよく考えてほしい。自分はどういう人で、何に興味があって、何をするのが好きなのか、どんな職業が向いているのか。考えすぎて損はしないと思うから少しずつでもいいから、考えられるときに自分と向き合う時間をつくって考えてみてほしい。私は自分自身についてよく考えるのが少し遅かったように思う。みんなには同じ思いをしてほしくないから何事も早めに考え、実行することを心がけてほしいと思う。

部活動をやっていて良かったことは、部活動を引退してから体力が有り余って勉強に集中できたことと、部活動でやってきたことが推薦入試の面接に生かされたことだ。引退後は、現役時代いつも勉強を始めるとすぐに眠くなってしまっていたのが嘘のように目がぱっちりと開いて勉強に集中することができた。それは引退するまで全力で部活動に励んで身につけた体力と集中力があったからだと思う。だから引退するまで全力で部活動に取り組んでほしいと思う。面接では具体的に、面接の内容として部活動のことを聞かれたときに今まで努力してきたことを語ることができたことや、面接での受

け答えなどに生かされたと感じている。

以上のことをまとめると、今の生活を見直してみて部活動と勉強の両立について考えること、勉強面について基本的なことをしっかりと押さえること、自分自身や自分の将来についてよく考えること。この三つが、私が現役メンバーのみんなに考え、実行してもらいたいことです。

平成某年3月　「受験を終えて～ダンス部の後輩たちへメッセージ」

3年生（国立大学歯学部合格）

競争は生徒の人間形成において、必要な要素ではあるものの、過度の競争的な環境にはならないよう注意が必要である。ダンスにおいて勝負や競争は一側面でしかなく、本質的なものではないという点は、生徒に伝え続けていたことでもある。競争が過ぎると、メンバーは「敵」となり、共に新たなものを創造する「仲間」とはなり得ない。常に他人との競争の中で、自己の優位性を誇示する殺伐とした世界になってしまう。本来ならば、個々に価値ある存在なのだから、序列化されたある一定のものさしでしか、人を評価できないのは危険である。しかしながら、そう考えざるを得ない社会や環境があるのも事実である。

コラム　ダンスは、クラスを変える

前述のとおり、私は10年間のうち7年間クラス担任を務めていた。そのうち6年間は、強化部（野球部、サッカー部、陸上部、剣道部）に所属する生徒らで構成されるコースのクラスであった。彼らは、普段の部活動において大きな重圧の中で生活している。時に、緊張で押しつぶされそうになる姿や、結果に伸び悩む生徒、監督の叱咤（しった）に落ち込む様子などが見られる。種目特性も大いに影響する。例えば、個人種目であれば自らの心身を追い込みすぎて体調に影響が出ることもあるし、団体種目であればスタメンやベンチ、A・Bチームの差別化などが歴然とする。随分と早期に、スタメンを諦めざるを得ない状況に直面したりもする。部活動の人間関係が、そのままクラスに持ち込まれることもあり得る。よって、競技成績が学校生活全体のモチベーションをも左右する。そのようなクラスの特性柄、よりクラス運営では「チーム（協調）」と「多様性」を意識した。全員がスタメンになれるわけでもなく、常に好調であるとも限らない。競争社会という厳しい世界にさらされ、エースもスタメンもベンチも補欠も皆同居するクラスにおいては、全ての生徒にとって、クラスが安らぎの場所や居場所となるように心がけた。

このクラスは3年間クラス替えがありません。1年7組は一つのチームです。同じ部活動の仲間との関わりだけでなく、部活動あるいは性別を超えて積極的にコミュニケーションをとってほしいと思っています。自分とは異なる多様な価値観を、素直な心で吸収し、互いに高め合えるクラスづくりをしましょう。

クラスだより　佐藤菜美

このクラス運営は、ダンス部でのマネジメントを応用したものになるが、クラスの顔とダンス部の顔は異なる。クラスでは、教師でありながら、その顔を使い分ける。それは、母であったり、姉であったり、彼女であったりする。男勝りに叱責することもある。時と場合に応じて、モードチェンジする。教員は、ピエロになることが必要である。

ところで、私はクラスの生徒から裏で〝ナミセン〟と呼ばれていた。〝ナミセン〟の由来は、学園ドラマ「ごくせん」（任侠（にんきょう）一家で育った仲間由紀恵が演じる熱血教師ヤンクミが、不良だらけのクラスで活躍するテレビ番組）からきているらしい。私のクラスでの振る舞いを見て、そのような愛称をつけてくれたのだ。ありがたい話だ。私は、スポーツ集団にありがちな、悪ノリと内輪ウケが苦手である。スポーツに秀でているからといって、万能なわけではない。異なるタイプの人間を尊重する姿勢を育めるようなクラスづくりに努めた。

●同じ部の仲間だけで人間関係を固定しない。

異なる部の仲間と積極的に交流し、価値観を広げる。

●謙虚に、誠実に。

「選ばれてここに来た」という自信と誇り、それは皆が抱いている大切な思いである。しかし、謙虚さを忘れてはならない。スポーツは、支援してくださる周囲の方々なしにはできない。親、先生や生徒、地域の皆様、多くの方々の支えがあってこそ自分が立っていられることを自覚して行動する。

物差しは一つではないこと、世界は広いということを知る。スポーツや絵を描くのが得意な人もいれば、勉強面で秀でている人もいる。上には上がいる。天狗にならない。できない人をさげすんだりしない。

●良い競争をする。

それぞれの分野で活躍し選ばれてきたこのメンバー。高いレベルで刺激し合える関係づくりを目指す。部活間の競争、部内競争。スポーツ場面での競争、学習面での競争。自己を高めることは、周囲を高めることにつながる。よい環境をつくることは、自己の成長につながる。

●痛みを共有し、励まし合う。メンバーの活躍は、クラス全員で喜ぶ！

今後は多くの苦境が待ち受けている。クラスが息抜きの場、安心できる居場所となれるといい。頑張っているのは自分だけではないことを確認し、次への活力とする。メンバーの活躍を、自己成長のためのエネルギーにする。

平成某年4月某日　クラスだより　互いに高め合えるクラスの実現のために　佐藤菜美

文化祭クラス企画で踊るクラスの生徒

クラスの雰囲気を好転させるために便利なのは「学校行事」である。しかし、日頃部活動で忙しい彼らは、学校行事を楽しみきれない傾向がある。そこで、時間がない中でもクラスが一体となれる方法として彼らが提案したのは、オリジナルミュージックビデオを制作するというものである。そこで、踊るのである。ダンスでは、競技成績など関係ない。それぞれの個性を生かしたアイデアや演出が盛り込まれる。普段、部活動で試合に出られない生徒にもスポットが当たる。内気な人間も、社交的な人間も、当たり前に対話している。本来体を動かすことが大好きな生徒らが、勝負とは無関係の「ダンス」によって一つになっていく光景があった。

第6章　全国の頂点に

「“Fight for Liberty”　―チャップリンの演説より―」

〔実績〕

・第68回新潟県高等学校総合体育大会ダンスコンクール　最優秀賞

・第28回全日本高校・大学ダンスフェスティバル（神戸）　文部科学大臣賞（第1位）

〔作品解説〕

彼の声は、自由を求める私たちの光となり、声となる――。

―私たちに訴えかける。「君たちには力がある。人生を自由で美しく、素晴らしい冒険に変える力が！　戦え！　自由のために」。彼の声は、自由を求める私たちの光となり、声となる。

この作品は、映画「独裁者」におけるチャップリンの演説をもとに創作した。独裁政治によって抑圧された戦時下の状況と、用意されたレールの上を、知らぬ間に歩かされている私たちの日常とを重ねた。自分の人生を自由に切り開いていくために、あらゆる困難の中でも、ひたむきに進んでいきたいという意志を作品に込めた。

なお、音楽は日本チャップリン協会の承諾を得て、チャップリンの肉声を用いている。

ダンス作品は、まさに自分の分身といってもいいだろう。そのとき、そこに生きた生徒がまさに感じ考えたことが、心身を投じて表現されている。ありのままの姿は、作品においては隠すことができない。それを象徴するエピソードとして、ＡＪＤＦで文部科学大臣賞（第1位）を獲得した作品「“Fight for Liberty” ―チャップリンの演説より―」と、その翌年、私が率いる最後の年のＡＪＤＦ上演作品となった「僕たちのボレロ―臆病者よ、さらば！―」を取り上げる。創作過程のさまざまな出来事、生徒一人一人のバックグラウンド、作品の評価や結果などは、次の行動選択につながっている。監督である私自身も、自分の身に起こるさまざまな出来事や人との出会いに影響されながら、生きた証しとしての作品を生み出し、今につながっていく。

1　戦後70年に生きる高校生のメッセージ

この「チャップリンの演説」という題材を提案したのは生徒である。この演説は映画「独裁者」のラストシーンに登場し、映画はヒトラーとナチズムの風刺が主なテーマである。チャップリンは世界の喜劇王として名高く、無声映画（サイレント映画）にこだわり続けたことでも知られている。そのチャップリンが、唯一肉声を発して訴えるスピーチが映画「独裁者」

のラストシーンである。チャップリンがこの映画を発表したのは、第2次世界大戦中であり、まだヒトラー政権が存在するときであった。まさに戦渦において、チャップリンが肉声を出してまで訴えたかったこととは何か、調べるほどに普遍的なテーマが見えてきた。

ところでこの年、日本は終戦から70年という節目を迎えていた。この題材は、今という時代にぴったりと重なったのだ。しかしその頃、中東の過激派組織に日本人のジャーナリストが人質にとられる事件が起きるなど、社会全体に緊張ムードが漂っていた。よって情勢的に、軽はずみな動機でこのテーマを扱うことは危険であり、慎重にするべきだろうと推察できた。この作品を披露する頃に、社会情勢がどのようになっているのか、生徒の身の安全を思うと、やや心配がよぎったのを覚えている。

チャップリンの演説内容は、まさに今の社会に投げかけられたメッセージのように聞こえます。だからこそ、軽率な考えで表現することは許されないし、私自身したくありません。さまざまな見方や考え方を知った上で、自分なりの選択、意思を持った選択が必要です。事実を知ろうとしないで、愛だの平和だの、憎しみは悪だなど、表面的なことは言えません。物事は複雑に絡み合っていて、目には見えない力が働いています。

人質殺害の事件を受け、国全体も今大きなショックを受けています。テロや戦争、あるいはそれに類する話題には敏感になっています。自分の身を守るためにも、軽率な考えで主張しないようにしな

ければならないと改めて思っているところです。まだ内輪にとどめましょう。状況がどう変わっていくのでしょう。

平成27年1月30日　部日誌　佐藤菜美

生徒は、チャップリン、ヒトラー、ナチス、ユダヤ、アウシュヴィッツ、ホロコーストなど、複数のキーワードから情報収集を行った。また第2次世界大戦下のユダヤ人迫害（ホロコースト）をテーマにした映画「Life is beautiful」を全員で観賞するなど、歴史資料のほか視覚資料なども駆使して理解を深め、イメージを徐々に膨らませていった。

今日は資料探しに行ってきました。いろいろな本をあさりながら、大きなショックを受けました。ホロコースト（第2次世界大戦中、ナチス・ドイツがユダヤ人などに対して組織的に行った大量虐殺）や戦争の残虐性を目の当たりにした気分でした。「気分」、としたのは私は体験していないからです。それはすごく幸せなことだけど、一方で安穏とした現実しか知らないというのも事実です。言葉にできないくらいの苦しみを、私たちはできるかぎり拾っていかないと、語り合うこともできないくらい重いテーマです。決意と覚悟をもって作品に臨みたいです。

平成27年3月25日　部日誌　3年生

昨日集めた資料を読み込んで、演説の分析をしました。いろんなモノクロの写真を見て、こんな雰囲気だなというのは得られるのですが、そのような写真の実際の情景を想像することがなかなかできません。言い換えると、モノクロ写真をカラー写真にして想像することが難しいということです。しかし実際にいま、私たちが見ている周囲の色があったと想像すると何とも言えぬ感覚に陥ります。モノクロ写真でも白黒映画でもない、実際に近い情景を頭に描きたいと思うのです。まるでそこに自分がいるかのような想像や作品のイメージも膨らむのではないでしょうか。

平成27年3月26日　部日誌　3年生

曲が決定していない頃、生徒らはYouTubeでチャップリンの声を流しながら、創作活動を行っていた。「この声で踊れたらすてきだよね」という意見は出ていたが、大きな問題が眼前に立ちはだかっていた。それは「著作権」である。そこで、生徒が調べてみると「日本チャップリン協会」が存在していることを知った。連絡をとり趣旨を説明すると、協会会長である大野裕之氏が、チャップリン家に連絡をとってくださることになった。数週間後、「優勝してください」だそうです、との本家のありがたい言付けに加え、こちらで依頼した使用承諾書の返信とともに、実際に映画「独裁者」で語るチャップリンの肉声を使用できることになった。チャップリン家からいただいた言葉が、後日現実のものになることは、その頃は到底想像もしていなかったわけである。

しかし、せっかくチャップリンの声が使えるようになったというのに、肉声と合わせる曲の選定に苦労していた。

今日は音探しをしていました。が!!なかなかうまくいきません！　あの手この手を駆使し、運命の一曲と出会うためにさすらいますが、巡り合えず…。まだまだ作品の軸が不安定な分、先が見えず手探りの状況です（汗）。今あるイメージ、狂気的なパレード、木枯らし吹くような寂寥とした跡地などをもとに迷走しています。作品の進行とともに音探しもやりやすくなると思うので、兼ね合いを大事にしていきたいです。引き続き頑張ります!!

平成27年3月27日　部日誌　3年生

初期は生徒が出した「狂気的なパレード」というイメージを生かす形で、いわゆる行進曲をBGMとして使用していた。ところが、チャップリンの声が引き立つどころか、曲の主張が激しく舞台上の動きに観客の意識が全く集中できないのだ。「うわー！　やめー!!　うるさーい！」駄目だ…と頭を抱えた。そこから音探しの旅は振り出しに戻った。総体に向けた合宿の直前、まだ曲が決まっていない状況だった。私は毎晩、曲のことで頭がいっぱいになり眠れずにいた。布団に横たわりながら、ひたすらスマホで曲探しをしていると一曲の静かなピアノ曲に出会う。それは「Light at the end of the tunnel」（Kerry Muzzey）である。私は暗闇の中

スマホを耳に近づけ、目を閉じて聴いた。それは自然と涙が流れるほどに美しく、寂しく、温かい曲であった。曲名「トンネルの出口に見える光」という曲の持つイメージは作品に合致した。翌日音楽係を呼び、パソコンで効果音やチャップリンの声を合わせてみた。すると、見事に調和したのだった。「さ、最高です……！」。生徒とともに身震いした。

2　私は誰？

チャップリンといえば、ダボ靴、ボーラーハット、ちょび髭（ひげ）、といった具合に固定化されたイメージがある。私は、いわゆるチャップリンそのままにはしたくないという強いこだわりを生徒に伝えた。では、私たちは何者なのか。そこを深く議論することになる。私たちが演じるのは「チャップリン」ではなく自分自身。とはいえ、チャップリン

高校生である私達におきかえると…

- 買おうと思っていた服を店員さんに勧められると、買いたくなくなる。
- 素直に行きたいと思っていた大学だけど、人に行けと言われると行きたくなくなる。
- 雪や雨が強いのに、無理に学校に来させようとする。
  →世間からの目を気にしてるから？「うちの学校はこんな日でもちゃんと来てますよ」
- カナダに行きたくて抵抗したけど、うまく言いくるめられてしまう。強制、権力
- スカートを制服チェックのときにしかチェックしない。

☆
- 親に「はい」の返事を連呼している自分がバカらしくなる。
- 先生がやめた理由を「聞かない方がいいこともあるよ」と言われて、大きな力を感じた。

大きな力が働いて、決まったことを違和感なくやっている
毎日があってそれにハッと気付いたとき。

どういう風に気がつく？
1人から徐々に……

平成27年某日　創作ノート　高校生である私たちにおきかえると…

を題材にする以上は、彼を彷彿(ほうふつ)とさせる何かは入れたい。

今のところ、いくつかツッコまれてもおかしくない点があります。まず一つ目は、チャップリンが出てこないという事実をどう扱うかという点。「一度もチャップリン出てこなかったね」と言われないようにするにはどうすればいいのか。関連して2点目です。肉声を使う必要があるのかという点。スピーチは言葉です。また各シーンに流れているスピーチに必然性があるのか？　その辺のところはもっと詰められるような気がしています。

平成27年5月23日　部日誌　佐藤菜美

3　自由とは何か　―人生を切り開く力

今日は全員で「自由について」意見を出し合いました。自由って何だろう…。と考えたとき私はある思い出がよみがえりました。～天気は嘘みたいによくて晴れた空がすがすがしい。新潟を発車した電車はもう越後石山を通り過ぎ亀田に止まった。あふれ出す人の波にいつもならまぎれるはずなのに、その日はなぜか席を立たなかった。きれいな青空を見ているとやがてドアが閉まり、電車は動き始めた。電車に身を任せたまま知らない町まで行ってみるのも悪くないな、と快晴の下、気の向くま

まに過ごしました。めでたし、めでたし。～その後先生と親にこっぴどく怒られた中2の頃の思い出です。なんとのんきで自分勝手、後先を考えないガキンチョだったのでしょう（みんなは真似しないでね）。低レベルと言わざるを得ませんが、日々のルーティーンから解き放たれたとき、私はまさに自由を感じていました。「自由」とは、自分の意志に対して素直に行動し、その結果を全身で背負うことだと思います。自由な選択をするということは、強い意志が必要です。

平成27年5月21日　部日誌　3年生

戦時下の抑圧された人々に向けたチャップリンの演説を、現代を生きる私たちがどのように捉え、どのようなメッセージを込めて踊るのか、とても悩みました。そして、なぜ彼の言葉が今も私たちの心に響いたのか。何度も考えていく中で、それは自分たちも見えない何かに抑圧されているからではないか、ということに気づきました。気づかぬうちに敷かれたレールの上を歩いてはいないだろうか。誰かの言いなりになってはいないだろうか。過去にとらわれてはいないだろうか…。そうした問いかけの中で、「たとえ困難な状況にあっても、自分の意志で、人生を自由に切り開いていくことができる」という私たちなりの答えにたどり着きました。

女子体育第57巻第10・11号「私達の創作過程―受賞者の声」　主将

チャップリンのスピーチを感受した生徒が、自分自身と重ね導き出した作品の中核は、こ

れである。「たとえ困難な状況にあっても、自分の意志で、人生を自由に切り開いていくことができる」。他人がつくった枠組みに知らぬ間に縛られている事実に気づいたとき、いったん立ち止まり自分の人生（選択）はこれでいいのかと振り返ることは、誰しもがあるだろう。時には先の見えない真っ暗なトンネルに陥り、未来を絶望することもある。チャップリンのメッセージは、絶望から踏み出す勇気を与えてくれるものである。

家庭の問題としては決して珍しくないだろうし、自分なんてまだまだ恵まれている方なのかもしれない。しかし、私にとっては間違いなく答えのない暗闇の日々であり、私はどこか絶望の中を生きていた。ダンスと出会わなければどうなってしまっていたか、今では想像もつかない。そう思うほどに私は救われたのである。心から叫ぶことができた。それに応えてくれる人々の温かみを知った。家族よりも長い時間を共に過ごす仲間を得た。自分の弱さと向き合うことを学んだ。どんなつらいこともダンスでなら切り開いていける、そう思えるようになった。まだ母の顔はトラウマである。しかし家族と向き合う恐怖も、いつかダンスと共に乗り越えていきたい、乗り越えていけると私は信じている。

私にとって独裁者とは「過去」であり、光とは「ダンス」である。私の人生はたかが17年ではあるが、絶望の中でダンスと出会い救われた自分の人生を作品になぞらえた。どんな困難や絶望の中であっても、人は希望を見いだし、自分の意思で未来へ進んでいける、人生を自由で美しく素晴らしい冒険に変えることができる、という思いを等身大の私なりに作品に込めた。私はこの思いを多くの人

に伝えたいし、何より自分自身に伝えたい、そう思っている。

平成27年某日　ダンスノート

4　このままじゃ、先生の奴隷だ！

よい題材やテーマに出合うと、イメージやアイデアがあふれてくるものである。私は、やってみたい動きやシーンが数多く浮かんでいた。ある時、生徒とともに創作しながら、「あれやってみたい」「こういうふうにしてみたらどうかな」などと興奮ぎみに次々と意見を出す私に対し、生徒がこう放った。「みんな、このままじゃ先生という独裁者の奴隷だ！」と。これを先生という私に言えてしまうほど、創作時は対等である。このようなとき、私は大人げなくカチンとする半面、内心喜んでいる。創作する上で、言いなりの指示待ち人間は不要だ。このひねくれ者が重要である。私は怒り気味で「だったら、もっとアイデア提案しなよ!!　私は止めないからね！」と駄々をこねた。生徒は負けじと、動きやシーンを提案してきた。

作品の前半は、抑圧や統制、暴力による絶望感を表すため、軍隊的な動きを取り入れた。戦時下の厳しい状況や、独裁政治によって個人の意思が覆い隠された様子を、暴力的な動き、軍隊の一糸乱れぬ行進を構成で表現した。音響には、前述のとおりチャップリンの肉声と静か

なピアノ音に加え、効果音として銃声や爆発音、軍隊の足音などを用い、戦時下を連想する工夫を施した。本編のチャップリンの演説は、約6分間にも及ぶが、このうちどこを使用するのか、どの場面に使用するのか、といった課題は慎重に吟味された。テーマの核心に迫る「君たちには力がある。人生を自由で美しく、素晴らしい冒険に変える力が！　戦え！　自由のために」。という台詞（せりふ）は、中盤の転換期で用いられた。この台詞が叫ばれる映画のシーンでは、まさにチャップリンが腕を大きく振り上げるタイミングである。チャップリンがまるで憑依（ひょうい）したかのように、チャップリンの声が自身の内なる声となるがごとく、ダンサーは台詞に合わせて口を動かし、右手の拳を力強く振り上げる。この拳を振りかざす動きは、この作品のメインモチーフとして使用した。

右手の拳を力強く振り上げるチャップリンメインモチーフとなった動き

5　痛みがあるから伝えたい、叫びたい

戦時下の状況、つまり空から爆弾が降ってきて故郷が燃え、大切な人が真横で木っ端微塵（みじん）になる状況、人々が殺し合い、人間が獣と化す姿…そんな悲惨な光景を、現代日本人である私たちは身をもって経験していない。「戦争はよくない」「戦争は苦しい・悲しい」「暴力や虐待はよくない」そのような重いメッセージを、戦争を知らない私たちが表面的に訴えることには抵抗がある。生徒がつらさや痛み、苦しみを体験的に知るためには、理屈だけでは失礼にあたると考えていたし、舞台上でリアリティーをもって表現することは難しいだろうと予想できた。

そこで私の提案で、実験をすることにした。「虐げ―虐げられる」関係を体験するのである。4人一組になる。そのうち1人に対して、他の3人はしつこく「押す、しがみつく、捕まえる、追う」（「蹴る」「たたく」はしない）をしばらくの時間続ける。虐げられる1人は、無抵抗である。「用意、はじめ」の合図とともに、各グループは、ターゲットの1人を複数人数でド突いたり、追いかけて捕まえてはしつこくしがみつくことを繰り返していく。しばらく続けていくと、ターゲットの1人からわめき声が聞こえてくる。「やめて」「うぁー」言葉ともとれない悲鳴のような叫び声のような声に変わり、無抵抗ではいられなくなっている。それは感染し、

泣いている生徒もいる。同時に、いじめる役の生徒も次々に泣きながらも、はいつくばって捕まえに行ったり、わめき声を上げたりしている。その光景を見ている私も、目を背けたくなりながらも涙をこらえながら観察する。役割を全員交代するまで、かなりの時間続けていった。全てを終えると、ほとんどの生徒が声を出して嗚咽（おえつ）している。まるで幼子のようにワンワン泣いている生徒もいる。私もボロボロ泣きながら、正直見るのもキツかったと生徒に伝える。そして「つらいってどういうことだろう。痛みって何だろう」。そう問いかける。

これは、私が大学時代に経験した稽古を基にしている。演劇畑の先輩が、作品創作時に取り入れていたものだ。平田オリザ（２００４）は、演劇を「人間の精神の奥底を覗（のぞ）き込む行為」とし、「日常生活の中で、保守的に暮らしていたのでは、何も新しいものを創ることはできません。普通の人が見て見ないふりをするもの、見なかったことにするものを、しっかりと見続けて、さらにそれを表現しなければならないのです。しかし、ときにその行為は、私たち表現者自身の精神を追いつめます」と、演劇と向き合う上での精神面における注意事項を挙げている。また「素晴らしい作品を世に残せるかどうかを決定するのは、ギリギリのところで踏みとどまれるかどうかにかかっている」と述べている。同じ上演芸術である舞踊においても、同様のことがいえるだろう。この明訓での事例は、私（大人）の見守りがあってこそできることであり、あくまでも実験（疑似体験）ではある。日頃から濃厚な人間関係を構築している仲間だからこそ実現可能だ。フォローをうまくやらないと、危険なことでもある。しかし、この痛み

自分の意思で帽子を脱ぐシーン

光に向かって手を伸ばす

の体験が、自分の声に変わっていくのだ。

大会がいよいよ目前に近づき、練習は佳境を迎えていた。ある日、1日練習の最後の通し稽古、舞台前方で光に向かって手を伸ばす終盤の見せ場を迎えたときだった。体育館の窓のカーテンからわずかな隙間を通して、西日が差し込んできた。生徒たちの身体を照らしている。生徒らは、偶然の瞬間をまさに全身で感じながら「この光！　つかみたい！」と自ら声を発している。目が輝き、心が震えているのが分かる。嘘ではない、この瞬間の鮮明な記憶は、明確なイメージとして彼らの身体に入り込んだ。

大会決選当日の朝、ホテルのアップ会場に集合することになっていた。何だか、3年生の顔がおかしい。全員まぶたがお岩さんのように腫れ上がっている。この学年のことだから、そ

の理由は大体想像できた。集大成を翌日に控え、自分の過去やトラウマ、作品・仲間・ダンスについて熱く語り合ったのだ。泣きはらした目は、悲惨だった。「本番当日なのに、なんだその顔〜！　早く寝ろと言ったのに…自己責任！」。皆ひどい顔で笑った。顔のむくみを除いて、本番への準備は整った。

August 27, 2015

Dear the Chaplins,

Hello, Chaplin family. We are Niigata Meikun High School Dance Club in Japan. Thank you so much for allowing us to use Chaplin's speech from the movie "The Great Dictator" for our dancing. Thanks to you, we got the highest award at a state tournament in June, and the first prize – Culture, Sports, Science and Technology Minister's Award – at the 28 th All Japan Dance Festival in Kobe. The title of our work is "Fight for Liberty – from Chaplin's speech".

We were moved by his speech and began to create dancing. We focused on his sentence, "You the people have the power to make this life free and beautiful." It says that thinking from a different point of view, we can advance even though we are in a difficult situation. To express the message through dancing, we identified our past hard experiences and difficult situation along with the situation of those who were oppressed during the war. This is a symbol of the half of our work. Gray costumes show the oppressive situation and emotionlessness. Then we share the experience that we have found ourselves in hope. During the second half of the work, we express the situation that we go forward for the ray of hope. Costumes also change from gray to yellow, which symbolize the ray of hope.

Furthermore, we used Chaplin's speech three times in our work as accompanying music. Using his speech at the beginning, it foreshadows the later development of our work. In the middle part, we use his speech, which appeals to those who are oppressed. The message gives them an opportunity to find hope. In the end of the work, we use his speech again, which supports us to go forward for the hope, and to overflow with hope. Through this work, his voice turned into our own voice. That is because we wanted to share with the audience the message that we can make our way ourselves even though we are under a person's thumb. We think this work expresses our own life. We stuck meticulously to every movement in the dance and did our best on stage.

Chaplin's speech moves strongly not only those who lived in wartime but also those who live now. We were able to find the best theme and got the first prize thanks to his speech which moves people of all ages. Moreover, through this work, we got an opportunity to reconsider ourselves and to think about the war. Thank you very much for cooperating. We take a pride in this prize and will continue to do our best. We would be glad if you would support us.

Sincerely, Niigata Meikun High School Dance Club

チャップリン家に送った受賞報告の手紙（英語科教員に指導を受け、生徒が作成）

自由への戦い 力強く

明訓高ダンス部 来月 全国大会へ挑戦

チャプリン「独裁者」テーマ

新潟明訓高校（新潟市江南区）のダンス部が、8月5日から神戸市で開かれる全日本高校・大学ダンスフェスティバルに向けて練習に熱を入れている。披露するのはチャプリン監督・主演の映画「独裁者」をテーマにした創作ダンス。抑圧された社会の中でも、人生を切り開いている力強さを表現するとともに、戦後70年の節目に平和の尊さも訴える。

チャプリンの肉声を音楽に盛り込んだ創作ダンスを踊る新潟明訓高校ダンス部＝8日、新潟市江南区

新潟明訓高ダンス部は6月の県高校総合体育大会ダンス競技大会で最優秀賞に輝き、県代表として全国大会への出場権を得た。

「独裁者」は、ナチスドイツの独裁を風刺した米映画で、独裁政治の戦時下が舞台。終盤でチャプリンが「君たちには力がある、人生を自由で素晴らしいものにする力が」と人々に演説するシーンがある。

部員たちは、ダンスの題材を探すため映画を鑑賞。困難の中にあっても、自分の人生を自らの手で切り開くチャプリンの姿に感動し、作品のテーマに選んだ。部長の斎藤真唯さん(17)は「ことしは戦後70周年なので、若い人に戦時下のことを伝えるきっかけにもなると思った」と語る。

作品名は「"Fight for Liberty" ―チャプリンの演説より―」。演説の肉声と、音楽を織り交ぜて、部員28人が制服のような衣装で踊る。体を押さえ込むしぐさで抑圧を表現する一方、それに果敢にあらがう姿をダンスに盛り込んだ。チャプリンの演説に熱がこもっていくのに合わせ、ダンスも激しさを増す構成となっている。

全国大会に向け、斎藤さんは「人生は決められたレールの上を歩かされるのではなく、自分で変えていけることをダンスで伝えたい」と意気込んでいる。

モア・ビューアーで動画が見られます

新潟日報2015年 7 月14日付朝刊

神戸市で5～8日に行われた全日本高校・大学ダンスフェスティバルで、新潟明訓高ダンス部が創作コンクール部門高校の部で1位に当たる文部科学大臣賞を獲得するなど、新潟市内勢の活躍が光った。新潟中央高ダンス部は2位に相当するNHK賞を、大学の部では新潟医療福祉大ダンス部が特別賞を受けた。各校とも好成績を自信にし、さらなる飛躍を目指して練習に励んでいる。

光る独創性 新潟勢快挙

全日本高校・大学ダンスフェス

優勝・新潟明訓高 抑圧への抵抗 テーマ

上から、新潟明訓高ダンス部の作品、新潟中央高ダンス部の作品、新潟医療福祉大ダンス部の作品（いずれもフォトスタジオ八木撮影）

高校の部には、県内6校を含む86校が出場した。新潟明訓高は、チャプリン監督・主演の映画「独裁者」をテーマにした作品「"Fight for Liberty" ―チャプリンの演説より―」を披露した。困難の中にあっても、自分の人生を自らの手で切り開くよう訴えるチャプリンの肉声と音楽を織り交ぜて、抑圧に対し果敢にあらがう姿を、部員28人が躍動感あふれる踊りで表現した。

3年の斎藤真唯部長(17)は「支えてくれた先生や保護者に感謝している。後輩も、自分らしさを忘れず謙虚さと素直さを持って頑張ってもらいたい」と笑顔で語った。

2位・新潟中央高 「人間関係」等身大で

2位に輝いた新潟中央高の作品「パーソナル・スペース～変動する心の境界線～」は、人間関係がテーマ。仲間の気持ちを考え、理解し合える関係を築こうと悩む高校生の姿を、部員30人が等身大で表現した。

舞台上に小道具の椅子を並べることで、人と人の境界線を演出。手をつないだり、突っぱねたりするしぐさで心の距離を表した。

3年の風間ひかる部長(17)は「悩んでも、人と関わることをあきらめない気持ちを、作品で伝えたかった」と話した。

特別賞・新潟医福大 震災がれきの"思い"

大学の部で、新潟医療福祉大ダンス部が特別賞を受けた作品「赤錆き声…瓦礫が語るもの…」は、東日本大震災などから着想を得た。がれきにも心があると考え、その場に残された悲しみや思いを擬人化して表現した。

パイプを組み合わせた枠を建物の鉄骨のように見立て、枠の上に乗ったり、一緒に揺れたりしながら、がれきが律動で積み重なった様子を表した。

大会でリーダーを務めた3年の安藤美和さん(20)は「がれきの無機質らしさが出るよう、体も硬い動きで表現する一方、心情を伝えたい部分では柔らかな動きにするなど、めりはりを付けた。来年はさらに上位に行けるよう頑張りたい」と話した。

新潟日報2015年 8 月22日付朝刊

6　全国優勝と弱気な監督

いよいよ結果発表の瞬間を迎えた。入場制限があるため、メンバーの数名は外で結果発表を待つことになる。その数名と副顧問に別れを告げ、2、3年生全員と数名の1年生とともに、落ち着かない様子で中ホールの2階席に座る。すると、新潟中央高校ダンス部のメンバーも少し遅れて、隣に座った。プログラムと筆記用具を取り出し、審査結果の講評を待つ。私自身、結果発表の時間は、比較的冷静である。胸打つ鼓動からするとそれなりに緊張はしているらしい。平静を保つようにしている、のかもしれない。しかし、内心「さすがに何の賞にもひっかからないということはないだろう」という自負はあった。

ブザーが鳴った。ざわついていた会場が一気に静まる。まずは、講評が話される。生徒は、その内容に一喜一憂しながら、心ここにあらずの状態でメモをとる。ついに講評が終わったと思ったら、すぐに受賞校が読み上げられる。下の賞から順々に、賞の名前、タイトル、学校名が呼名される。生徒は、もはやメモはどうでもよくなって、隣同士で手をつなぎ合い、うつむく。私もなかば強引に手をとられた。目を固くつむって、祈る様子。私は空いている方の手で、受賞校にチェックを入れていく。いろいろ追い付かない。一向に「Fight～」が聞こえてこない。徐々に増していく不安感と期待感とともに、会場には悲鳴に近い歓喜とともにうれし

泣きする声と、落選を早くも覚悟してかすすり泣く声が混在している。とうとう四賞といわれる、高得点の作品群に贈られる賞が呼ばれ始めた。神戸市長賞、日本女子体育連盟理事長賞がそれぞれ呼ばれた。まだ「Fight～」は聞こえない。もう二つしか残されていない。この時点で、まだ新潟県勢は一つも呼ばれていない。すると最後から2番目「NHK賞～新潟中央高等学校ダンス部」が呼ばれるとともに、真横で強烈な悲鳴と歓喜が起こった。一瞬ビクッと反応してすぐ「もしかして…」最後の望みにかける。「文部科学大臣賞…」ついに最高賞が呼ばれた。「"Fight for Liberty" —チャップリンの演説より— 新潟明訓高等学校ダンス部」その瞬間、叫んだ。入り乱れて、狭い通路を行き来しながら互いに抱き合った。男も女も皆が泣いていた。その後すぐに、新潟中央高校の監督とハグした。「やりましたね！」。劇場ホールでは、明訓と中央がさらに入り乱れてずいぶんと長い時間、歓喜の儀式が続いた。NHKのカメラやマイクが向けられた。その光景を見ながら、私には、早くも冷静さが襲いかかってきていた。

外で待つメンバーや副顧問、応援に駆け付けた保護者や卒業生は、なかなか出てこない明訓メンバーに「もしかして駄目だったのかな」と不安を抱きつつ、祈るように待っていたことだろう。生徒は会場から出るや否や、人がまともに通れないほど混雑する中で、人さし指を立てて「モンブ～！！！！」。会場の玄関口で待ち受けていた保護者、卒業生と合流し、また入り乱れた。副顧問、3年生の保護者と抱き合い、握手した。あまりに歓喜と混雑がすごいの

で、会場スタッフに注意された。その後、会場裏の公園に移動して集合写真を撮ったり、テレビ取材を受けたりしてその余韻を長すぎるほどに味わった。時間がたつほどに、私の内心は複雑になっていった。

決選の翌日、受賞校による「特別プログラム」が上演される。楽屋では、自信に満ちあふれた生徒たちが、もはや監督の手を離れ、自ら主体的に本番に向けた調整を行っている。私はその様子を他校と比較しながら観察し、楽屋の隅っこに座敷童のごとく足を抱えて縮こまった。30代前半で、モンブを手にする日が来るとは想定外であった。自分の高校時代、あんなに望んでも手にすることができなかった雲の上の存在、「文部科学大臣賞」。「何かが大きく動く」そんな直感が脳裏をよぎりながら、生徒とともに築き上げてきた明訓ダンス部の今を肌で感じていた。

会場玄関口で歓喜に沸く

新潟に帰ると、全校生徒向けの優勝報告会や、校長、市長、県知事への表敬訪問をはじめ、各種マスコミの取材対応、保護者会やOG・OB会との祝勝会など、関連行事が2カ月ほど続いた。他県に遠征にいけば、まるでスター扱いされる始末。随

分立派な〝お立場〟になったものだと自分に突っ込みを入れつつ、以前とは明らかに異なる周りの目におびえながら大きな流れに足元をすくわれないようにと、じっと耐えるのに必死だった。

ダンス部は、8月5日～神戸にて行われた第28回全日本高校・大学ダンスフェスティバル（神戸）の高校創作コンクール部門において、全国から集結した95校の頂点に相当する、文部科学大臣賞を受賞することができました。この全国1位という名誉ある賞をいただき、明訓に新しい歴史を刻むことができて光栄です。昭和48年に、ダンス部を創部し伝統を築いてくださった前監督のW先生をはじめ、私に交代してから部員がたった2人になり廃部の危機に陥りながらも部をつなぎ成長させてきてくれたダンス部卒業生たちやご家族の皆様、また直接お会いしたことのない明訓の同窓生、いまここにいる生徒のみんなや先生方、言い尽くせないほどたくさんの方々がダンス部に関わってくださり今があります。この結果が私たちだけのものでなく皆さんの喜びや誇りになれたんだと思うと、感慨深い思いがいたします。

さて今回の作品や今年のチームにはたしかに自信がありました。でも本来ダンスは勝ち負けではないし、狙ってとった1位でもありませんが、作品やチームを多くの方に認めていただけたことは、何より喜びです。華やかな結果がつくと、成功しか知らないように見えますが、決してそうではありません。地道にやるべきことを積み重ね、問題解決のために時には衝突したり、自信と不安を繰り返し

ながら一つ一つ課題をつぶしていったその結果でしかありません。そして、全国1位という結果は単純な喜びだけではなく、恐怖に近い、重く大きなものがのしかかるのをいま感じています。これは、私たちに与えられた新たな景色だと思って、地に足をつけて逃げずに向き合いたいと思っています。

さて、このあと受賞作品を再演します。生徒の皆さんには自分自身のさまざまな感情を重ねて観(み)ていただきたいです。これから先、皆さんの人生において暗いトンネルに入ることもあるだろうし、誰のために何のために生きているんだろう、なんて思うこともあると思います。ぜひ自分の意志で人生を切り開く強さを持って、目の前のことに前向きに向き合ってほしいと思います。そんなメッセージを込めて、私の挨拶とさせていただきます。

平成27年8月　全校集会「ダンス部全国大会優勝報告会」

全国優勝から半年間、今後の明訓ダンス部について、あるいは新潟のダンス界について、そして自分の人生についていてあれこれと考えていた。「はて、これからどうしていけばいいのだろう…」

そんな矢先に、新潟県内の大学に教員公募が出た。４月のことだった。「身体表現」の専門教員公募と書かれているＨＰを見つめた。直感に従った。

第7章　葛藤と挑戦

「僕たちのボレロ——臆病者よ、さらば！——」

〔実績〕

・第69回新潟県高等学校総合体育大会ダンスコンクール　最優秀賞

・第29回全日本高校・大学ダンスフェスティバル（神戸）　神戸市長賞

〔作品解説〕

他人の評価を恐れる臆病な僕。そんな僕とは決別し、挑戦を楽しむ強い私でありたい。

無数の視線は僕をどう見ているのか。同情、非難、好奇の目。僕は他人に左右される。他人によってつくられる。弱く、もろく、空っぽな自分。…このまま逃げるのは嫌だ。変わりたい！

この作品を創ったきっかけは、バレエ作品「ボレロ」を鑑賞したことだ。堂々と踊る独りのダンサーとそれを囲む多数の人。その独特な構図から「見る・見られる」といった関係の中で生きている臆病な自分に気づいた。名曲ボレロの反復する旋律には他人の評価を恐れる保守的な風潮を重ねた。その状況を打ち砕き、前向きな変化を起こしては共鳴し合う姿を徐々に盛り上がる曲調とともに表現した。臆病な僕とは決別し、挑戦を楽しむ強い私でありたい。

1　全国優勝の翌年　――臆病な王者

ちょうどこの年は全国優勝の翌年である。遠征に行くたびに、明訓ダンス部に向けられる周囲の期待やまなざしが、以前とは明らかに異なることを痛感していた。「全国優勝を成し遂げた」明訓ダンス部、「全国優勝に導いた」佐藤菜美、その冠をかぶせられた生身の自分たちは何とも言えない複雑な気持ちを抱いていた。何より、監督である自分自身が「全国優勝」がもたらす大きな変化の波にさらわれそうになっていた。そこで、作品の力を借りて、今のありのままの自分たちを表現できないかと考えていた。

前年度の12月（つまり全国優勝の大会の４カ月後）、世界的バレエダンサーであるシルヴィ・ギエムが踊る、世界的に有名なバレエ作品であるモーリス・ベジャール作「ボレロ」を鑑賞したのだ。ボレロは曲だけでも著名であるが、かつて映画「愛と哀しみのボレロ」でジョルジュ・ドンが踊ったことで知られている。ジョルジュ・ドンやシルヴィ・ギエムなど、この作品のソリストを担えるのは選ばれし者（王者）だけなのだ。

この世界的に著名な舞踊作品は、真っ赤な円台の上で、たった一人のダンサーが最初から最後まで踊り続ける演出である。そのソリストと円台の周囲には、大勢の男性ダンサーが取り囲み、音楽の高まりとともに勢いを増していくのだ。新潟公演の終演後には大歓声の中、観客

のオールスタンディングで拍手喝采した。シルヴィ・ギエムの日本でのラストステージということも相まって、いつまでも鳴りやまない拍手を浴びるギエムの姿に、身の丈知らずの私は明訓ダンス部を重ねていた。当時、たまたま私のミュージックフォルダにはiTunesで購入したボレロの編曲が保存されていた。この曲を使って、ボレロをモチーフにできないだろうか——と頭の片隅にちらついた。一方、舞踊関係者ならば誰もが知っているこの名作「ボレロ」をモチーフにすることは、リスキーであった。失敗すれば、赤っ恥をかくほどに偉大すぎるモチーフだったからだ。

2　他人の視線を気にする臆病者

私の中では、テーマは明白であった。まさに当時の自分自身「臆病な王者」を作品のコンセプトにすることである。すでにその頃、生徒からはいくつかテーマの候補が挙がっていたのだが、「テーマ、ボレロにしない?」と私から提案したのだ。その時点で、私の頭にはアイデアがひらめいていた。それは、赤いシートを舞台上に敷き詰めるというものだ。このひらめきと、今年ならではのテーマで後にも先にもない「今しかない！　イケる」という手応えが私を突き動かした。これを高校生のテーマに落とし込むために、周囲の視線を気にする「臆病な自

分」を普段の生活レベルで見つめ、俯瞰することになる。テーマを深めていくと、高校生の人間関係の特徴や「臆病者あるある」が出てきた。例えば、自分の意見はあっても人目を気にして言わないとか、学級委員長を決めるときのあの雰囲気！とか、責任転嫁しちゃうなどである。

今年のコンクール作品は、「僕たちのボレロ―臆病者よ、さらば！―」という作品です。世界的に有名なバレエ作品である「ボレロ」をモチーフにしています。

昨年度には世界的バレエダンサーのシルヴィ・ギエムが踊る「ボレロ」を生で鑑賞しました。赤い舞台上に堂々と舞うたった一人のダンサーと、それを囲む多くの人々。その構図をヒントに、本家本元とは対照的な「他人の視線や評価に左右され、積極的な言動を避ける臆病な私たち」という高校生の等身大の姿をテーマに重ねました。自分の責任を誰かに押しつけ、他人の真似をし、逃げ隠れしていた僕。いざ人前に立つと何もできず、必死に良く思われようとしていた僕。分かっているのに行動する勇気のない臆病な僕。…そんな弱くて情けない僕とは決別し、挑戦を恐れない強い私になりたい！という意志を込めた作品です。

手作りの舞台美術 テーブルクロスに赤く塗装する様子

昨年度、全国1位という頂は、一気に周囲の視線を集めることでもありました。今年は、私たちが望む望まざるとにかかわらず、多くの人たちが「昨年」との比較で、チームや作品を評価します。今回の作品は、今年のチームがしっかりと自分の足で立ち、評価に屈しない芯を持つための挑戦、決意表明でもあります。肩書や評価やイメージを、私たちは越えていかなければなりません。それが、今年のチームに課せられた宿命だと捉えています。

明訓生の強みである、物事をいろいろな角度から深く掘り下げて考えられる力。それを十分に生かすために、目を背けがちな自分の弱さと徹底的に向き合っています。そして、それらを伝えるためのスキルを強化し、自他共に認める作品を目指して本番ぎりぎりまで仕上げていきます。皆さんの応援をパワーに変えて頑張りますので、どうぞご声援をよろしくお願いします。

平成28年7月　全国大会出場部　壮行会（全校集会）アナウンス原稿

しかし創作過程は、思いのほか苦戦した。前年度のような、戦地の情景や情景描写は比較的イメージしやすいものだ。しかし、人間関係という抽象的な事象を表現するのは簡単ではなかった。「見る—見られる」「臆病」それだけでは動きが広がらなかった。どうやって動きにするのか、という局面でうーんと立ち止まってしまったのだ。いつもは5月のゴールデンウィークの合宿で、完成を目標とするのだが、この年はなかなか形にできず焦っていた。そこで、合宿の手伝いに来ていた卒業生の先輩から提案があった。「実験してみてはどうですか？」

3　弱い私が邪魔をする

そこで作戦を練ることにした。「自信のない人は、他人の視線にさらされたとき、どのような行動をとるのか？」。それを実証するために、臆病者代表を誰にすべきか普段の生徒観察をもとに数名を人選することにした。

臆病者代表・生徒Aは、普段から自己顕示欲が強く、自分の存在感や正当性をアピールするために必要以上に大きな声で話す。加えて、周囲に取り巻きをつけて自分の意見に同意させ、あたかも自分の意見はみんなの意見のようにして圧力を増していく傾向があった。いい顔しいで打算的なので、できないことを避けるところがある。臆病者代表・生徒Bは、いつも人目を気にしておどおどしている。「Bはどう思うの？」と言われると、救いの目を求めるようにして他人に依存的なメッセージを送るところがある。誰かといないと落ち着かず、自分一人で決定することが苦手である。臆病者代表・生徒Cは、正義感とプライドが高く、恥をかくのが嫌いである。できない自分を見られるのが許せず、できる自分でいたいのだ。

以上のような臆病者代表を、主将と相談してあらかじめ数名こちらで決めておいた。そして、次のような実験を行った。センターに1枚の赤いマットを敷き、二重円でセンターを向いて座る。私に指名された人は、ある課題を果たさなければならない。ある課題とは、その生徒

が明らかに苦手なことや現時点ではできないと分かっていることをあえて課す。臆病者代表らを含め部員たちは、（主将を除いて）事前に誰が指名されるかを知らない。「では、Aさん赤いマットに立ってください」。周囲の視線は一気にAに送られ、センターに歩む姿を追う。周囲が拍手をする。一気にピリリと緊張が走る。そして課題が出される。「後方転回（バックブリッジ）3回、ダブルのピルエット（2回転連続ターン）3回行ってください」。普段から、柔軟系や回転系の動作を苦手としており、その動きの研究を避ける傾向があることは知っていた。取り巻きが助けてくれるわけでもない。当然ながらできない。顔は引きつり、赤くなっている。

「次、…」。Aが元いた場所に戻り、他のメンバーが自分に降りかかってきませんようにと身を縮め、目を合わせないようにしている。「Bさん、出てください」。腰がひけたようにしながら、頼りなく出る。「最近気になっているニュースについて触れ、自分の意見を述べてください」。みるみるうちに顔は白く、口が青くなる。肩をすぼめて落ち着かない。「えっとえっと…」。頭は真っ白のようで、言葉が続かない。周囲の人に救いの目を求めている。「はい、ありがとうございました。Cさん出てください」。きたかーと、苦笑いしている。「好きな歌を歌ってください」。歌⁈と驚き、プライドが邪魔をしてかなかなか歌いだせない。やっとのことで歌いだすが、視線はうつむき、声は震え小さくてほとんど聞こえない。

「誰か、出たい方出てください」。互いにキョロキョロと目線を合わせると、いつものムー

ドメーカーが率先して出る。「面白い話をしてください」。皆がほっとしたように笑う。「はい、ではキャプテン、みんなを盛り上げてください」。主将は唯一指名される人を知っていた人物であるが、あえて私の独断で指名する。さすがキャプテン、全員を立たせてリズムに乗ったりハイタッチしたりして笑顔にさせて、以上終了。「はい、オッケー！」。後で話を聞くと、主将は「絶対自分にもくるな」と思っていたらしい。後半は、もはや過緊張でガチガチの空間をアイスブレイクする時間であったが…。選ばれし臆病者たちは「はぁ～」と地獄の時間がやっと終わったと胸をなで下ろしていた。

実験が終了すると、臆病者人選の理由を、全員に伝えた。そして、どんな様子だったか皆でノートに意見を出し合う。臆病者代表として立たされた側の気持ち、周囲にいる側の気持ち、そのときの体の様子、それらを具体的に抽出していく。「みんなが敵に見えた」「多動になっていた」「視線をそらした」「震えていた」「体が固まった」「モジモジした」「いつ自分が指されるかドキドキした」など動きのヒントが続々と出てくる。

また、他人の悪い癖はいろいろ言えるものだが、自分のことになるとよく分からない、あるいは見ないようにしているものだ。そこで、普段のコミュニケーション場面でみられる「悪い癖」を互いに言い合う機会をとる。ザクっと胸に刺さることではあるが、「作品を通して成長する」という目標はシェアされているので、必要なこととして受け止めさせる（このケアなしに、生徒だけにやらせると危険な方向へいく。ただの人格否定になりかねない）。このよう

に、実験や議論を通して得られた具体的な事柄をもとに、動きやシーンに反映させていった。

4　前向きな発信が感染する！

ところで、この作品では、動きの象徴的なモチーフとして、「挙手する」動作を繰り返し行う。これは、自分の意見を発言するといった意思表示の象徴的動作として用いることにした。前半は、自信なさげに手を挙げたり、一度挙げたものを撤回したり、人目を気にして挙げるのを途中で止めたり戻したりする動作が中心となる。加えて、「赤いマット」は視線を浴びる場の象徴として存在し、そこには恐る恐る入ったり、自分が立ちたくないために他人を入れたりする。赤のマットとそれ以外の空間の差別化を図る。ボレロの音の高まりと合わせて、他人との連帯感が増すほどに優位性や万能感を抱く様子を、構成や表現の抑揚で見せていった。生徒は、作品の前半部を「人間の汚い心が見えるドロッドロの世界にしたい」と言った。また、この作品の象徴的なシーンとして「1人を取り囲んで周囲が拍手をする」というものがある。このシーンは、冒頭に象徴的に入るとともに、拍手は各所に散りばめられる。その「拍手」は前半と後半でその意味合いが大きく異なる。冒頭のそれは、実験の際に、人がマットに立った瞬間に冷たい視線が向けられたあの様子を、リアルに再現した象徴的な場面である。ダチョウ倶

楽部の「はい、私やります」「どーぞどーぞ」のネタではないが、自分にスポットが当たらないように自己を守るための拍手である。決してソロをたたえる称賛の拍手ではない。それは責任転嫁や自己防衛のための拍手である。

一方、後半では「挙手」も「赤いマット」も「拍手」も徐々にその意味合いが変化していく。そのきっかけとなるのが中盤の「挙手」である。勇気を持って自分の意見を他人にぶつけるシーンである。それを受けた他者がいったんはひるむが、それでも勇気を出してボールを投げ返す。それを繰り返していると、違うところで「挙手する」人が現れる。その影響を受けた周囲はノンバーバル（非言語）な動きのキャッチボールを連鎖させ、舞台空間のあらゆる場所で発信受信が頻発していく。ここでの

責任転嫁と自己防衛の拍手

勇気をもって意見する

「挙手」や「赤いマット」に入ることは、自分を守るためのそれではなく、前向きな発信である。自分の意見を発信することは、勇気のいることではあるものの、それによって生み出される創造的なエネルギーは徐々に増し、爆発していく。後半は、一つのマットを持ちながらけん制し合い、「私はこう思う！　あなたはどうする？」と駆け引きを楽しむ姿や、同時に2人入って体当たりする動きなど、互いの発信をぶつけていく。また称賛の拍手によって爆発するパワーをボレロの曲の高まりとともに表現している。

5　人間くさい、ありのままの私

この作品のメッセージには、明訓ダンス部が日頃から大切にしていたコミュニケーションのあり方がそのまま投影された。前向きな発信によって多少の傷つきは覚悟の上で、自分の意見を持つことや他人の意見を聞くこと、それによって自分の考えを修正することの重要性を、日々の関係性の中で学んでいる。その挑戦は、創造的で爆発的なエネルギーを生み出すことにつながる。この前向きな発信が、成長し高め合える関係性の基盤になることは、体験によって知っている。しかし、時に臆病な自分が邪魔をして、挑戦を妨げたり、空気にのまれたりする。「全国優勝を成し遂げた王者」明訓ダンス部は、その立ち位置にビビッてしまう人間くさい生

身の私たちであった。その臆病な自分を乗り越えたいと奮闘した姿がこの作品なのである。

昨年度の全国ワンツー効果がもたらした新潟県高校ダンス部や明訓への注目。高いレベルで拮抗(きっこう)し競争し合う新潟県の実力。その中で、ますます重みを増してくる「県の優勝旗」を手にすることは単純な喜びだけではなかったはずです。

一方、何の賞にも引っかからなかった学校は憔悴(しょうすい)しきった表情で、メモとペンを手にあらゆる先生のところへ助言を求めに動いていました。受賞校たちが歓喜に沸くかたわら、そのような光景に私たちの多くは気づいていませんでした。華やかな結果が見えなくさせていることは多いと思います。だからこそ、一つ一つの言動に、頂点に立つものの真価が問われると思います。

世界的名作である「ボレロ」をテーマとして扱い、あえてそれに挑戦することには意味があると考えています。周囲の人たちは、私たちが望む望まざるとにかかわらず「昨年」との比較で、チームや作品を評価するでしょう。肩書、外の評価、固定的なイメージを、私たちは越えていかなければなり

舞に磨き 連覇へ照準

全国フェス県代表 新潟明訓高ダンス部

新潟市江南区の新潟明訓高校ダンス部が、3日から神戸市で開かれる創作ダンスの大会「全日本高校・大学ダンスフェスティバル」(日本女子体育連盟など主催)に県代表として出場する。昨年の同大会では、最高賞にあたる文部科学大臣賞を獲得、連覇を狙う。

全国大会連覇を目指し練習に熱が入る新潟明訓高ダンス部＝1日、新潟市江南区

きょう開幕「らしさ発揮する」

新潟日報2016年８月３日付朝刊

ません。それが、今年のチームに課された宿命です。舞踊関係者なら誰もが知っている「ボレロ」。この「ボレロ」に対する多くの人たちのイメージを、そして「明訓」に対する多くの期待（プレッシャー）を、越えていきます。あくまでも県総体は通過点。この結果に満足したり、過信しすぎれば一気にどん底まで突き落とされてしまいます。「臆病者」の自分をどう生かすか、それこそが人生の大きな岐路になるだろうと考えます。今の「私」そのものである作品や踊り。この夏、その等身大の作品を全国の方々に納得してもらえるよう、挑戦をやめずにさらに成長し続けたいと決意しています。

平成29年7月　ダンス部たより　佐藤菜美

6 「ボレロは王者しか踊れないのよ!?」

全国の会場でのこと—明訓は、受賞校による再演（特別プログラム）を控え、アリーナで練習していた。私は練習を生徒に任せ、その様子をギャラリーから眺めていた。ところで全国大会の公式練習は、9つに区切られた体育館アリーナのエリアで、大勢の大会参加者から丸見えの状態で行われる。気がつくと、明訓の練習エリア周辺のギャラリーに大勢の他校ダンス部らや指導陣が

練習会場で円陣を組む

集まり、メモとペンを持って見学している。私は、下にいる生徒に向かって「見られてるよ‼」と声をかけた。見学者たちが「先生、そこにいたの？」という感じで私の声に反応して素早く振り返る。生徒はにやりと笑って「よっしゃ〜！」と気合を入れた。そして、会場で恩師からこのように言われた。「ボレロは王者しか踊れないのよ⁉」。私は待ってました！と言わんばかりに「じゃあ、私たちにぴったりですね！」と強気で返した。

7　明訓を辞めます。

11月、すでに明訓を辞めることが決まっていたが、当然ながら生徒に話すわけにはいかなかった。

師走の候、益々ご清祥のこととお慶び申し上げます。今年も残すところあとわずかとなりました。夏の怒濤（どとう）のようなシーズン、新チームスタートを本格化した秋のシーズンに終わりを告げ、間もなく２０１６年が幕を下ろそうとしています。未来への不安や恐怖を嘆いていたあの頃も、感動で涙した瞬間も、一つ一つが過去のものになってゆきます。やるべきことを着実に、目の前のことから目を背けずに積み上げていけば、自分の足跡をまるごと受け止め、浮き出た課題さえも財産だと思えるので

はないでしょうか。苦境を「楽しむ」（やってやろうじゃん！）前向きさは、新たな工夫や課題を見いだしてくれるものだと考えます。とはいえ、一人は弱いものです。弱気になったときほど互いを支え合い、人の手を借りるときがあってもいいのでしょう。そうやって山を越え、新しい自分に出会えたときの喜びはかけがえのないものとなります。小さな挑戦をやめないためには、未来の可能性を信じる強さが必要ですね。

私自身、明訓に赴任して10年の節目を迎えました。この10年間、正しいと信じるものを貫き、走り続けてきたと感じています（やや生き急いでいるのかもしれません…）。皆さんには想像できないかもしれませんが、私が赴任した当初の体制は、指導だけでなく振付構成を手がけるのはもちろん、20人全員分の衣装作り、音楽編集、照明案作成、現地での詳細なスケジュールなどすべて私一人で行っていたかつての時代がありました。部員が激減し廃部の危機に陥ったり、初めて県代表に輝いた年も部員から「全国出場を棄権したい」と吐露されたり、保護者の強烈なバッシングを受けたり…幾度ものどん底と失敗を経験してきた過去も、今につなぐ布石だったと受け止めることができます。生徒や保護者の皆様が、多くのことを教えてくれました。今では、中高ともにダンスを動機に明訓を志望する児童生徒が増えています。全国強豪校という地位の確立や、リサイタルの実施など、できることを増やして自信にするとともに、関わる人々との「Win-Win」の関係を常に意識してきました。自分の置かれた境遇がどんなに理想とかけ離れていたとしても、情熱と行動力、冷静な問題発見と解決を繰り返していけば、徐々に賛同者は増え状況が変化するのだということを、自分の背中で皆に伝えるこ

とができていると感じています。今では伝統は脈々と受け継がれ、「全国優勝」という最大の転換期とともに、明訓ダンス部は太く、たくましく、成熟した組織に成長しています。それはまさに理想の姿であると同時に、新たな変化が必要なときであるとも思っています。

今の経験が将来どんなふうに生かされ、道をつくるのかは誰にも分かりませんが、後ろを振り返ったときに自分の足跡を肯定できるような生き方をしてほしいと願っています。現代は、度重なる災害や少子高齢化、就職難など若者が漠然とした不安を抱きやすい社会といえます。社会の競争が激化するほど、結果や数字・カネなど目に見えるものばかりに価値の重みが傾く可能性もあります。また、女性が働くということにはまだ多くの障壁があり、時には痛みを伴うこともあるかもしれません。そんな現代社会は、一つの目標に向かって黙々と働いていればよかった時代とは異なり、生き方も働き方も随分多様になっています。つまり、「たくさんの答えがあっていい」ということだろうと思います。モノや情報であふれる混沌としたこの時代に、「正解」を見いだすことは簡単ではありません。それでも一度きりの人生ですから、時代のせいや環境のせいにして未来を悲観し続けることは幸せへの道ではありません。まずは、少しだけ人生の先輩である私自身が、希望をもって前進するために、挑戦し続けていたい。ひいては、それが皆さんへの最大のメッセージになるだろうと考えています。誰もが慢性的なストレスを抱え、悲しきかな信頼関係を構築するのが簡単ではないこの時代。つい保守的になりがちではあるけれども、自由を生き抜く知性とたくましさを武器に、挑戦を諦めないことが人生を輝かせる秘訣ではないかと感じます。皆さんが自分の人生を輝かせた結果、社会や誰かの支

えにいつかなれたらなと願っています。

平成28年12月9日　ダンス部たより　佐藤菜美

3月17日、今年度最後の職員会議が開かれた。「この3月で離任される先生方、前へ出てきてください」。もしかすると、私の離任について知っていたのはほんの一部の先生方だけだったかもしれない。明訓への感謝を告げた後、大きな拍手の中、会場出口に向かい歩いた。ちょうど通路沿いに副顧問が座っていた。嗚咽に近い涙を流していた。私は目頭が熱くなるのを感じながら、ともに戦ってくれた彼女と笑顔でハイタッチした。

その後すぐ体育教官室に戻り、ふぅと息をはいていったん気持ちを落ち着かせた。そして、ダンス場に向かった。ダンス部の生徒は、3月末のリサイタルに向けて練習していた。一人も休まずに来てもらえるような状況をつくるために、事前に何かとこじつけて、その日は引退した3年生も含め全部員が来ていた。全員を集め床に座らせた。私は椅子に座って、全員の顔を見渡しながら話した。「みんなに話さなければならないことがある」

「…実は、この3月で明訓を辞めます」。部員の顔が、目が、固まった。その後、主将と副将は、瞬く間に泣いた。それにつられるようにして、私が一言一言重ねるたびに、涙が感染していった。「なぜ私たちの代のときに、と思うかもしれない。けれども理解してほしいのは、このメンバーが嫌いだからとか、どうでもよくなったからというわけではない」。私も涙を我

慢できなかった。「いずれは、大学のステージに行くかもしれないという思いはあったが、そのタイミングがここにきてしまった」「明訓ダンス部は、私がつくるチームとしてはもう飽和状態にきている。新しい変化が、ダンス部にも、私の人生にも必要だ」。そんなことを話したと思う。明訓の生徒は物分かりが良いので、おそらく私の言っていることは頭では理解していたと思う。それだけに、行き場のない気持ちとどう向き合ってよいのか分からない状態に陥っていた。生徒のまなざしが私の胸にザクザク突き刺さった。それでも、自分の選択に後悔はなかった。一方で、目の前の生徒たちを3年間見てあげられない申し訳なさも同居していた。

中高一貫のスタートと同時に赴任し、10年間お世話になりました。今後は、ダンスや身体表現の専門性を生かし、大学のステージで教員生活をスタートさせます。

この10年間では、現在の高校1年生を除いて、10年間全ての学年の女子生徒と体育で関わりました。その他、ダンス選択者や保健などでも多くの生徒に出会いました。10年間のうち、7年間は、クラス担任をさせていただき、2回卒業生を送ることができました。ダンス部では、昨年度の全国優勝をはじめ、多くの出会いと経験をさせていただきました。

一見成功しているように見えることをなげうって、どうして辞めてしまうのかと疑問を持たれる人もいるかもしれませんが、その理由の一つとして、私は物事には、変化が必要だと思っているからです。それは、明訓にとっても、明訓のダンス部にとっても、私自身の人生にとってもいえることです。

こんなに早く、このステージ上で離任の挨拶をするなんて過去の私は、当然想像もしていませんでしたが、不器用すぎて恥ずかしいくらい全力投球でやってきた結果として、見えてきたものがありました。

ところで、明訓の生徒は賢くて、良い子が多い。けれども、理屈先行で挑戦する前に結論を決めてしまうところがあると感じています。失敗を怖がり挑戦をやめてしまったり、自分を大きく見せようとしすぎてしまいます。でもそれでは、自分の立ち位置を変えることはできませんし、表面的に取り繕えても、崩れるのは簡単です。太い幹のある、人間になるためには、勇気や多少の痛みは必要だと考えています。

私も、これから行く先が素晴らしいかどうかはなんて全然分かりません。けれども、迷うということはチャレンジするチャンスが自分に与えられているということでもあります。置かれた環境がたとえ自分の望み通りでなくとも、ベストを尽くしていれば、それを見ている人は必ずいて、おのずと応援したり支えたりしてくれる人が増えてきます。自分の一人の力なんて、大したことはなく、それを支えてくれる人がいるから力を発揮できると考えています。皆さんには、自分のメンターとなる師、つまり恩師を大切にしてほしいです。明訓には素晴らしい先生方がたくさんいます。自分のことを叱ったり、褒めたり、励ましたりしてくれる存在は、大人になっても絶対に必要なもので、自分の成長を促し、人生を豊かにしてくれます。私も、そういう存在になれたら教師冥利に尽きるし、未来の師を育てることができたら嬉しいです。そして、働く一人の女性として希望の光になれたらなと思っ

ています。

皆さんの、そして明訓の、ご活躍と発展を心から祈っています。私も新しい場所で、より人生を充実させていきたいと思います。10年間ありがとうございました。

平成29年3月21日　離任式（全校集会）離任の挨拶

8　終わりは始まり

「辞めます」とは言ったものの、1週間後にはリサイタルを控えていた。机が片付くわけもなく、辞める実感などなかった。リサイタルを成功させるために、悲しみに浸る余裕などなかったのだ。このドタバタ感は、複雑な感情を紛らわせてくれた。「辞めます」宣言から3日後、悲しみの時間を極力少なくする作戦で、次期監督を紹介した。「みんな集合～！　私の後を継いでくれるのは、M先生です！（ジャ～ンキラキラ）」。テンション高めにも無理があった。すぐに「見たことある人～」と聞くと、ポツポツ手が挙がる。新監督は県内他校ダンス部のコーチだったからだ。喜びとも驚きともとれないような表情をしながらも、物分かりの良い生徒は歓迎ムードを演じてくれた。と同時に、次期監督も完全アウェーの中、過緊張だった。

以前から、「今回のリサイタルは5回記念だから！　アニバーサリーだから！」とこじつけ

て、「歴代作品のメドレーをやろう」と提案していた。当然、「私、辞めるし！」とは言えないのだから。この、メドレー作品は「戯（おどけ）と涙のサーカス」と題した。道化師を題材にした過去の作品テーマと、自分や生徒の状況を重ねた。「寂しくない」といえば、嘘である。小さな嘘を重ねるありのままの姿を作品に投影し演出することで、10年間の感謝の思いを形にすることにした。

新潟明訓高校ダンス部の過去作品レパートリーから抜粋し、メドレー形式に構成しました。大学ダンサーの卒業生も交えて上演します。

再演にあたり、先輩方が現役時代に実際に使用した衣装をお借りしました。汗と涙が染み、穴があき擦り切れたそれは、脈々と築き上げられてきたダンス部の歴史と、当時のすさまじいパワーを私たちに伝えてくれます。「今」を一つ一つ積み重ねた上に、私たちの「今」がある。そのことをかみしめながら、ダンス部に関わってこられた全ての方への敬意をこめて、そして新たなダンス部を踏み出す決意としてここに再演します。

歴代作品メドレー「戯と涙のサーカス」アナウンス原稿

また第1回記念作品として私の演出振付で「Canon in D」という作品をつくっている。それは、私も出演しダンス部生徒と共に踊るものである。これを再演した。

今回、初回リサイタルにつくったカノンを再演することにしました。作品解説である「うつろい、色あせ、やがて手放すことを知っている」には、人生のはかなさや、いずれ姿形はなくなってしまうことを誰もが分かっていて、だからこそ自分のウロコ、身体の一部・かけらがはがれ落ちてゆくように、人は生きる実感を求めて、身を削って、命を燃やしながらその瞬間を生きようとする、そのような思いを込めました。「絶対」とか、「永遠」とか、それはきれいごとで、やはり変化は必然なんだと思います。皆さんはどんなふうに受け取り、自分の身体の叫びに変えたのだろう。

平成29年3月30日　部日誌　佐藤菜美

リサイタルの打ち上げには、現役ダンス部員と保護者のほか、歴代のダンス部ＯＧ・ＯＢやその保護者も参加してくれていた。そこで、私はお願いをした。「明訓ダンス部を総力戦で支えていくこと、それは今もこれからも変わらない。せっかく出会えたこのご縁を今後もつないでいきたい。皆さんも、同じ思いであると信じたい」。全員のまなざしが、その答えを語ってくれていた。

10年間、毎日返信していたこの日誌ともお別れです。私自身も、皆さんの文章から熱い思い、悩みや葛藤、多様な価値観を知るのが楽しく、勉強させてもらっていました。日誌は、チームの横と縦のつながり、同学年の仲間、先輩と後輩、先生と生徒をつなぐツールであり、自分の考えを確認したり、

修正する場でもあります。互いに高め合える大切なものとして今後も続けていってください。

44年という長い明訓ダンス部の歴史のうち、私の関わりはたったの10年でしたが、貴重な経験と出会いをさせていただきました。前任のW先生が積み上げてきたものを大切にしながら、次へとつなぐこと、それが自分に課した責務です。卒業生が帰る場所であり、関わる人の誇りとなれるダンス部になること、人との関わりや支え合いによって自分が存在し得ることを確認できる場所、それを目指してきました。

明訓ダンス部は、現役メンバーにとっても、保護者にとっても、明訓の生徒や職員にとっても、OG・OBにとっても、そしてW先生や私にとっても誇りなのです。

皆さんが守り、M先生とともに後世へつないでください。

ダンス部をたのみました!!

10年間、ありがとうございました。

平成29年3月30日　部日誌　佐藤菜美

新生明訓ダンス部を見守る

翌年のリサイタル——新たな歴史を刻み始めた新生明訓ダンス部を、私は袖幕から見守った。

終章　ダンスの力

1　踊ることは生きること

本書では、新潟明訓高校ダンス部における10年間の指導実践を振り返ってきた。表現・創造的活動であるダンスの特性を生かしながら、まさに教員である私自身がアクティブ・ラーニングを実践してきた。生徒も私も、常に迷いや不安、自信や感動などによって揺らぎながら、対話を重ね、その時々の課題に対して最善の選択と決定を重ねてきた。しかし今振り返れば、あるいは他者から見れば、その判断が必ずしも正しかったとはいいきれない。学校現場には適さないと叱られてしまうこともあるかもしれない。また明訓ダンス部での多様な実践は、私学だからこそできる取り組みや、明訓の生徒の特性を生かした実践、筆者ならではのものなど、個別性があることも否定できない。全く同じものを異なる対象者に当てはめたところで、同様の結果が出るとも限らない。しかしそれこそが、一人として同じではない「個」が、成長の途上である可変的な「個」が、変化する時の中で息づいていた証拠である。イメージや人間の心という可視化できない曖昧なものを、ダンスという「心と体まるごとの身体」を使って創造的に生み出していくプロセスは、まさにその瞬間に生きた人々の足跡である。世間的には「全国優勝」という目に見える〝結果〟は分かりやすく、本書の方向性を「結果が出る必勝術」に仕立てることも可能であった。しかし、本書で最も表現したかったこととは、その結果に至るま

でのプロセスやその後も続いていく生きたエピソードにこそある。生きた証しであるダンス作品にとって、結果と呼ばれるものは通過点にすぎず、「生きる」ということはずっと続いていくものだからだ。

2　自分らしく生きる

昨今の部活動を取り巻く議論においては、特に運動部では科学的知識を取り入れた合理的かつ短時間で行える体制の検討が進められている。しかしながら、学校という現場は、生産性や合理性のみで語られるべきものではないことは言うまでもない。なぜなら、人間らしさ・その人らしさを育むには、時間と手間がかかる。人間らしさとは何かと考えたとき、それは「感じる心と体」を駆使して、文化を創造していくことではないだろうか。他人と自分とは決定的に違うということを痛みとともに知り、自分自身を自ら認めることから、自分らしさはスタートするのではないか。

ダンスは、身体を媒介としたノンバーバル（非言語）・コミュニケーションであり、「今まさに生きているまるごとのからだ」が共感、交流し合う世界である。それは、ダンサーと観客の間で行われるものだけではなく、表現者自身との対話や他者との感じ合いにある。この自他

との交流、共感、共有する世界が、ノンバーバルな表現の独自性といえる（舞踊教育研究会編：2011、p.18）。自身の表現が他者に受け入れられたときには、「自分を大切にする気持ち」（自己肯定感）が生まれ、他人を大切にすることもできるだろう。自分らしい表現は、自分らしく生きていくことにもつながっていくのだ。自分らしさ—つまり、「個性」「アイデンティティー」「固有の生き方や価値観」—それらを見いだすためには、多様性を受容する環境が不可欠なのだ。

ダンスは、世間体や自己の利害を離れ、純粋で真実をありのまま見つめようとするものである。イギリスでは、ダンスが限られた人たちだけのものではなく、年齢、性別、ジェンダー、国籍、障がいのあるなしにかかわらず、全ての人々の幸福に寄与するという考えのもとに活動される「コミュニティダンス」が社会に浸透している。「コミュニティダンスに参加することは、精神的にも肉体的にも健康維持に寄与することから、英国の病院の中には、投薬のかわりにダンスへの参加を促す処方箋を出すところがあるという。あるいは、少年院に入所した子どもたちの更正にも大きな成果をもたらすなど、コミュニティダンスはあらゆる場面で、現代社会の課題解決に成果を発揮している」（地域創造レター　制作基礎知識シリーズVol.29 コミュニティダンスの基礎知識①）。さらに、英国におけるコミュニティダンスは、子ども、障がい者、地域を対象に、コミュニケーションや想像力を育むためにダンスが有効であるとして徐々に広がり、若者の更生施設や不登校の子どもたちのため、また健康、肥満防止など、現在起きてい

る社会的課題に対してもダンスが有効であるという調査結果が出され、社会の中の重要な要素としてダンスが生かされている（コミュニティダンスジャパン：２００９）。対象は、労働者や青少年、高齢者、障がい者、マイノリティー、失業者などで、教育機関や福祉施設、病院や刑務所に出向くような活動など、幅広く行われている。

3　創造的プロセス　―学びの原点

文部科学省によると、「教育課程の基準となる学習指導要領等が、『社会に開かれた教育課程』を実現するという理念のもと、学習指導要領等に基づく指導を通じて子どもたちが何を身に付けるのかを明確に示していく必要がある」という。明訓高校ダンス部の教育実践は、現状の枠組みでは教育課程の外にある。しかし、「未来の社会」を見据えた新しい教育課程が目指そうとする姿は、ダンス部活動では以前からずっと目指されてきたのである。

ダンスという創造的活動は、自他とのコミュニケーションを基盤とする。ダンス部という深いコミュニケーションを図ることのできる同好の生徒だからこそ、痛みを伴うコミュニケーション体験が成立し得る。多様な価値観が存在する中で、身の丈を少し超えた挑戦や、意見を伝達受容する勇気は、同じ目標をシェアした仲間にこそ可能であり、失敗があっても修復でき

る。両親からの自立や、将来の職業を見据えた進路選択を目前に控えた高校生期に、ダンス部活動の濃厚な関係性において培った数々の体験は、社会進出後も応用していけるのだろうと思う。新しい価値、無から有を生み出す創造的な過程で、自分なりの考えを内に持ち、その思いが他者に伝わるように、客観的・多角的視点で自他や物事を眺め、必要に迫られて不足の知識と技術を自ら学び取ろうと行動し、実践する。知識や技術を活用して、自分らしい独創的な表現の形とは何か試行錯誤し、イノベーションを起こしていく。そこには、学校という守られた環境を拠点にしながらも、教職員・地域・保護者が複雑に関係しあう中で、日頃の知識や体験を総動員し、その領域を超えて主体的に学ぶ生徒の姿があった。「好きなこと」を主体的に選択した生徒で構成される、部活動ならではの学びがあるといえるだろう。本来の学びの姿とは、面白さや不思議にあふれるワクワクした好奇心が出発点ではないか。

4　おわりに

ダンスの力―つまり、心身を投じて他者との関係の中で形成される「創造力」「コミュニケーション力」「表現力」は、人工知能が人類を超える時代を間もなく迎えようとする今、まさに求められているものではないだろうか。いずれ教職の業務もＡＩにお任せする日が来るのか、

部活動も学校現場から消え去る日が近いのか。おそらく、社会の変化に応じて柔軟に変わるべき余地はあるのだろう。しかし、いつの時代も「人間らしさ・自分らしさ」を希求する教育現場でありたい。

今年1年とても重かった。中身のぎっしりと詰まった年だった。今まで流したことのないような涙を流して、感じたことのない悔しさを味わった。同時に、他の誰とも違う〝仲間〟を心から感じた。「答えのない問題」。きっと1年前は理解できなかったし、ぶつかったこともなかった。「問題」というのは、「答え」がすでにあってそれを質問者が回答者に問うものだと思っていた。相手の中にない「答え」をどうやって出せばいいのか、そもそも「答え」なんてなかった！　そこにあるのは、私たちの「感じたこと」であって用意された満点の「答え」ではなかった。それも、常に変化しうる。前回と全く同じ状況で同じことが起きても、前回と同じようにして必ずうまくいくわけじゃない。大切なのは、それぞれの物事に対する「答え」を覚えることでなくて、自分の中にある自分だけの感性を育てて、現在進行形で変化していく状況に対応していくこと。本当に大切なこと、目に見えない大切なことを感じた年だった。

平成某年12月　ダンスノート　1年の振り返りと抱負　2年生

映像を見ながら議論し合う生徒たち

あとがき

結局執筆活動に、2年以上も要してしまった。単著の執筆を生まれて初めて経験してみて、実感したことがある。「本づくりも、ダンスの作品づくりと一緒である」ということだ。どのようなコンセプトで書くのか、全体を通して読者の皆さんに何を伝えたいのか、自分の感性や価値観に従いながらも、複数の目によって無駄が削がれ、徐々に精度を増していく。作品創作は素材選びが肝心だが、「明訓高校ダンス部」という10年間の素材は、伝えたいことがあふれすぎるほど魅力的な素材であった。膨大なモチーフを殺さないように、あの時の迫力を残しながら、どのように全体を演出するのか、未熟な技術と知識を使って試行錯誤した。大学教員としてまだ半人前ではあるが、ありのままの自分がここに表現されたと思う。

新米大学教員の生活は、いまだに戸惑いの日々である。博識な人々に囲まれ、難解な言葉とカタカナ語が飛び交う中、充実したＩＣＴ環境に不適応を起こしつつ、膨大なメールの返信に毎朝頭を抱え、研究室で一人パソコンとにらみ合いながら、不勉強が身に染みる毎日である。同時に、現場との距離が開いていくことへの不安感もある。当時学校教員として奮闘していた日々を思い返せば、既存の理論を現場に当てはめることには違和感や抵抗感があった。なぜなら、実際の現場というのは、さまざまな人や物事が複雑に絡み合い、一つの物差しだけで語る

ことができない矛盾に満ちたものであるからだ。つまり、既存の理屈が通用しないことが多分にあるのである。客観性や数量化された基準だけで現場を語ることはできない。その時々、その対象によって即興的に対応しながら、一つとして同じものはないのが実際である。新たな環境において、そのような現場の特性と研究とをどのようにつないでいくかを模索していたとき、「現場学の方法」と称される「エスノグラフィー」と出合った。それは、対象と向き合い現場を深く知ることで、理論を作り出す方法である。このエスノグラフィーの研究者である小田博志は、著書（『エスノグラフィー入門〈現場〉を質的研究する』春秋社）の中で、エスノグラフィーを「人々が生きている現場を理解するための方法論」と定義し、「エスノグラフィーの知」は主体と主体の対話関係の中から生み出されるという。このように本書の執筆にあたっては、当時の対話関係を物語る詳細な記録を用い、自身の指導実践で見えてくるダンス部活動を通じた全人教育について理論化することを目指したのである。

昨今は、部活動をめぐる議論、学習内容や方法に関する議論、教員の労働内容や働き方に関する議論などが各地でさかんに行われ、学びの本質や教育機関が果たす役割とは何か問われている。10年、20年先の予測し難い未来を見据え、教育現場でもダイナミックな発想転換が求められている。その風潮の中で、本書が一つのサンプルとして活用されることを願う。また、本書が、明訓高校ダンス部に関わられた全ての方々の生きた証しとして残るだけでなく、ダンスを愛しその価値を信じている人々にとっての一つの指針として、活用されたら本望である。

何より、明訓高校ダンス部の愛すべき教え子たち、明訓ダンス部保護者会、「明訓」を題材として扱うことを許してくださった明訓高校の管理職の先生方、生徒の輝く瞬間を記録してくれた保護者会カメラ担当の皆様、出版にご尽力いただいた新潟日報事業社の皆様、指導してくださった新潟青陵大学の先生方のご協力に感謝申し上げたい。

今回、実践内容の執筆と書籍化を後押ししてくれたのは、新潟青陵大学の諫山正前学長である。新たなステージにおいても自身の個性を引き出し、伸ばしてくれる師に出会えた。また現在に至るまでに、明訓をはじめ自身の各ライフステージで出会った、全ての人々と体験に、私は育てられている。恩師や仲間、明訓の教え子とその家族、体育科の先生方をはじめ明訓の教職員の皆さん、ダンス部を応援してくれた地域の皆様、新潟県高体連ダンス部の先生方と生徒、ノブコ先生をはじめ歴代のダンス部副顧問の先生たち、前監督の若井先生、現監督のモコ先生、そして家族、ここには書ききれないほどの人々に支えられ、学ばせていただいた。ここに感謝の意を表すとともに、次世代に返すことでその恩義に報いたい。

今後ますます、ダンス・身体表現、表現・創造性教育への関心が高まることを期待する。そのために、多様な人と手を取り合いながら、人々の幸福に貢献できる「ダンスの力」を探っていきたい。

参考・引用文献

尼ヶ崎彬（2004）『ダンス・クリティーク　舞踊の現在／舞踊の身体』　勁草書房
一般財団法人　全国大学実務教育協会（2014）『能動的学修の教員研修リーダー講座テキスト』　一般財団法人　全国大学実務教育協会
一般財団法人地域創造ホームページ「地域創造レター　制作基礎知識シリーズVol.29 コミュニティダンスの基礎知識①　英国のコミュニティダンスの歴史と現状」（最終閲覧日　2019年1月18日）
井上勝子ほか（2016）『新訂　豊かな感性を育む身体表現遊び』　ぎょうせい
小田博志（2016）『エスノグラフィー入門〈現場〉を質的研究する』　春秋社
川喜多二郎（1983）『チームワーク　組織の中で自己を実現する』　光文社
コミュニティダンスジャパンウェブサイト「日本におけるコミュニティダンスの確立に向けて」（最終閲覧日　2019年1月18日）
佐藤綾子（2014）『非言語表現の威力　パフォーマンス学実践講義』　講談社現代新書
佐藤綾子（2004）『自分をどう表現するか　パフォーマンス学入門』　講談社現代新書
柴眞理子（2018）『臨床舞踊学への誘い　身体表現の力』　ミネルヴァ書房
全国ダンス・表現運動授業研究会編（2013）『明日からトライ！ダンスの授業』　大修館書店
髙崎卓馬（2016）『グッとくる映像にはルールがある　表現の技術』　朝日新聞出版
武田正樹・藤田依久子（2015）『個と集団のアンソロジー　生活の中で捉える社会心理学』　ナカニシヤ出版
平田オリザ（2004）『演技と演出』　講談社現代新書
平田オリザ（2015）『新しい広場をつくる―市民芸術概論綱要』　岩波書店
舞踊教育研究会編（2011）『舞踊学講義』　大修館書店
文部科学省（2013）『学校体育実技指導資料第9集　表現運動系及びダンス指導の手引』　東洋館出版社
文部科学省ホームページ「新しい学習指導要領等が目指す姿」（最終閲覧日　2019年1月16日）
八木田恭輔ほか（2011）『スポーツ社会学〈やさしいスチューデントトレーナーシリーズ1〉』　嵯峨野書院

プロフィール

佐藤　菜美（さとう なみ）

新潟中央高校に進学し、バスケットボール部での挫折をきっかけに、遅れてダンス部に入部したことからダンス人生がスタートする。外山陽子の指導の下、全米選手権ミス・ダンス＆ドリルUSAにゲスト出演およびインターナショナル大会総合３位。

筑波大学、同大学院に進学し、村田芳子、平山素子らの下で舞踊学・舞踊教育学を学ぶ。大学ではダンス部主将を務め、全日本高校・大学ダンスフェスティバル（神戸）において、大会史上初の４連覇を達成。石渕聡（コンドルズ、大東文化大学）のすすめで、平成17年度から振付演出家の北村明子（信州大学）率いるコンテンポラリーダンスカンパニーLeni-Bassoに所属し、翌年のジャパンツアーに出演。

平成19年度から新潟明訓高等学校保健体育科教諭として勤務。平成27年には同ダンス部を全日本高校・大学ダンスフェスティバル（神戸）高校部門において全国優勝の文部科学大臣賞に導く。

平成29年度から新潟青陵大学に着任し、現在に至る。

踊（おど）ることは生（い）きること　新潟明訓高校ダンス部 創造的な学びの記録

2020（令和２）年１月29日　初版第１刷発行

著　者　　佐藤　菜美
発行者　　渡辺英美子
発行所　　株式会社 新潟日報事業社
〒950-8546　新潟市中央区万代３-１-１
メディアシップ14階
TEL 025-383-8020　FAX 025-383-8028
https://www.nnj-net.co.jp

印刷・製本　㈱ウィザップ

落丁・乱丁本はお取り替えいたします。
定価はカバーに表示してあります。
ISBN978-4-86132-734-6